Missprong

PRIVÉDETECTIVE
ALLIE FORTUNE

Missprong is het eerste deel in een serie over privédetective Allie Fortune.

Postbus 5018, 8260 GA Kampen
www.kok.nl

Oorspronkelijk verschenen onder de titel *Miss Fortune* bij Moody Publishers,
820 N. La Salle Boulevard, Chicago, IL 60610, USA

Vertaling Hella Willering
Omslagillustratie Helen Machin/Trevillion images
Omslagontwerp Hendriks Grafische vormgeving
ISBN 978 90 297 1928 5
NUR 302

Hoofdstuk 1

8 augustus 1947

Het was half drie 's nachts en drukkend warm. De hele stad was gehuld in een grijzige deken van schemer en nevel. De ramen van mijn appartement stonden open, maar er was geen briesje, nog geen zuchtje wind om de hitte te verkoelen.

Ik had moeten slapen, in mijn dromen moeten ophelderen wat mij dwarszat. In plaats daarvan zat ik met opgetrokken benen in de vensterbank van mijn appartement en staarde naar de straatlantaarn, wachtend op de zonsopkomst. En ik werd gek van de stilte.

Twaalf straten hiervandaan, op het bureau in mijn kantoor op de derde verdieping, lag een dossiermap die mijn leven zou kunnen veranderen, en het maakte me doodsbang.

Misschien had ik de map meteen moeten verbranden toen de post hem bezorgde. Misschien had ik vannacht kunnen slapen, als ik een lucifer bij het karton had gehouden.

Misschien wel – maar ik betwijfel het.

In plaats daarvan was ik klaarwakker en *moest* ik het weten.

Ik verbrak de stilte door op te staan. Ik had maar weinig tijd nodig om me aan te kleden en klaar te maken voor de nieuwe dag. Aan mijn lange haar hoefde ik niets te doen; zoals zo vaak had mijn hoofd deze nacht het kussen niet geraakt. Ik knoopte de laatste knopen van het getailleerde colbertje dicht, streek de bijpassende grijze rok glad, en pakte mijn zwarte vilten hoed van het tafeltje in de hal. Ik zette hem schuin op mijn hoofd, stak de hoedenspeld erdoor om hem vast te zetten, en wierp een snelle blik in de spiegel. Ondanks de donkere kringen onder mijn ogen zag ik er best aardig uit. Uiterlijk leek ik niet anders dan de meeste vrouwen in deze stad, maar door mijn werk wist ik precies hoezeer schijn kan bedriegen. Ik ging de deur uit en sloot hem met een zachte klik.

Mijn naam is Allie Fortune en ik was de enige vrouwelijke privédetective in de stad New York. De meeste andere detectives in de stad noemden mij 'de koningin der detectives' – een belediging en een koosnaam tegelijk, maar dat maakte me niet uit. Het interesseerde me niet hoe zij over mij spraken.

Om drie uur 's morgens zijn de straten nachtstil. Dat is helemaal niet zo stil, maar gevuld met geluiden die overdag niet opvallen. De hoge tik van hakken op de straat, het geblaf van een hond in de verte, het zoemen van de straatverlichting. Bedompt cement en vochtigheid – de geuren van een zomer in New York. De geluiden en geuren zweefden door mijn onderbewustzijn, tijdens mijn wandeling van tien minuten. Ik keek de hele tijd recht voor me uit en vermeed oogcontact met de andere dolende zielen in de nacht.

Het getik van mijn schoenen op de trap naar mijn kantoor klonk als het gerommel van de donder. Ik draaide de deur van het slot. In zwarte drukletters op matglas stond te lezen dat dit het kantoor was van A. Fortune, privédetective. Ik haalde mijn sleutelbos uit het slot, borg hem op in mijn handtas, deed het licht aan en vermeed het naar mijn bureau te kijken. Ik had nog even tijd nodig om mezelf voor te bereiden op de dossiermap die daar lag.

Ik zette mijn hoed af en legde hem op de kapstok in de hoek, liep naar de andere kant van de kamer om met mijn vingertoppen over de houten dossierkast te strijken, en deed alsof ik enkele papieren op mijn bureau ordende. Na een paar minuten was ik er klaar voor.

Ik liep naar de map, haalde diep adem en dwong mezelf hem open te slaan. De adem stokte in mijn keel toen ik de uitvergrote foto zag. Het was een duidelijke foto, zonder onscherpe of vage details die identificatie zouden bemoeilijken. Ik kon mezelf er niet toe zetten hem aan te raken en daarom boog ik me over de foto. De man had zo te zien de juiste lengte en het juiste postuur. Hij lag in zijn uniform in het zand. Voor zover ik zien kon, had hij geen schotwonden. Hij zag er niet vredig of boos uit – alleen maar dood. De tranen sprongen me in de ogen. Hij zag er ook niet uit als David. Ik liet mijn schouders hangen en haalde hortend adem.

Ik sloot de map en duwde hem van me af, zodat ik er niet meer naar hoefde te kijken. Terwijl ik onderuitzakte in mijn stoel, vroeg ik me af of ik kracht genoeg had om door te gaan met mijn zoektocht; maar tegelijkertijd realiseerde ik me dat het alternatief – opgeven – geen optie was. Voor de zoveelste keer rechtte ik mijn rug en nam me vastberaden voor om door te gaan met foto's bekijken en aanknopingspunten opvolgen, totdat ik wist wat er met hem gebeurd was. Met een zwaai veegde ik de dossiermap van het bureau in de prullenbak. Mijn blik viel op het opschrift en ik huiverde. Een soldaat degraderen tot *Onbekende soldaat nr. 5435* was een kille actie, zelfs voor de bureaucraten van het ministerie van Oorlog.

Ik schoof een stapel dossiers aan de kant en liet mijn hoofd op mijn bureau rusten. De tegenstrijdige emoties die ik had ingehouden, overspoelden me nu: blijdschap, omdat ik wist dat hij het niet was, maar ook het radeloze verlangen dat iets – wat dan ook – dat laatste beetje hoop, waardoor ik mij nu al zo lang liet leiden, zou doven.

Op dat moment echter won de opluchting het, en ik liet me even wegzinken in haar verkoeling.

De storm van emoties had me uitgeput. Ik wierp een blik op de lange leren bank, mijn tweede bed, en vroeg me af of ik misschien nog een paar uurtjes zou kunnen slapen voordat het dag werd. Ik besloot dat het in elk geval de moeite van het proberen waard was.

Een onverwachte, harde roffel op de deur verdreef die gedachten en deed mijn hart bonzen. Nog een keer werd er aangeklopt, hard genoeg om het glas te doen rammelen en mijn adem te doen stokken. Ik probeerde door het matglas heen het silhouet te herkennen, maar kon het niet goed zien.

'Wie is daar? Wat wilt u?' Ik kon me niet herinneren of ik de deur op slot had gedaan toen ik binnen was gekomen, en dus rommelde ik in mijn bureaula op zoek naar iets om mezelf mee te verdedigen.

'U moet me helpen. Alstublieft, ik heb hulp nodig,' riep een vrouwenstem door de deur.

Ik zette de loodzware glazen asbak die ik op het punt stond te gooien, neer, maar bleef voorzichtig. Wanneer iemand om drie uur 's nachts op een deur bonst, betekent dat in het algemeen problemen. Zo iemand veroorzaakt ze of wordt erdoor op de hielen gezeten. Op geen van beide scenario's zat ik te wachten.

Ik liep naar de deur en zei: 'We zijn gesloten. Komt u morgen maar langs om te bespreken wat u wilt bespreken. We zijn geopend van acht tot vijf.'

'Ik kan niet tot morgen wachten. Ik heb vannacht hulp nodig. Nu! Laat me er alstublieft in.'

Ik hoorde de angst in haar stem. Het silhouet veranderde terwijl ze van de ene voet op de andere wiebelde en haar armen om zich heen sloeg. De vrouw leek echt bang; ze keek voortdurend achterom alsof ze speurde naar gevaar. Ik opende de deur op een kiertje en gluurde om de hoek, voordat ik de deur helemaal opendeed om haar binnen te laten.

Ze was een kleine vrouw. Donker haar, een aardig gezicht, maar niet bijzonder. Ze was geen dame van stand, maar ook geen meisje van de straat. Haar jurk was minstens drie jaar uit de mode; hij was keurig gestreken, maar had de goedkope uitstraling van een jurk van een fabrieksarbeidster. Haar schoenen zagen er versleten uit, alsof ze er heel wat kilometers op had afgelegd. Haar haar was laag in haar nek opgestoken in een wrong, maar enkele plukjes waren ontsnapt en krulden langs haar gezicht. De donkere kringen onder haar ogen konden zich waarschijnlijk meten met die van mij. Dit was een vrouw die weinig slaap had gehad en nog minder geld. Niet iemand die zich mijn diensten zou kunnen veroorloven, vermoedde ik.

'Goed, kom dan maar binnen. Heel even.' Ik deed geen moeite om een diepe zucht in te houden.

Ze kwam mijn kantoor binnen, terwijl ze over haar schouder keek.

Ik gebaarde dat ze op de kamerbrede wijnrode bank kon plaatsnemen. Ze ging op het randje zitten, klaar om elk moment op te kunnen springen, en keek om zich heen. Klaarblijkelijk was ze niet erg onder de indruk van wat ze zag. Ik probeerde het vertrek door haar ogen te bekijken. Het kantoor was klein, met ramen aan twee zijden, een gehavend houten bureau in de hoek, en een rij donkere houten dossierkasten. Op sommige plekken liet de verf los, maar over het algemeen was de kamer best netjes. Papieren waren voor het grootste deel opgeruimd, met hier en daar nog een openliggend dossier. Het was niet luxueus, maar het voldeed.

'Vertel me eerst eens wie er achter u aan zit.'

'Waarom denkt u dat er iemand achter me aan zit?'

O, alsjeblieft zeg. 'Mevrouw, u klopt om drie uur 's morgens bij me aan, u bent heel angstig en u kijkt voortdurend achterom. Ofwel er zit iemand achter u aan, ofwel u bent gek. Ik vind het best als u me er niet over wilt vertellen, maar dan zult u wel een ander kantoor moeten vinden om u in te verbergen, want u zit op mijn bed.' Ik keek nadrukkelijk naar de bank en de deken die over de rugleuning was gedrapeerd.

Ze beet op haar vinger en legde toen met een ruk haar hand weer in haar schoot. Ze haalde haar schouders op. 'Goed, er is iemand min of meer naar me op zoek. Iemand van wie ik liever niet heb dat hij me vindt. Maar hij zit niet echt achter me aan.'

Ik wist niet of het door mijn slaapgebrek kwam of door haar ontwijkende antwoord dat ik haar niet mocht, maar om de een of andere reden vertrouwde ik deze vrouw niet.

'Kunt u zich niet ergens anders verbergen voor deze persoon die u zoekt, maar niet achter u aanzit? Want ik denk dat het beter is dat u nu gaat.' Ik stond op, klaar om haar naar de deur te begeleiden.

De vrouw ging rechtop zitten en haar stem kreeg een ijzige

klank. 'U hebt wel een erg hoge dunk van uzelf, maar ik weet zeker dat uw baas niet wil dat u op deze toon tegen een potentiële klant spreekt.' Ze keek me dreigend aan. 'Sterker nog, ik denk dat ik hier zal moeten blijven zitten totdat meneer Fortune komt. Ik weet zeker dat hij graag wil horen dat zijn secretaresse *geen* goede eerste indruk achterlaat.' Ze wendde haar gezicht van me af en zakte onderuit in de kussens.

Ik telde in gedachten tot tien, maar dat kon mijn ergernis niet verdrijven. 'Mijn naam is Allie Fortune, en dit is mijn kantoor. Ik ben de privédetective, niet de secretaresse.' Ik stak haar mijn hand toe, in een laatste poging beleefd te zijn.

'O, miss Fortune, het was niet mijn bedoeling...'

Ik huiverde. 'Noem mij alstublieft Allie. En laten we nu eens proberen de waarheid te spreken. Wat is er aan de hand?'

'Wel, miss Fortune... ik bedoel Allie, ik heb een privédetective nodig... omdat iemand mij probeert te vermoorden.'

Hoofdstuk 2

'Goed... Laten we beginnen met uw naam, en dan gaan we het hebben over wie u probeert te vermoorden en waarom. En vergeet niet te vertellen hoe u in het holst van de nacht in mijn kantoor bent beland.'

De kleine, waakzame vrouw knikte en haalde diep adem. 'Ik heet Mary. Mary Gordon. Ik stuitte op uw kantoor omdat het in de wijde omtrek het enige kantoor is waar licht brandt. Ik hoopte dat er iemand zou zijn en klopte aan.'

Ik wist zeker dat het ongeloof van mijn gezicht af te lezen was. 'Dus u zit in de problemen en u ziet een kantoor waar licht brandt, en dat is heel toevallig het kantoor van een detective? Weet u zeker dat u bij die verklaring wilt blijven?'

'Zo is het gebeurd.' Mary sloeg haar armen over elkaar en leunde achterover op de bank. Ze keek me kwaad aan. Blijkbaar was dit niet de juiste manier om informatie uit haar los te krijgen.

'Waarom denkt u dat iemand u wil vermoorden? Begint u daar eens mee – misschien wordt het hele verhaal dan wat duidelijker.'

'Nou...' Ze haalde een zakdoek tevoorschijn uit de zak van haar jurk en wond die om haar vinger. 'Het begon allemaal vorige week. Ik liep van mijn werk naar huis en ik merkte dat een man me volgde.'

'Waar werkt u?'

'Ik maak 's avonds kantoorgebouwen schoon, in de binnenstad. Ik had m'n werk net af en was op weg naar huis. Meestal ben ik rond een uur of tien klaar, dus dan is het niet meer zo druk op straat. Hoe dan ook, terwijl ik naar huis liep, schoot me opeens te binnen dat ik in het laatste kantoor mijn paraplu was vergeten. Ik maakte meteen rechtsomkeert om hem op te halen, want nadat ik een vorige keer iets in dat gebouw had laten liggen, heb ik het nooit meer teruggezien. Ik keerde me dus onverwachts om, en toen zag ik een lange, zwaargebouwde man in een overjas een portiek instappen, een paar meter van mij vandaan. Het was na tienen, maar het was net zo'n zwoele nacht als vannacht, dus ik weet nog dat ik dacht dat die man het wel vreselijk warm moest hebben in die wollen overjas.' Ze zweeg en wond de zakdoek nog strakker om haar vinger.

'U ging dus terug naar het kantoorgebouw? Om uw paraplu te halen...' herinnerde ik haar.

'Ja, ik vond m'n paraplu en ging weer op weg naar huis. Inmiddels was het kwart voor elf, en ik vond het niet prettig dat ik alleen over straat liep. Dus ik stapte stevig door.' Ze ging verzitten. 'U kent het gevoel wel. Als je 's nachts helemaal alleen door de stad loopt, word je nerveus, misschien een beetje paranoïde. Ik begon om me heen te kijken en te controleren of niemand me volgde.'

Ja, dat gevoel kende ik maar al te goed. 'Maar u werd wél gevolgd.'

'Diezelfde man weer. De kerel in de wollen overjas. Geen twijfel mogelijk. Het was echt een boom van een vent. Als ik hem maar één keer had gezien, had ik verder niet op hem gelet, maar nu ik hem voor de tweede keer achter me zag, begon ik het ergste te vrezen.'

Ik knikte. Hoewel dit slechts een gesprek was en niet een van mijn zaken, pakte ik een potlood en een schrijfblok en begon ik aantekeningen te maken.

'Dus deed ik het enige wat ik kon bedenken. Ik hield een taxi aan. Het kostte me een vermogen, maar ik was zó vreselijk bang. Toen ik voor de deur was afgezet, ging ik meteen naar binnen en rende ik naar het raam. En inderdaad, nog geen minuut later stopte er verderop in de straat een andere taxi, waar de man met de overjas uitkwam. Hij liep naar een tweede man, die aan de overkant van de straat tegen een lantaarnpaal geleund stond. Hij zei iets tegen hem, stapte weer in de taxi en verdween.' Mary huiverde. 'Ik heb die nacht geen oog dichtgedaan. Ik kon alleen maar toekijken hoe de man bij de lantaarnpaal sigaretten stond te roken en de hele nacht naar mijn huis bleef turen.'

'Ik kan me voorstellen dat dat beangstigend was.' Ik legde papier en potlood neer, liep om mijn bureau heen en leunde er aan de voorkant tegenaan. 'Maar dit was vorige week. Wat is er vannacht gebeurd? Wat heeft u de straat op gestuurd en u op mijn stoep doen belanden?'

Ze stond op van de bank en liep naar het raam. Met een blik naar buiten begon ze weer te spreken. 'De hele week was ik gespannen en keek ik voortdurend achter me, maar ik heb die mannen niet meer gezien. Ik probeerde mezelf ervan te overtuigen dat ik alleen maar paranoïde was, dat het niets te betekenen had. Vanavond moest ik heel laat werken, en het was al bijna één uur voordat ik het laatste kantoor kon verlaten. Als ik tot zo laat moet doorwerken, neem ik altijd een taxi naar huis. Toen de chauffeur me thuis afzette, zag ik door het raam dat er licht brandde in mijn appartement. Toen wist ik meteen dat er iets niet in de haak was, want ik laat nooit licht branden als ik niet thuis ben.' Ze liep weg van het raam, terug naar de bank.

'U weet zeker dat u het licht niet per ongeluk hebt laten branden?'

'Ik ben weduwe. Het is mijn gewoonte om het beetje geld dat ik heb, niet te verspillen aan licht in een kamer waar ik niet ben.'

Ik knikte. Het paste bij haar uiterlijk. Als ik had moeten gissen, zou ik hebben gezegd dat ze een weduwe met een klein inkomen was. Hoewel het voor mijn beroepstrots goed was dat ik haar situatie zo correct had ingeschat, was het voor mijn beroepsuitoefening slecht dat ik gelijk had, want deze vrouw zou het zich nooit kunnen veroorloven om mij in te huren. Ik legde mij erbij neer dat ik haar verhaal zou aanhoren en haar een beetje gratis advies zou geven – en dat ik die nacht niet meer zou slapen.

'Tegen beter weten in liep ik naar boven en ging ik toch mijn appartement binnen. Het was er een puinhoop. De meubels waren omvergegooid, alles stond op z'n kop, laden stonden open, het linnengoed lag op de vloer. Ik stond aan de grond genageld, maar toen hoorde ik stemmen in mijn slaapkamer. Ik heb niet afgewacht of dat Overjas en Lantaarnpaal waren; ik ben gewoon zo hard als ik kon weggerend. Er werd een pistool afgevuurd terwijl ik de trap af stormde. Ik bleef niet stilstaan. Ik heb de hele nacht gelopen, steeds maar controlerend of ik niet gevolgd werd, steeds over mijn schouder kijkend. Ik begon net te denken dat ik veilig was, toen ik honderd meter achter me iemand in de schaduw zag staan. Ik raakte in paniek. Ik zag dat er licht brandde in uw kantoor en rende naar binnen, om maar te ontsnappen.' Mary was buiten adem van haar verhaal. Ze keek me met grote ogen aan, in de hoop dat ik een oplossing voor haar had.

'Hebt u een plek nodig waar u kunt blijven, totdat u zeker weet dat u ze hebt afgeschud?'

Mary reageerde verrast en keek me met samengeknepen ogen aan. 'Dat is misschien wel het verstandigste.'

'U mag gerust hier de nacht uitzitten, maar ik moet u verzoeken te vertrekken zodra het kantoor morgenochtend opengaat. Ik heb dan meteen een afspraak.' Ik vond het vervelend dat ik zo hardvochtig moest zijn, maar de ervaring had me geleerd dat ik niet alle problemen voor iedereen kan oplossen.

'Ik geloof dat ik niet helemaal duidelijk ben geweest, miss Fortune.'

Weer kromp ik onwillekeurig ineen bij het horen van die naam. Ik was niet bijgelovig, maar wie steeds *misfortune* – ongeluk – genoemd wordt, loopt het gevaar zich ook ongelukkig te gaan voelen. Net als een kind dat de naam *Pechvogel* krijgt.

'Noemt u mij alstublieft Allie.'

'U begrijpt me verkeerd. Ik wil u inhuren.'

Ik zuchtte. Dit was een onverwachte en ongewenste verwikkeling. Nu was het onvermijdelijk dat ik mij een op geld beluste schurk zou voelen bij het geven van mijn standaardantwoord.

Datzelfde antwoord dat ik al minstens honderd keer had gegeven – meestal aan verre verwanten of vrienden van vrienden, die mij vroegen om zonder vergoeding iets voor hen te doen. Ik voelde me altijd een schoft als ik dit antwoord gaf, maar aan dat gevoel was ik inmiddels wel gewend. 'Mevrouw Gordon, ik ben een professionele privédetective. Mijn tarief is vijfendertig dollar per dag, exclusief onkostenvergoeding. Ik neem geen cheques aan, ik doe ook geen onderzoek op afbetaling. Ik word vooraf en contant betaald. Het spijt me.' Ik vond het vreselijk dit te zeggen, maar het moest gebeuren. Ik was geen liefdadigheidsinstelling. Voor je het wist, werd je in de luren gelegd door een zielig verhaal en vervolgens opgelicht als het tijd werd om te betalen.

Mevrouw Gordon knipperde met haar ogen. 'Natuurlijk betaal ik u voor uw werk.'

Ze klonk beledigd, maar ik deed mijn best om me dat niet aan te trekken. Ik keek toe hoe zij aan de gordel van haar jurk begon te friemelen. Ze maakte hem los, en ik vroeg me af wat ze van plan was. Na enig zoeken vond ze een naad op de gordel die klaarblijkelijk niet goed dichtgenaaid was, en haalde er een klein rolletje bankbiljetten uit tevoorschijn. Ik had kunnen weten dat ze een noodvoorraadje geld bij zich zou hebben – zo'n type leek het me wel – maar ik had nooit verwacht dat het voorraadje zou bestaan uit honderd-dollarbiljetten. Ik schatte dat ze daar zo'n vijf- of zeshonderd dollar had.

In mijn hoofd begonnen de alarmbellen hevig te rinkelen. Hoe kwam zij aan vijfhonderd dollar? Dat was een kapitaal voor iemand als zij. Hier klopte iets niet.

Ze haalde er één biljet uit en overhandigde het aan mij. 'Ik kan u vooruitbetalen voor drie dagen werk. Als u dan nog niet hebt ontdekt waarom die mannen mij schaduwen, zal ik u wellicht vragen mij door te verwijzen naar een collega.'

Hoofdstuk 3

Dat was een verrassende wending.

Ik liep naar het raam en tuurde naar de verlaten straat, mezelf even de tijd gunnend om na te denken. Ik was er vrij goed in mensen te doorgronden, en ik was ervan overtuigd dat Mary Gordon oprecht ergens bang voor was, maar ik had ook het gevoel dat ze het met de waarheid niet zo nauw nam. Desalniettemin was ik nieuwsgierig – naar haar, naar het geld in haar gordel, en naar de mensen die achter haar aan zaten.

'Goed, mevrouw Gordon. Ik ben bereid uw zaak op me te nemen...'

Ze wilde iets zeggen, maar ik legde haar met een handgebaar het zwijgen op. 'Zoals ik al zei, ik ben bereid uw zaak op me te nemen op drie voorwaarden.' Ik haalde diep adem. 'Ik heb dit al een keer of twaalf bij de hand gehad, en de ervaring heeft me geleerd dat ik een paar regels moet hanteren. Als u niet bereid bent met deze regels in te stemmen, dan kunnen we er nu meteen een punt achter zetten.' Ik wachtte even.

Mary's gezichtsuitdrukking ging in een oogwenk van bezorgd naar geërgerd. 'Wat zijn uw regels dan?'

'Regel één is dat u me de waarheid vertelt. Als ik erachter kom dat u tegen me hebt gelogen, dan is onze zakelijke overeenkomst per direct beëindigd.'

'Natuurlijk vertel ik u de waarheid. Bedoelt u dat u mij niet gelooft?'

'Regel nummer twee: ik wil de *hele* waarheid. U laat niets weg wat met het onderzoek te maken heeft. Nogmaals, als ik erachter kom dat u over informatie beschikte die u niet aan mij hebt doorgegeven, dan beschouw ik onze overeenkomst met onmiddellijke ingang als nietig.'

'En regel drie?' Mary was rood aangelopen; ze probeerde niet langer haar ergernis te verbergen.

'Regel nummer drie is dat ik zelf naar de politie stap wanneer u betrokken bent bij iets illegaals. Ik zal me er zelfs niet schuldig over voelen. Ik help niemand bij het overtreden van de wet.' Ik sloeg mijn armen over elkaar en keek haar indringend aan. 'Dat zijn mijn regels.'

'En u denkt werkelijk dat die regels op mij van toepassing zijn? Dat ik een van uw kostbare regels ga overtreden?'

'Mevrouw Gordon, deze regels gelden voor iedereen.' Dat liet ik even bezinken. 'Cliënten krijgen mijn regels te horen, voordat er geld wordt betaald of beloften worden gedaan. Zo doe ik zaken.'

Mary keek me een minuut lang zwijgend aan. Buiten braken de eerste straaltjes daglicht door het duister heen.

'Goed. Daar kan ik mee leven.' Mary reikte me haar hand en we bevestigden onze overeenkomst met een handdruk.

Ik had er weer een cliënt bij.

Tegen de tijd dat de zon hoog aan de hemel stond, was Mary Gordon naar haar appartement vertrokken. Ze had niet veel zin om terug te gaan, maar ik had geregeld dat ze daar door de politie zou worden opgewacht. Dat gaf haar de gelegenheid officieel aangifte te doen, en ik had een poosje mijn handen vrij. Ik zou haar later die avond weer ontmoeten in mijn kantoor, na mijn wekelijkse woensdagavond-beproeving.

De dag was aardig volgeboekt – afspraken met cliënten enzo – maar ik spaarde mijn krachten voor die avond. Dan moest ik scherp en bij mijn volle verstand zijn, anders zouden er vreemde dingen kunnen gebeuren.

Ik rekte me uit in mijn bureaustoel in een poging mijn stijve spieren te ontspannen, en streek het jasje van mijn grijze mantelpakje weer glad. Ik probeerde de lusteloosheid die ik voelde, te verdrijven. Slapeloze nachten was ik wel gewend, maar mijn lichaam kon maar een beperkt aantal ervan achter elkaar verdragen. Tegen beter weten in hoopte ik op vijf aaneengesloten uren bewusteloosheid de komende nacht.

Al lezende in mijn dossiers at ik achter mijn bureau mijn lunch op – pekelvlees op roggebrood, dat ik bij het winkeltje om de hoek had gehaald.

Twee besprekingen en vele telefoongesprekken later keek ik op de klok aan de muur en zag tot mijn schrik dat het al tien voor vijf was. Ik klapte meteen het dossier dicht waarin ik zat te lezen en griste mijn hoed van de kapstok. Thuis zou ik nog maar een uurtje hebben om mezelf op te frissen en de metro te pakken. Het diner werd altijd stipt om half zeven opgediend, dus het zou nippertjeswerk worden.

Ik deed er minder dan tien minuten over om thuis te komen. Ik had het hele eind gerend, met klepperende hoge hakken op het plaveisel, en ik was warm en bezweet. De koele douche was verrukkelijk, maar ik bleef er niet onder treuzelen. Zodra ik onder de waterstraal vandaan was en me had afgedroogd, vroeg ik me af hoe ik ooit op tijd klaar zou kunnen zijn.

Ik griste een mosgroen pakje uit mijn kledingkast en ging op jacht naar kousen. Wat een luxe om weer zijden kousen te kunnen dragen. Tijdens de oorlog was er alleen kriebelend nylon beschikbaar geweest, en zelfs dat niet altijd. Ik trok de zachte, gladde kousen aan en zorgde ervoor dat de naad achter op mijn been zo goed mogelijk recht liep. Ik wist dat het zou worden opgemerkt én becommentarieerd als dat niet het geval was. Ik deed de rok en de blouse aan en knoopte het mooie, flatterende jasje dicht, waarbij mijn vingers eventjes de tijd namen om de zwarte fluwelen revers te strelen.

Ten slotte nog sieraden en schoenen. De parelketting stopte ik in mijn handtasje, aangezien het zeer onverstandig is om in de metro waardevolle sieraden te dragen, en toen was ik klaar. Even keek ik naar mijn bed en stond ik mezelf de treurigmakende gedachte toe hoe heerlijk het zou zijn om erin te kruipen en mijn ogen te sluiten. Waarschijnlijk zou ik wel kunnen slapen. Op woensdagavond had ik altijd het gevoel dat ik wel zou kunnen slapen. Jammer genoeg wist ik dat dit slechts een combinatie was van ijdele hoop en struisvogelpolitiek.

Mijn woensdagavonden waren – al zolang als ik op mezelf woonde – het bezit van mijn moeder. In die zeven jaren had ik hooguit een paar keer verzaakt, vooral omdat ik de betrekkelijke vrede die we hadden bereikt, niet wilde verstoren. De woensdag was van haar; maar de zonzijde was dat het maar één keer in de zeven dagen woensdag werd.

Ik stopte nog gauw wat geld voor noodgevallen in m'n handtas en pakte mijn sleutelbos. Bij de deur van mijn appartement bleef ik staan. Ik haalde diep adem om mijn afweergeschut in stelling te brengen en mezelf voor te bereiden op de avond die in het verschiet lag. Vreemd toch, dat dineren met mijn moeder mij meer angst aanjoeg dan een schurk met het postuur van een worstelaar in een donker steegje ooit kon.

Hoofdstuk 4

De zuilen aan weerszijden van de voordeur waren heel geschikt om tegenaan te leunen terwijl ik mijn ketting omdeed. Nog één keer keek ik op mijn horloge; opgelucht liet ik mijn lichaam tegen een van de zuilen rusten. Drie minuten voor half zeven. Ik was op tijd en had zelfs drie minuten over. Dit was perfect: het diner zou dadelijk worden opgediend, en ik was het borreluurtje voor het eten mooi misgelopen.

Ik keek de oprit af en zag een onbekende auto staan. Een grijze Buick, redelijk nieuw, oogverblindend schoongepoetst en in de was gezet, volmaakt als een toonzaalmodel. Ik draaide me om naar de voordeur en belde aan, terwijl ik in gedachten mijn detective-spelletje over de eigenaar speelde.

Ik vermoedde dat hij een accountant of bankier was, vanwege de kleur van de wagen en het feit dat de eigenaar zo te zien elke week de auto schoonmaakte en oppoetste om de verkoopwaarde te verhogen. Bij het raden van het beroep van mijn tafelheren voor deze woensdagavonden had ik het drie van de vier keer bij het juiste eind. De veronderstelling dat ik me stierlijk zou vervelen met of me zou ergeren aan de vreemdeling die mijn moeder voor het diner had uitgenodigd in de hoop mij te kunnen uithuwelijken, bleek helaas elke keer terecht. Gerekend over een periode van zeven jaar waren dat fenomenale statistieken, vond ik.

De deur zwaaide open en ik zag een onbekend gezicht.

'Goedenavond,' zei ze. Haar zwart-witte uniform was tot in de puntjes gesteven en gestreken. Ik vermoedde dat ze sinds een dag of twee – zeker niet langer – hier in dienst was.

'Dag.' Ik stak mijn hand naar haar uit. Ze keek verbaasd, maar schudde hem wel. 'Ik ben Allie.'

Ze zweeg, totdat ze zich realiseerde dat ik wachtte op haar naam. 'Kate O'Shaughnessy, miss.'

'Aangenaam, Kate. Ik neem aan dat mijn moeder de vrijgezel van vanavond onderhoudt in de salon?'

'Ja, miss – ik bedoel, ja, daar gebruiken uw moeder en vader en meneer Vanderlaan het aperitief.'

'Goed, Kate, dan zal ik me daar bij hen voegen – maar zou je me eerst een plezier willen doen?'

'Natuurlijk, miss.'

'Weet je toevallig wat meneer Vanderlaan voor de kost doet?'

'Miss?' Kate keek stomverbaasd.

'Dat is een spelletje van me. Ik probeer van elke man het beroep te raden aan de hand van zijn auto.'

'Eh... ik weet het niet zeker, maar ik meen dat uw moeder tegen uw vader zei dat hun gast van vanavond als belegger bij een bank werkt.'

Ik kon een grote grijns niet onderdrukken. 'Alweer goed.'

Kate keek me aan alsof ik Chinees sprak. Ik zuchtte. 'Laat maar. Ik zal naar de salon gaan. Aangenaam kennis te maken, Kate.'

'Insgelijks, miss.'

Ik haalde nog één keer diep adem om moed te vergaren. Toen liep ik de hal door naar de geopende deuren van de salon.

'Nee maar.' Mijn moeder stond op zodra ik de deur binnenkwam. Ze schreed naar me toe en kuste me op de wang, voordat ze zich tot mijn vader wendde. 'Kijk eens, William, wie er eindelijk gekomen is.' Met een theatraal gebaar keek ze op haar horloge. 'Precies half zeven!' Met opgetrokken wenkbrauwen keek ze me aan, terwijl ik naar de andere kant van de kamer liep en uiterst behoedzaam op de deftige sofa ging zitten.

Mijn vader bromde iets van achter zijn krant, in antwoord op mijn moeders opmerking. Heimelijk gluurde ik naar hem. Hij liet de hoek van zijn krant zakken en knipoogde naar me; toen trok hij met een ruk zijn schild weer op.

Mijn moeder zag ons oogcontact en wierp mijn vader een boze blik toe, waarna ze haar keel schraapte om het gesprek weer in goede banen te leiden. 'Allan, mag ik je voorstellen aan mijn dochter – Alexandra Fortune.'

Ik huiverde. O, ik heb zo'n hekel aan mijn naam. Alexandra Beatrice Victoria Fortune. Het was ongetwijfeld niet mijn moeders hartenwens dat haar enige dochtertje later privédetective zou worden. Waarschijnlijk hoopte ze dat ik later met een prins zou trouwen. Inmiddels had ook zij wel beseft dat dat niet zou gebeuren, dus had ze haar doelen naar beneden bijgesteld: nu probeerde ze mij te koppelen aan de eerste de beste begerenswaardige vrijgezel uit een keurige, gegoede familie die mij zou willen hebben. Zij zocht iemand die mij zou meevoeren uit de wereld van het speurwerk, naar een meer fatsoenlijk bestaan.

Een bestaan, vrees ik, dat erg op haar eigen leven zou lijken.

Ik hield van mijn moeder, maar ik kon me niets ergers voorstellen dan mijn leven lang visite te ontvangen, betamelijk liefdadigheidswerk te doen en op de hoogte te blijven van de laatste nieuwtjes uit de betere kringen.

Toch probeerde ik, omwille van haar, een gesprek aan te knopen met Allan. 'Aangenaam.' Dat was ongeveer alles wat ik kon bedenken. Gelukkig had ik een beproefde methode om een man aan het praten te krijgen en te houden, zonder verdere hulp van mijn kant. 'Ik zag dat u een mooie auto hebt.'

Allan begon te stralen. 'Wat een schoonheid, hè? Het is een splinternieuwe Buick van 1947. Ik heb er zes maanden voor op de wachtlijst gestaan. Andere mensen moeten meer dan twee jaar wachten, maar ik heb connecties. Ik kende de juiste persoon op de juiste plek; die heeft me boven aan de lijst gezet. De auto heeft alle nieuwe snufjes...'

Bla, bla, bla. Ik sloot me af voor zijn gepraat, wetende dat gesprekken over auto's – zelfs als ze maar door één persoon worden gevoerd – nooit snel afgelopen zijn. Mijn vader liet zijn krant voor de tweede maal zakken om Allan een boze blik toe te werpen (die daar gelukkig niets van merkte), maar trok hem toen weer met een ruk omhoog.

Ik zag de toegeknepen ogen van mijn moeder, maar ik meed haar blik. In plaats daarvan deed ik alsof ik luisterde naar Allans gepraat over paardenkracht.

Onze sprankelende conversatie werd onderbroken door Kate, die bij de deur haar keel schraapte. 'U kunt aan tafel.' Mijn moeder knikte, en we stonden allemaal op en gingen naar de eetkamer, mijn vader voorop. Het was vrijwel onmogelijk om papa's belangstelling voor een gesprek vast te houden, maar hem ontging weinig – en zeker geen belofte van eten. Allan, die achter mijn vader liep, babbelde gewoon door en richtte zijn monoloog nu op hem.

Helaas vormden mijn moeder en ik daardoor de achterhoede. Zij greep haar kans en hield me met een hand op mijn arm staande. 'Denk niet dat ik niet doorheb wat je aan het doen bent.'

'Wat doe ik dan, moeder?'

'Je hebt Allan afgeleid, zodat je hem niet hoeft te leren kennen.'

'Wat bedoelt u? Ik zei alleen maar dat hij een mooie auto heeft.'

De blik die ze me toewierp, herkende ik uit mijn jeugd. Die zei duidelijk dat ze me doorhad. Dezelfde blik had ze me gegeven toen ze erachter kwam dat ik op school Margaret Neidermeyers vlecht had afgeknipt. Maar bij mijn moeder had ik geleerd genadeloos te zijn.

'Waarover zou u willen dat ik met hem praat? Wilt u dat ik hem vertel hoe mijn dag was vandaag?'

Als ik zeg dat de afschuw op haar gezicht te lezen stond, druk ik me nog voorzichtig uit. 'Alexandra, je lááát het. Als je ook maar iets zegt over een van je...' Ze kon zich er niet eens toe brengen het woord uit te spreken. 'Dan zorg ik dat kokkie volgende week woensdagavond bouillabaisse op het menu zet.'

Bij de gedachte alleen al werd ik misselijk. Vissoep was wel heel zwaar geschut.

‘Kun je hem niet gewoon laten zien wat een geweldige echtgenote je zou zijn?’

‘Hoe dan? Wilt u dat ik hem vraag of zijn sokken gestopt moeten worden?

‘Sarcasme is niet gepast, Alexandra.’ Zij beheerste die toon van ijzige minachting als geen ander. Ooit hoopte ik die toon exact te kunnen evenaren. Dat zou heel nuttig zijn in mijn beroep.

‘Je zou kunnen proberen hem in een echt gesprek te betrekken.’

Ze had gelijk. Dat was wel het minste dat ik kon doen. Een zucht ontsnapte me.

‘Ik zal onder het eten mijn best doen hem te leren kennen.’ Mijn moeder trok een wenkbrauw op en ik vervolgde: ‘En ik zal mijn detectivewerk niet noemen.’

Ze knikte, glimlachte, en hield me nog even staande met haar hand op mijn arm. ‘Je ziet er vanavond prachtig uit, Alexandra.’ Ze gaf me een kneepje in mijn arm en leidde me toen de eetkamer binnen, naar de vrijer die daar op me wachtte.

Hoofdstuk 5

De avond bij mijn ouders was wel ongeveer wat ik ervan verwacht had. Ik had mijn best gedaan Allan beter te leren kennen. Hij was ongetwijfeld een aardige man; misschien een beetje saai. Maar dat waren hypothetische observaties. Ik was hoe dan ook niet in hem geïnteresseerd, noch in enige andere man.

Mijn moeder wist de reden wel – dat had ik haar jaren geleden al verteld – maar desondanks bleef ze proberen een echtgenoot voor mij te vinden. Ze vond het de hoogste tijd dat ik het verleden liet rusten. Eerlijk gezegd was ik het met haar eens. Ik had het ook al vaak genoeg geprobeerd. Als ik het had gekund, had ik het gedaan, want ik zat er echt niet op te wachten om geobsedeerd te worden door een schim uit het verleden. De werkelijkheid was echter dat ik van David Rubeneski had gehouden vanaf mijn zestiende, en dat ik hem niet kon loslaten.

De laatste keer dat ik hem zag, vertelde hij me dat hij zou vertrekken naar Frankrijk, naar de oorlog die daar op hem wachtte. Hij verliet me in januari. Inmiddels wist ik dat hij achttien maanden later officieel vermist werd verklaard en verondersteld werd te zijn omgekomen. Toen de oorlog voorbij was en onze jongens thuis begonnen te komen, waren de treinen, metro's en straten vol mannen in uniform – sommigen gehavend, anderen ongedeerd. Ik speurde alle gezichten af, tegen beter weten in hopend dat ik hem zou vinden. En ik was nooit opgehouden te zoeken.

Ik gebruikte elke ingang die ik had, om te achterhalen wat er met hem gebeurd was. Ik dacht dat ik misschien het verleden zou kunnen laten rusten als ik zeker wist dat hij niet meer leefde. Maar nu had ik al mijn middelen uitgeput en al mijn contacten geraadpleegd, zonder enig resultaat. En ik wist werkelijk niet wat mijn volgende stap moest zijn.

Mary Gordon stond me al op te wachten toen ik terugkwam bij mijn kantoor. Ik was na het diner maar niet langs huis gegaan, want ik wist dat ik in de verleiding zou komen om in bed te kruipen en een dutje te doen. Ik was bekaf, volledig uitgeput – dat was de enige verklaring voor het feit dat mijn moeder mij had weten over te halen om vrijdag nog een keer te komen dineren. Tweemaal in één week was ongehoord. Ze had een of ander bijzonder soiree georganiseerd, waarbij het absoluut noodzakelijk was dat ik mijn opwachting maakte. Ik luisterde niet naar de details; ik was zo moe dat ik toegaf, uit een hartgrondig verlangen om van het gezeur af te zijn. Mijn wilskracht moet me in de steek hebben gelaten. Het zag er dus naar uit dat ik mijn een-keer-per-week-regel ging overtreden. Hoe moest ik dat ooit overleven?

Mary stond voor mijn deur ongeduldig met haar voet te tikken. Met moeite onderdrukte ik een zucht. Zonder een woord te zeggen, haalde ik mijn sleutels tevoorschijn, opende de deur en liet haar binnen. Ze installeerde zich op de bank. Ik zette mijn hoed af, hing hem op de kapstok, en probeerde zo onopvallend mogelijk mijn vermoeide rug te strekken.

'Hoe is het met de politie gegaan?'

Mary keek me woedend aan.

O. Niet zo best dus.

'Ik heb de hele middag en avond zitten praten met twee stomme dienders. Ze gaven me steeds maar een klopje op mijn hand en vroegen me of ik over mijn toeren was. Ik ben niet over mijn toeren, ik ben laaiend! Die mannen hebben m'n huis doorzocht, m'n servies gebroken en alles overhoopgehaald wat niet vastgespijkerd zat – en dan zitten die twee agenten te wachten tot ik een potje ga janken. Nou, huilen is wel het laatste waaraan ik denk.' Mary's stellige bewering ten spijt sprongen de tranen haar in de ogen.

Tot mijn verbazing had ik medelijden met haar. 'Hebben ze iets gestolen?'

Mary hees zichzelf uit de bank omhoog, liep naar het raam aan de andere kant van de kamer en keek neer op de straat. 'Niet dat ik heb kunnen ontdekken. Het was overal zo'n puinhoop. En ik heb ook eigenlijk geen waardevolle spullen. Ik zou niet weten waarnaar die mannen op zoek kunnen zijn geweest.' Haar stem klonk bijna smekend, alsof ze wilde dat ik haar zou vertellen dat dit slechts een boze droom was geweest. Alsof ik, als ik maar genoeg mijn best deed, alles weer goed kon maken.

'Denk er nog maar eens goed over na wie dit zou kunnen doen en waarom. Ondertussen moeten jij en ik een plan bedenken.'

Mary draaide zich om en keek mij aan. 'Jij bent de expert. Wat vind jij dat we moeten doen?'

'Op dit moment weten we alleen dat onbekenden jou hebben gevolgd, je doen en laten in de gaten hebben gehouden, en je woning hebben doorzocht. Er is iemand die iets van jou wil, en we moeten erachter zien te komen wat dat is.'

'Hoe gaan we dat doen?'

'Aangezien jij denkt dat ze niets hebben meegenomen uit het appartement, vermoed ik dat ze niet hebben gevonden wat ze zochten. Dus ga ik je een poosje volgen en hoop ik hen te zien. Dat lijkt mij het verstandigste.'

'Mij volgen? Waarheen dan?'

'Moet je vanavond niet werken?'

'Ja – ik zou er nu zelfs al moeten zijn.'

Ik greep naar mijn hoed. 'Nou, waar wachten we nog op? Ik blijf vlak achter je.'

Hoofdstuk 6

Na twee dagen observeren begon ik me af te vragen of er bij Mary Gordon niet een steekje los zat. Voor zover ik kon constateren, werd ze door niemand gevolgd. Ze stond 's morgens op, maakte haar huis aan kant, maakte zich klaar voor de dag en ging naar haar werk. Haar werk bestond uit schoonmaken. Zo te zien had ze een roulerend rooster van appartementen en kantoren, verspreid door de stad. Eén ding moest ik haar nageven: ze was niet lui. Ze leek te werken van 's morgens vroeg tot 's avonds laat, en ik kon met geen mogelijkheid begrijpen waarom iemand in haar geïnteresseerd zou zijn, laat staan haar in de gaten zou willen houden.

Inmiddels lag ik mijlenver achter in het werk voor mijn overige cliënten, dus ik wilde dolgraag een punt achter deze zaak zetten. Toen we begonnen, waren Mary en ik overeengekomen dat ik drie dagen lang haar zaak zou onderzoeken, en tot dusver had ik nog niets ontdekt. Ik zou blij zijn als ik afscheid van haar kon nemen. Ik had natuurlijk meteen nee moeten zeggen, of op zijn minst haar naar een andere detective moeten doorverwijzen. Ik wist dat ik geen tijd had voor een nieuwe cliënt, maar ik had vermoeidheid en medelijden het laten winnen van mijn gezonde verstand. Op dezelfde manier had mijn moeder me weten te strikken om vanavond een of ander diner bij te wonen dat mijn ouders bij hen thuis hadden georganiseerd. Uit zelfbehoud moest ik er voortaan toch echt voor zorgen dat ik meer dan één uur slaap per nacht kreeg. Uitputting en emotie mochten me niet langer zo in hun greep houden.

Ik schudde mijn hoofd om deze vruchteloze gedachten te verjagen. Ik had op dit moment geen tijd om te slapen of te wensen.

Ik stond in de portiek van een klein tabakswinkeltje tegenover het gebouw waar Mary haar werkdag afrondde.

Ik had goed om me heen gekeken, maar er was niemand die Mary in de gaten hield behalve ikzelf. Ik wierp een blik op het kantoorgebouw aan de overkant van de straat, precies op het moment dat zij door de hoofdingang naar buiten kwam. Ze keek zoekend mijn kant op. Wonderlijk – het loutere feit dat ik een vrouw was, maakte mij zo goed als onzichtbaar in deze stad. Ik hoefde maar een boodschappentas aan mijn arm te hangen en ik verdween uit beeld. Ik had verwacht dat het na de oorlog beter zou worden, dat New York niet langer een wereldstad met alleen maar vrouwen, kinderen en oude mannen zou lijken. De situatie was ook wel iets veranderd, maar er liepen nog steeds tien keer zoveel vrouwen als mannen op straat.

Zelfs Mary, die toch naar me uitkeek, zag me niet staan, tot ik mijn hand opstak met een kleine zwaai en haar gebaarde naar huis te gaan.

Toen ze een paar straten richting haar appartement had gelopen, stak ik de weg over en haalde haar in. 'Ik heb verplichtingen vanavond, dus wanneer we veilig bij je huis zijn aangekomen, laat ik je alleen achter.' Ik verwachtte een woedende reactie op mijn mededeling, maar in plaats daarvan leek de spanning enigszins uit haar houding weg te vloeien. 'Morgenochtend ben ik weer beschikbaar, en dan moeten we bespreken hoe we nu verdergaan.'

Mary knikte. 'Dan kom ik morgen na de lunch wel naar je kantoor.'

Ze verraste me. Ik had meer... drama verwacht. Misschien begon ze in te zien dat dit alles gewoon een rare samenloop van omstandigheden was geweest, gecombineerd met een beetje achtervolgingswaan van haar kant.

Ik vertraagde mijn pas totdat ik weer zo'n twintig meter achter haar liep. Ik volgde haar naar haar huis zonder dat zich iets bijzonders voordeed, en zodra ik zag dat het licht in haar appartement aanging, nam ik de benen.

Het zou geen eenvoudig diner zijn bij mijn ouders thuis, maar een sjieke aangelegenheid. Ik kon me niet meer herinneren wat de aanleiding was; ik wist alleen nog dat ik me flink moest opdoffen. Alles uit de kast moest halen. Er werd van mij verwacht dat ik van top tot teen zou uitstralen dat ik een rijke erfgename was. Gelukkig had ik daarvoor de ideale jurk. En ik had genoeg tijd om me voor te bereiden.

Ik wist eigenlijk niet waarom ik die japon gekocht had; ik wist alleen dat ik hem gewoon móest hebben toen ik hem zag hangen in de etalage van een heel mooi boetiekje. Bij uitzondering had ik zelfs geen moeite gedaan een goede reden te bedenken voor deze uitgave. Maandenlang had de jurk de binnenkant van mijn kledingkast versierd, en het was een opwindend vooruitzicht hem nu eindelijk te dragen. Het was een avondjapon van heel lichtroze zijde, met een nauwsluitend lijfje en een soepelvallende wijde rok die tot over mijn enkels reikte. Een lange rij met zijde bedekte knoopjes versierde de hele rug. Ik wierp een laatste blik op mezelf in de spiegel boven de schoorsteenmantel. *Haar: zit goed. Jurk: prachtig. Schoenen: prima.* Nu alleen nog het hoedje. Ik plukte het van de kapstok, zonder mijn ogen van de spiegel af te houden. Het gebeurde zo zelden dat mijn kapsel echt goed gelukt was, dat ik het gewoon jammer vond om het met een hoedje te bedekken. Toch zette ik de lichtroze hoed voorzichtig op mijn hoofd, schikte hem totdat ik helemaal tevreden was, en stak de hoedenspeld erdoorheen om het geheel onwrikbaar vast te zetten.

Nu hoefde ik nog maar één ding te doen: de rest van de avond heelhuids doorkomen.

Een diner om geld in te zamelen voor de Democratische Partij. Dat was de bijeenkomst waartegen ik 'ja' had gezegd.

Net als iedereen vond ik Harry Truman een beste man, maar ik bracht mijn tijd nog liever door bij de tandarts dan op een fondsenwervingavond voor een politieke partij. Mijn ouders waren altijd actief geweest in de politiek, dus ik wist maar al te goed dat politici de saaist denkbare tafelgenoten zijn. Harry zelf scheen ook zijn opwachting te zullen maken. Dat kon wel interessant worden, al was het maar om te zien hoe mijn moeder zich zorgen zou maken of de tafelkleden wel recht lagen en of de bloemstukken wel symmetrisch waren. Zij stond in de hele staat New York bekend om haar perfect georganiseerde feestjes, en die reputatie was gestoeld op haar oog voor detail.

Diezelfde aandacht voor detail was ook de oorzaak van de voortdurende wisselingen in haar huishoudelijk personeel. Het was moeilijk om voor een perfectionist als mijn moeder te werken. Het enige lid van de huishouding dat lang genoeg bij ons in dienst was om niet bang voor haar te zijn, was mevrouw Schmidt. Mevrouw Schmidt maakte al deel uit van het meubilair in de keuken sinds ik vijf jaar oud was, dus ze moest nu de zestig gepasseerd zijn. Ze kwam oorspronkelijk uit Oostenrijk en bakte de heerlijkste taarten. Dat zij het zo lang had uitgehouden onder mijn moeders eindeloze gemopper, was volgens mij enkel en alleen te danken aan het feit dat ze de eerste tien jaar bij ons weigerde Engels te leren.

Het diner zou om acht uur worden opgediend. Tegen kwart voor acht wemelde het van de mensen, dus ik had de indruk dat het feest een succes was. De zitkamer, de eetkamer en de studeerkamer bevonden zich allemaal in het achterste deel van het huis en verleenden door glazen schuifdeuren toegang tot de achtertuin. De tafels voor het diner waren buiten opgesteld, op het terras rond de vlaggenmast naast de rozenperken. Aan het aantal tafels te zien, verwachtte mijn moeder vanavond iets meer dan honderd gasten. Het merendeel van de gasten was al gearriveerd, en tot mijn spijt zag ik niemand die ik kende.

In plaats van ongemakkelijke gesprekken te voeren met een onbekende, liep ik naar de tafels en bestudeerde ik de tafelschikking, op zoek naar mijn naam. Ik vond mezelf terug op een van de buitenste tafels, ver weg van Harry Truman. Ik trok mijn wenkbrauwen op toen ik zag dat J. Edgar Hoover ook aanwezig zou zijn vanavond. Het hoofd van de FBI was, volgens de geruchten, een beetje zonderling en had een haat-liefdeverhouding met de president. Dan was het nu zeker een periode van liefde.

Ik was de overige naamkaartjes aan het bekijken om de tijd te doden, toen ik een hand op mijn schouder voelde.

'Dag, Alexandra. Je ziet er prachtig uit vanavond.' Mijn moeder zag er zelf ook geweldig uit. Ze had haar haar opgestoken en droeg een glinsterende nachtblauwe avondjapon. In april was ze tweeënvijftig geworden, maar ze leek nog geen vijfenveertig. Ze trok me naar zich toe en kuste me op mijn wang.

'Dank u. Ik had deze jurk al een tijdje en ik zat te wachten op een gelegenheid om hem te dragen – al had ik niet verwacht dat hij zijn debuut zou maken bij een politieke inzamelingsactie. Had u me verteld dat dat het doel van deze avond was, toen ik toezegde te komen?'

Ze glimlachte en sperde haar ogen wijd open. 'Nee, ik geloof het niet. Het is me zeker even ontschoten.'

Haar quasi-onschuldige blik maakte me aan het lachen. Zij vergat nooit iets – nooit. Ze had een geheugen als een olifant.

'Is er dan een bepaalde reden waarom u mij hebt uitgenodigd? Ik weet zeker dat u in mijn plaats nog wel iemand had kunnen vinden die bereid zou zijn om echt iets bij te dragen aan meneer Trumans campagnekas.'

'Vast wel, maar ik heb een bijzondere verrassing voor je in petto.'

De schrik sloeg me om het hart. Mijn moeder had een verrassing voor mij? Dat kon niets goeds betekenen. 'Wat bent u van plan?'

'Zoals ik al zei: dat is een verrassing. Maak je nu maar geen zorgen – het is gewoon een leuk verrassinkje.'

Die onschuldige blik moest ze al heel lang voor de spiegel hebben geoefend, om zo overtuigend over te komen.

Ze legde haar hand weer op mijn arm. 'Het diner zal zo dadelijk worden opgediend en ik moet de laatste dingen gaan regelen. Waarom ga je niet nog even met iemand een praatje maken?

Ontspan je nu maar – geloof me, je hoeft je nergens zorgen over te maken.'

Glimlachend liet ze me los en liep terug naar het huis. Waar ze zich een weg baande door de menigte, keerden alle hoofden zich naar haar om. Ze was werkelijk een verbluffend mooie vrouw, met haar combinatie van elegantie en zelfvertrouwen.

Ik keek naar de gezichten van de mensen om me heen en vroeg me af wat me te wachten stond.

Hoofdstuk 7

Mijn verrassing was een man. Vrijwel meteen nadat we gevraagd waren aan tafel te gaan, trok een man van ongeveer vijfendertig jaar, gekleed in een marineblauw streepjespak, de stoel naast de mijne naar achteren. Hij stelde zich aan mij voor.

'Goedenavond.' Hij keek naar mijn naamkaartje. 'Miss Fortune, mijn naam is Jack O'Connor. Zo te zien zijn wij elkaars tafelgenoten vandaag.'

Ik glimlachte zuur, in het besef dat ik in de val was gelopen. Toen duwde ik die gedachte weg; ik knikte en schonk hem een ditmaal gemeende glimlach. 'Zegt u maar Allie. Aangenaam kennis te maken.'

Hij glimlachte terug en ging zitten. Ik keek strak voor me uit, maar observeerde hem ondertussen vanuit mijn ooghoeken. Ik kreeg zijn auto niet te zien, dus dit was ingewikkelder dan anders; het gaf mij echter de kans mijn vaardigheden op het gebied van logisch redeneren eens uit te proberen op een moeilijker doelwit dan de gebruikelijke, voorspelbare kandidaten van mijn moeder.

Zijn pak had een mooie snit, maar was onopvallend. In zijn haar zat een deukje waar zijn hoed had gezeten; zijn schoenen waren goed gepoetst en schoon. Toch leek hij me geen bankier of accountant te zijn.

Hij zag dat ik naar hem keek en grinnikte. In zijn ogen glinsterde zowel kattenkwaad als een goed humeur. Hij was niet het saaie type dat ik gewend was, en tot dusver was hij een raadsel voor mij. 'Wat voor auto hebt u?'

Hij keek even verbaasd, maar was door mijn vraag niet van zijn stuk gebracht. 'Een Chevrolet uit 1945.'

Hmm. Dat hielp niet echt. Ik kon de keuze al wel beperken door af te strepen wat hij volgens mij níet was, maar ik had nog steeds niet bedacht wat hij wél was. Ik keek nog eens goed naar hem. De snit van zijn jasje gaf de doorslag. Ik kon hem niet precies in een hokje plaatsen, maar ik dacht dat ik wel in de goede richting zat.

Al die tijd onderging Jack mijn onderzoekende blik met een glimlach. Hij wachtte rustig af tot ik hem zou vertellen wat ik aan het doen was. Dat kon ik wel waarderen. 'Meneer O'Connor, soms speel ik een spelletje. Ik probeer te raden wat een man doet voor de kost, op basis van zijn uiterlijk en zijn auto.'

'En u denkt dat u mij doorhebt?'

'Als u me nu eens vertelt of ik een beetje in de buurt kom?'

Jack knikte en draaide zich meer naar mij toe. 'Brand maar los.'

'Ik denk dat u op de een of andere manier betrokken bent bij ordehandhaving, dat u een drukke dag hebt gehad en moest haasten om hier op tijd te zijn, en dat u uit een gegoede familie komt.'

Jack knipperde met zijn ogen. 'Voordat ik u vertel of u gelijk hebt, zou ik graag willen weten hoe u tot die conclusies bent gekomen.'

Ik knikte, blij dat hij niet beledigd was, maar alleen nieuwsgierig. 'Ik weet dat u haast had om hierheen te komen, omdat uw haar nog nat was toen u uw hoed opzette. Ik denk dat u bij de politie werkt, omdat ik geen andere reden kan bedenken waarom u een pistool zou meenemen naar een fondsenwervingavond. De snit van uw jasje is duidelijk aangepast om het te verbergen, maar uw schouderholster is te zien – voor iemand die weet waar je op moet letten.'

Jacks gezichtsuitdrukking verried niets. 'En dat ik uit een gegoede familie kom?'

'Dat was makkelijk. U zou niet voor dit feestje zijn uitgenodigd als dat niet zo was.' Ik verontschuldigde me niet voor mijn arrogante veronderstelling en wachtte zijn reactie af.

'Heel goed, miss Fortune. Ik zie dat uw reputatie als een van de betere privédetectives in de stad niet overdreven is.'

Nu was het mijn beurt om mijn verrassing te verbergen.

'Blijkbaar noemen ze u niet voor niets de koningin der detectives.' Weer wachtte hij op een reactie, maar ik liet niets merken. 'Het duurde even voor ik het verband legde, maar toen ik uw onderzoeksvaardigheden aan het werk zag, was het slechts een kleine stap om het gezicht van de mooie Alexandra Fortune te koppelen aan de reputatie, nee, de legende...' – zijn ogen zwakten de spottende klank van zijn stem af – 'van Allie Fortune, privédetective.'

We keken elkaar een moment in stilte aan. Ik had even nodig om te bepalen of hij een vriend of een vijand was. Na een paar tellen besloot ik dat ik het niet prettig vond om bij mijn eigen spelletje verslagen te worden, maar dat hij geen bedreiging voor me was. Ik glimlachte naar Jack. 'Touché, meneer O'Connor.'

Een ober zette de eerste gang van wat beslist een drie uur durend zevengangendiner zou worden, voor ons neer. Opeens was mijn ongeduldige verlangen naar het einde van de maaltijd verdwenen.

Voor het eerst had mijn moeder me gekoppeld aan iemand die ik warempel aardig vond. Jack O'Connor was FBI-agent, dus we hadden genoeg gespreksstof tijdens het diner. Het was zelfs met enige tegenzin dat ik mij ten slotte excuseerde en het feest verliet. Ergens halverwege de maaltijd had ik het gevoel gekregen dat ik nog een laatste keer bij Mary Gordon moest gaan kijken. Toen de dessertbordjes waren afgeruimd, kon ik dat gevoel niet langer negeren. Ik zei tegen Jack dat ik van zijn gezelschap had genoten, we wisselden visitekaartjes uit, en hij zei dat ik hem moest bellen als ik ooit iets nodig had. Hij leek een beetje teleurgesteld dat ik wegging, en dat gaf bij mij de doorslag: het was goed dat ik nu weg moest. Ik vond Jack aardig, maar wilde geen valse verwachtingen wekken. Ik wilde aan niemand hoeven uitleggen dat er in mijn hart geen plek was voor iemand anders dan David. Zo was het beter. Ik had een plezierige avond gehad, maar waarschijnlijk zou ik deze man nooit meer ontmoeten.

Ik bekeek zijn visitekaartje en borg het toch maar veilig weg in mijn tasje.Voor het geval dat.

Ik ging terug naar Mary's huis, na een korte stop thuis om me om te kleden. Ik had zo'n vermoeden dat om elf uur 's avonds een roze zijden avondjurk niet onopvallend genoeg zou zijn om iemand te bespioneren. Gekleed in een donker pakje en met een donkere hoed op, zodat ik in de schaduwen zou verdwijnen, ging ik op weg.

Ik wist niet waarom ik zo onrustig was, maar ergens klopte er iets niet. Ik kon het niet verklaren, het was niet meer dan een gevoel – maar de ervaring had me geleerd te luisteren naar mijn gevoel. Mijn intuïtie zei me duidelijk dat ik het onderzoek in Mary's zaak nog niet moest opgeven.

Ik versnelde mijn pas en binnen tien minuten stond ik op de straat tegenover haar huis naar haar verlichte raam te turen. Het was na elven, maar ik wist al dat Mary er vreemde uren op nahield. Ik stelde me in op een lange tijd van wachten, met mijn rug geleund tegen de ruwe stenen van een ander onopvallend gebouw. Ik stond niet recht tegenover Mary's appartement; ik had een plekje uitgezocht in een portiek schuin tegenover haar raam, buiten het weerkaatste licht van de lantaarnpaal en moeilijker te onderscheiden van de schaduwen.

Mary's licht brandde wel, maar er leek niet veel te gebeuren in haar appartement. In haar raam hing een jaloezie, die slechts een klein stukje dichtgetrokken was; tweederde van het raam was nog zichtbaar, waardoor ik vrijwel ongehinderd naar binnen kon kijken. Na alles wat er gebeurd was, had ik verwacht dat ze verstandiger zou zijn. Ik schudde mijn hoofd.Verbazingwekkend dat mensen zo onnadenkend konden zijn. Ik rekte me uit, in een poging mijn rug en schouders te ontspannen.

Toen ik weer op mijn horloge keek, was het na middernacht. Voor zover ik het door het raam zien kon, was alles nog steeds rustig, en er was eigenlijk geen reden meer om hier nog langer rond te hangen. Toch kon ik mezelf er nog niet toe zetten weg te gaan. Nog een half uur. Dat was alles wat ik nog in dit onderzoek zou steken; dan zou ik er een punt achter zetten en proberen wat slaap te krijgen, of in elk geval proberen mijn ogen wat rust te gunnen.

Terwijl ik op wacht stond, liet ik mijn gedachten de vrije loop. Ze gingen terug naar het diner en mijn bijzonder interessante tafelheer. Ik vond het moeilijk te geloven dat privédetective Allie Fortune bekend was in FBI-kringen, maar Jack had dat wel gesuggereerd. Ik zat al een tijdje in dit vak en hoewel ik er niet rijk van werd, bouwde ik wel een reputatie op van degelijk werk en de zaak tot een goed einde brengen. Nog geen tien jaar geleden hadden de meeste mensen zich niet kunnen voorstellen dat een vrouw succes kon hebben als privédetective. In gedachten verbeterde ik mezelf – er waren nog steeds veel mensen die gewoon niet wilden geloven dat ik goed kon zijn in wat ik deed. Zij dachten dat ik vanzelf genoeg zou krijgen van het carrièrespelletje en dan een echtgenoot zou zoeken, kinderen zou krijgen, juf op de zondagsschool zou worden – kortom, alles zou doen wat van me verwacht werd. Misschien zou mijn leven inderdaad zo zijn verlopen als David niet was weggegaan, maar zoals de zaken er nu voorstonden, zag ik mezelf nooit meer een conventioneel leven leiden. Door zijn verdwijning was ik gaan twijfelen over alle aspecten van mijn leven, mijn toekomst, mijn overtuigingen.

Met een schok keerde ik terug in de werkelijkheid en ik ging rechtop staan. Een schaduw bewoog achter het raam. Eindelijk beweging. Ik was er bijna van overtuigd geraakt dat Mary in slaap was gevallen met het licht aan, ondanks alles wat ze beweerde. Ik deed een stap naar voren, weg van het gebouw in mijn rug. Ik wist nog steeds niet precies waarom ik hier vanavond had moeten komen, of waarom het zo dringend leek, maar dat gevoel was nog niet minder geworden; integendeel, het was sterker dan ooit.

Weer werd mijn aandacht getrokken door de beweging van een silhouet in het venster. Ik wachtte een paar tellen; toen kwam Mary recht voor het raam staan, direct gevolgd door een groter silhouet.

Dit was zonder twijfel een man. Zijn profiel werd duidelijk afgetekend tegen het licht achter hen. Ik keek verbijsterd toe hoe zij zich omdraaide en haar armen om de man heen sloeg, om vervolgens uit het zicht te verdwijnen.

Wat was hier aan de hand? Tot nu toe had ik geen enkele aanwijzing gehad dat er een man in haar leven was. Ik wist dat ze een oorlogsweduwe was, zoals de helft van alle vrouwen in New York, en het was natuurlijk niet onmogelijk dat ze een nieuwe liefde had gevonden. Toch klopte er iets niet. Waarom had ik in al die dagen dat ik haar geschaduwd had, niets gezien dat duidde op een man in haar leven? Ze dacht dat ik haar vanavond niet in de gaten zou houden; was dat de reden dat hij nu hier was? Ik verzonk in gedachten, overwoog de mogelijkheden. Toen ik weer naar boven keek, was alles stil. Ik bleef gebiologeerd staren naar het licht dat uit het venster scheen en probeerde mijn gedachten te filteren.

'Wat moet dat hier?' De stem was hard en koud, net als de loop van het pistool dat opeens tegen mijn ruggengraat werd gedrukt. Ik had niet gemerkt dat hij me naderde, maar nu dook een grote gestalte achter mij op en ik vroeg me af hoe me dat had kunnen ontgaan.

Een hand op mijn schouder trok me achteruit, steviger tegen het pistool aan. Ik voelde de warmte die het lichaam achter mij uitstraalde. Het angstzweet op mijn voorhoofd deed een rilling over me heen lopen, maar ik bleef roerloos staan.

'Ik zei, wat moet dat hier?'

Ik stak mijn handen omhoog om te laten zien dat ik geen bedreiging vormde, maar dat veranderde niets aan de druk op mijn schouder en rug. 'Ik sta hier gewoon een luchtje te scheppen.'

'Leuk geprobeerd. Je staat hier al minstens drie kwartier naar dat raam daarboven te staren.'

De haren in mijn nek gingen overeind staan. Iemand had mij bespioneerd en ik had het niet gemerkt. Ik dwong mezelf me te concentreren op wat belangrijk was.

'Wat doe *jij* hier? Waarom stond je mij te begluren?'

'Ik stel hier de vragen. En jij hebt nog geen antwoord gegeven. Wat doe je hier?'

'Ik ben aan het werk.' Meer wilde ik niet kwijt.

'Aan het werk?' Hij lachte ruw. 'Daarvoor zit je in de verkeerde wijk, juffie, en het spijt me dat ik je moet teleurstellen, maar je gaat niet veel klanten krijgen als je zo gekleed bent.'

De suggestie en de spotlach in zijn stem deden het bloed naar mijn wangen stijgen. Ik rechtte mijn rug, ondanks het porrende metaal net links van mijn ruggengraat.

Ik corrigeerde mezelf. Bewust begon ik mijn lichaam te ontspannen, spier na spier, terwijl ik uitstraalde dat ik geen bedreiging was, geen gevaar vormde.

Al na een paar tellen voelde ik dat ook zijn lichaam ontspande. 'Goed. Ik leg dit pistool weg en dan gaan we praten, maar je doet geen gekke dingen. Begrepen?'

Hij was nog niet uitgesproken of de druk van het pistool nam af. Zijn schoen schuurde over de straatstenen toen hij een stap terugdeed om het pistool in de holster op te bergen. Meer ruimte had ik niet nodig. Ik haalde uit met een achterwaartse trap, die vol zijn knie raakte. Hij wankelde en ik sprong gauw opzij. Hij deed in het wilde weg een uitval in de richting waar ik stond, maar raakte niets dan lucht. Hij had nog geen gelegenheid gehad zijn evenwicht te herwinnen, dus ik benutte mijn kans, greep hem bij zijn pols en trok hem voorover. Omdat hij al wankel op zijn benen stond, kostte het maar weinig kracht om hem te vloeren. Ik liet me boven op hem vallen en zette mijn knie midden op zijn rug om hem aan de grond te nagelen en de lucht uit zijn longen te persen.

Ik haalde even diep adem, maar ontspande niet. Hij zou niet lang verdoofd blijven. Ik was op dit moment in het voordeel, maar nu kwam de moeilijke taak om hem in bedwang te houden. 'Wie ben je en waarom bespioneer je mij?'

Hij antwoordde niet, maar ik voelde hoe zijn spieren zich spanden. Met de hand die ik achter op zijn hoofd hield, sloeg ik zijn gezicht tegen de straatstenen. Iets in mij kromp ineen bij de klap die dat gaf, maar ik duwde mijn gevoel weg. Terwijl ik met één hand zijn haar stevig vasthield, gebruikte ik mijn andere hand om in zijn jasje te voelen naar het holster aan zijn zij. Ik haalde het pistool tevoorschijn dat hij zelf niet meer had kunnen trekken – daar had ik hem geen tijd voor gegeven. Toen ik dat eenmaal bemachtigd had, verplaatste ik mijn gewicht naar mijn hand die op zijn hoofd drukte, waardoor zijn gezicht nog steviger in het plaveisel werd geduwd. Dat gaf mij de gelegenheid om een ferme grip op het pistool te krijgen en in één snelle beweging op te staan.

Ik deed drie snelle stappen achteruit om buiten bereik van zijn vuisten te komen, terwijl ik hem met zijn eigen pistool onder schot hield. 'Vooruit, opstaan. Ik wil antwoorden horen.'

Hij tilde zijn hoofd op en duwde zichzelf overeind, zijn rug naar mij gekeerd. Ik zag hoe hij zijn gezicht afveegde met de mouw van zijn jas. Hij bukte zich om zijn hoed op te rapen, die tijdens onze worsteling was gevallen. Na een paar tellen draaide hij zich naar mij om en kon ik hem voor het eerst goed bekijken.

'Jack!' Mijn hart sloeg over. 'Wat doe jij hier?'

Hij veegde met zijn hand over zijn kaak, waardoor hij zijn wang met bloed besmeurde. 'Allie. Ik had het kunnen weten.'

'Je had het kunnen weten?' sputterde ik. 'Jij was het die een pistool op mij richtte. Waar was dat goed voor?' Mijn stem brak bij die laatste woorden. Ik haalde diep adem; ik klonk behoorlijk paniekerig en had even tijd nodig om te verwerken wat er gebeurde.

'Ik wist niet dat jij het was. Ik wist alleen dat er iemand in de schaduw stond, die mijn verdachte bespioneerde. Ik moest erachter komen wie je was en voor wie je werkte.'

'Dus je wilt zeggen dat het puur toeval is dat je op een en dezelfde avond naast mij aan tafel zit en me met een pistool lastigvalt? Dat dit een toevallige samenloop van omstandigheden is? En wat bedoel je daarmee, dat ik jouw verdachte bespioneer? Wie is jouw verdachte?' Ik hield het pistool nog steeds op hem gericht, maar niet meer van harte.

Hij keek mij aan en kneep zijn ogen tot spleetjes. 'Wie ben jij aan het schaduwen?' kaatste hij de vraag terug.

Ik perste mijn lippen stijf op elkaar.

'Ik vermoed dat je hier bent vanwege een van je cliënten. Ik ben hier ook voor mijn werk, en ik denk dat onze paden zich nu beroepshalve kruisen. Wil je dat pistool alsjeblieft neerleggen, zodat we de zaak kunnen bespreken? We moeten de feiten op een rijtje zetten. Ik beloof je dat ik geen bedreiging voor je ben. Trouwens, houd dat pistool maar, als jij je daardoor veiliger voelt. Ik wil alleen maar praten.' Hij voelde met zijn vingers langs de rand van zijn hoed, voordat hij hem weer opzette.

'Ik voel me helemaal niet veiliger door jouw pistool, ik ben juist bang dat ik het risico loop je neer te schieten. Ik heb je al laten zien dat ik me heel goed kan redden zonder een wapen.'

Hij keek me aan en knikte. Toen wreef hij over zijn kaak en grinnikte naar me.

Dat bracht me een beetje van mijn stuk. Ik had verwacht dat hij zich zou generen omdat ik hem had gevloerd, of zich vijandig zou opstellen, maar niet dat hij zou capituleren en zo charmant zou glimlachen. Ik kon er niets aan doen – ik was onder de indruk. Ik liet het pistool zakken, maar hield het wel bij me.

'Weet je wat, een paar straten verderop zit een restaurantje dat dag en nacht open is. Laten we daar naartoe gaan om te praten. Als jij werkt aan de zaak die ik vermoed, dan heb ik nog wat relevante informatie voor je. Hoe dan ook krijg je een gratis ontbijt. Goed idee?'

Het klonk alsof hij probeerde me op te lichten, maar hij maakte me nieuwsgierig. Ik wierp een laatste blik op Mary's nu donkere raam. Ik had veel vragen, en heel misschien had Jack een paar antwoorden.

Hoofdstuk 8

'Wat weet je over Helena van Troje?'

We zaten in het restaurantje en dronken koffie die vermoedelijk al acht uur geleden gezet was voor de dinergasten. Ik keek Jack, die tegenover me zat, aan om te zien of hij een grapje maakte.

'Wie bedoel je? Uit de Griekse legende?'

'Precies. De mooiste vrouw ter wereld, het gezicht voor wie duizend schepen de zee op gingen, enzovoorts.'

'Ik geloof dat je wel zo'n beetje alles hebt genoemd wat ik weet over Helena van Troje. Maar wat heeft dat met Mary Gordon te maken?' Ik kromp ineen zodra ik die woorden had gezegd.

'Is zij je cliënt? Mary Gordon? Ik dacht dat je misschien door iemand anders was ingehuurd om haar te volgen, of Clive...'

'Wie is Clive?' Dit was op het randje. Officieel was Mary nog altijd mijn cliënt en dus mocht ik met niemand bespreken wat ik voor haar deed.

'Clive Gordon – Mary's man.'

'Die is toch overleden?'

Jack keek me aan alsof ik gek was geworden. 'Wie dacht je dan dat die man was, die vanavond bij haar was?'

'Geen idee, maar Mary heeft me verteld dat ze een oorlogsweduwe is, dat haar man in het buitenland gestorven is.'

'Clive Gordon is springlevend.' Jack aarzelde even. 'Althans, nog wel.'

Mijn schouders ontspanden zich. 'Nou, dat was het dan.'

'Wat bedoel je?'

'Ik ben niet langer in dienst van Mary Gordon. Ze heeft regel nummer één gebroken.'

'En wat is regel nummer één?'

'Niet liegen tegen de privédetective. Ik heb haar de regels uitgebreid uitgelegd toen ze me inhuurde, en ik heb haar ook gewaarschuwd dat onze overeenkomst direct beëindigd zou worden als ze een van de regels brak.'

Jack keek me alleen maar aan.

'Dus ben ik nu met onmiddellijke ingang werkeloos. Althans, wat haar zaak betreft.'

Hij knikte.

'Vertel me maar eens wat er gaande is.'

Op zijn kaak begon zich een blauwe plek te vormen, en een korst van bloed bedekte de schaafwond op zijn gezicht. Desondanks zag hij er knap uit in het schelle licht van het restaurant. 'Clive en zijn lieftallige echtgenote Mary zijn oplichters. Voor de oorlog hadden ze al een aardig strafblad opgebouwd bij de FBI – geen spectaculaire zaken, maar een heleboel kleine zwendelarijen. Ze waren behoorlijk goed, zegt men.'

'Goed genoeg,' zei ik, vol afkeer.

Jack moest grinniken om mijn ergernis. 'Clive ging inderdaad naar het buitenland. Daarover heeft Mary niet gelogen. Hij is er alleen niet gestorven. Oorlog heeft op iedereen een andere uitwerking, maar ten diepste verandert een mens er niet door. En ten diepste is Clive Gordon vooral een kruimeldief en een oplichter.'

'Dan is hij daarginds zeker in iets verzeild geraakt wat hem helemaal naar huis is gevolgd?' giste ik.

'Precies. Ik zei je al dat Clive en Mary kleine criminelen zijn. Clive heeft iets gestolen, en nu zit hij heel, heel diep in de problemen.'

'Dus daarom zaten die mannen achter Mary aan. Zij heeft iets wat ze niet zou moeten hebben.'

Jack leunde over de tafel heen. 'Hoe zagen ze eruit? Die mannen die Mary volgden.' De ontspannen glimlach was verdwenen. Jack was nu een en al ernst.

'Ik heb ze nooit gezien. Mary heeft me ingehuurd om uit te

vinden waarom die mannen haar volgden, maar ik heb geen spoor van ze kunnen vinden. Ik begon al te denken dat ze een beetje mesjogge was.'

'Heeft zij je een signalement gegeven?'

'Ze zei alleen dat twee mannen haar volgden. Of beter gezegd, de een volgde haar en de ander stond op wacht bij haar appartement. De man die haar volgde, was een boom van een kerel. Heel lang, zei ze, met een overjas aan die beter paste bij de herfst of de winter dan bij de bloedhete zomertemperaturen van New York.'

Jack schudde zijn hoofd. 'Dat klinkt naar Russen. Ik weet het niet zeker, het is niet veel informatie...' Hij viel stil en keek in het niets.

Nu moest ik weten wat er gaande was. 'Wat hebben Mary en Clive dat een stelletje Russen wil hebben?'

Jack leunde achterover en wenkte de serveerster. Hij gebaarde haar ons nog een kopje koffie in te schenken. 'Het is een lang verhaal, dus ik hoop dat je tijd hebt.'

Ik trok de weer gevulde mok naar me toe en zakte onderuit op de rode vinyl bank. 'Ik hoef nergens heen, ik zit hier goed. Dus, Helena van Troje...'

Jack glimlachte vermoeid. 'De *Ilias* van Homerus is een van de beroemdste literaire klassiekers ter wereld. Mensen worden er al duizenden jaren door gefascineerd, vooral door het verhaal van Helena en de Trojaanse oorlogen. Ik denk dat het een bijzondere aantrekkingskracht heeft: een vrouw die zó mooi is dat landen om haar een oorlog beginnen.'

'Probeer je nu te zeggen dat Clive en Mary op de een of andere manier betrokken zijn bij een mythische gebeurtenis, die duizenden jaren geleden misschien wel en misschien niet echt heeft plaatsgevonden?'

'De situatie is nog veel ingewikkelder. En actueler.' Jack legde zijn hand even op mijn hand op de tafel. 'Dit is een complex verhaal. Het zou gemakkelijker zijn als je mij het gewoon in één keer liet vertellen.'

'Goed.' Ik trok mijn hand onder de zijne vandaan.

'Homerus schreef een boeiend verhaal, maar zoals je zelf al zei, niemand weet of het mythe, legende of waarheid is. Eén man echter was er zo zeker van dat het verhaal op waarheid berustte, dat hij met alleen de *Ilias* als leidraad op zoek ging op de plek waar hij de ruïnes van Troje vermoedde.

Heinrich Schliemann was geobsedeerd door het verhaal van Helena van Troje. In 1870 reisde hij naar het noordwestelijke puntje van Turkije, waar volgens de *Ilias* de stad Troje zich zou moeten bevinden, en hij begon daar aan een archeologische opgraving, omdat hij wanhopig graag wilde bewijzen dat de verhalen over Troje en haar koningin echt gebeurd waren. Volgens de legende had koning Priamus van Troje Helena's sieraden ergens in de stad begraven om ze veilig te stellen tijdens de oorlog tegen de Grieken. Schliemann geloofde dat als hij deze schat zou kunnen vinden, hij de wereld ervan zou kunnen overtuigen dat Troje heeft bestaan.'

'Hij hechtte wel veel geloof aan een oud boek.'

'Voor hem was Homerus' boek even waar als de Bijbel. Drie jaar lang werkte hij met wel honderdtwintig mensen, twaalf uur per dag. En op een morgen, net voor de ochtendpauze van zijn werkers, zag hij iets glinsteren in het zand. Hij bukte om het eruit te halen, en al snel was hij een van de belangrijkste archeologische vondsten ooit aan het uitgraven.

Schliemanns droom ging in vervulling. Hij vond het goud van Troje. Zoals zoveel mensen in zijn tijd meende Schliemann dat de schat niet kon worden toevertrouwd aan de Turken, op wier grondgebied het goud gevonden was, maar hij vond dat het in Europese handen behoorde. Dus smokkelde hij de enorme schat in de loop van zes maanden uit Turkije. Uiteindelijk schonk hij hem, met veel vertoon, aan een Berlijns museum.'

Jack trok zijn koffiebeker naar zich toe, maar nam geen slok. 'Er waren honderden voorwerpen: koper, zilver en goud; sieraden, decoratieve werktuigen en schalen. Sommige zaken waren alleen maar interessant voor archeologen, maar de beroemdste stukken maakten deel uit van een set gouden sieraden die volgens Schliemann ooit door Helena zelf gedragen was. Er was een diadeem, een soort kruising tussen hoofdtooi en kroon, van goud dat in ingewikkelde patronen was gevlochten, en bijpassende oorhangers, armbanden, kettingen – allemaal van puur goud en gemaakt met een vakmanschap dat hedendaagse deskundigen versteld doet staan. Dat is het echte topstuk van de collectie. Alsof een legende tot leven is gekomen.'

'Dat klinkt heel bijzonder.'

'Toen Schliemann de hele collectie aan het Berlijnse museum schonk, was hij ervan overtuigd dat die daar voorgoed tentoongesteld zou worden. Maar hij had niet gerekend op een oorlog die in zijn nadagen de hele stad Berlijn op de knieën zou dwingen.'

'De val van Berlijn.' Mijn stem klonk mat. Ik herinnerde mij de verhalen.

'De Britten vielen van de ene kant binnen en de Russen van de andere kant. De oorlog was in wezen voorbij; en wat de geallieerden ook beweren, de stad werd volledig geplunderd en leeggehaald. Ze namen alles mee – door de nazi's gestolen kunstwerken en goud, tot en met de nationale museumschatten, alles.'

De vinyl bank kraakte toen ik me voorover boog. 'Dat gaat beslist in tegen het officiële standpunt van de regeringen.'

'Ik werk bij de FBI. Ik heb de dossiers gezien. Ik kan het niet anders omschrijven dan als "oorlogsbuit". Wat ik je nu verder vertel, is puur speculatief. Niemand weet precies wat er daarna is gebeurd. Volgens de overlevering was de conservator van het Berlijnse museum een oude man, die het einde van de oorlog zag aankomen. Daarom probeerde hij zoveel mogelijk stukken uit de museumcollectie te verbergen en te beschermen. Zo ook de collectie die men inmiddels Schliemanns goud was gaan noemen – inclusief het goud van Helena. Men zegt dat hij drie houten kratten waar alleen maar "Troje" op stond, verborg in een bunker onder de dierentuin van Berlijn.'

'Maar toch heeft iemand het goud gevonden?'

'De Russen. Zij ontkennen dat ze ook maar iets uit Berlijn hebben gestolen, maar dat is een bespottelijke leugen. Hoe dan ook, de Russen vonden het, de soldaten laadden het op vrachtwagens met alle andere waardevolle zaken die ze maar vinden konden en stuurden het rechtstreeks naar Moskou. Sindsdien is er niets meer vernomen van Schliemanns goud. Bijna niets.'

'Bijna?'

'Nu komen we bij jouw vrienden Clive en Mary. Clive maakte deel uit van de geallieerde troepen in Berlijn, toen de stad viel. Ik vermoed dat hij daar deed wat hij altijd deed: hij stal. Hij was een uitstekende zakkenroller, en in de chaos daar greep hij zijn kans. Of beter gezegd: hij greep de schat. Waarschijnlijk liep hij een paar Russische soldaten tegen het lijf, die dozen en tassen de dierentuin uit droegen. Hij hoefde maar tegen hen op te botsen, of hen per ongeluk aan te stoten, en...'

Ik zette grote ogen op. 'Hij heeft het goud van Helena gestolen!'

'Dat denken we. Op de een of andere manier heeft hij de stukken van het front naar huis weten te smokkelen, en de afgelopen drie jaar hebben Mary en hij ze verborgen gehouden. Ik weet niet waarom, maar nu vinden ze het opeens tijd om die gouden sieraden tevoorschijn te halen en te proberen ze te verkopen.'

'Verkopen?' Alle puzzelstukjes vielen op hun plaats. 'Ze hebben geen flauw benul van wat ze in handen hebben.' Ik hapte naar adem bij dit nieuwe inzicht.

Jack schudde zijn hoofd. 'Het is alsof je de *Mona Lisa* naar de lommerd wilt brengen om je huur te betalen.'

Ik wreef over mijn voorhoofd terwijl ik probeerde te bevatten hoe immens groot Clive en Mary's problemen waren. 'Het is bijna niet te geloven. Ze weten niet hoe waardevol die spullen zijn.'

'Zij weten ook niet dat de Russen nu weten wie het goud heeft, en dat die een paar agenten eropaf hebben gestuurd om het terug te krijgen.' Jack haalde een hand door zijn haar.

'Hoe zouden de Russen daar achter zijn gekomen?'

'Op dezelfde manier als de FBI. De heler die zij bezochten, heeft een bijbaantje als respectabel conservator in een museum. Hij wist precies wat die gouden voorwerpen waren, zodra hij ze zag. Volgens zijn zeggen reageerde hij waarschijnlijk te opgewonden; hij probeerde het goud onmiddellijk van hen te kopen en bood hun veel meer dan zij verwachtten. Daar werden ze allebei zenuwachtig van en ze verkochten hem alleen de twee kleine stukken die ze hadden meegenomen. Ze zeiden dat ze zouden terugkomen met de overige stukken, maar dat hebben ze nooit gedaan. Tja, en toen begon die heler een beetje té luidruchtig op te scheppen over zijn nieuwste aankoop en liet zich ontvallen dat er meer van hetzelfde te krijgen was.' Jack rolde met zijn ogen om de stommiteit van de man.

'Dus hij kakelde te veel en stuurde de Gordons de FBI én de KGB op hun dak?'

'Daar komt het wel op neer, ja.'

'Waarom vertel je Clive en Mary dan niet gewoon wat er aan de hand is en zorg je dat ze jou het goud teruggeven?'

'Om twee redenen. Ten eerste hebben Clive en Mary een immense afkeer van de FBI en de plaatselijke politie.'

Dat kon ik me wel indenken. Mary was er helemaal niet blij mee geweest dat de politie na de inbraak bij haar over de vloer kwam. Ze had zich heel vijandig gedragen. Ik had het aan de spanning geweten, maar misschien lag de oorzaak wel dieper dan dat. 'Maar je kunt toch wel een manier bedenken om eraan te komen?'

'Nou, onze grootste angst op dit moment, is dat als zij zich realiseren hoe diep ze zich in de nesten hebben gewerkt, ze misschien de schat aan de Russen geven – gewoon om ons dwars te zitten. Zo'n hekel hebben ze aan onze regering.'

'En waarom zou dat zo vreselijk zijn?'

'Omdat de verstandhouding tussen de Verenigde Staten en de Sovjet-Unie nog nooit zo slecht is geweest. Er gaan zelfs geruchten over een officiële verklaring van vijandige betrekkingen, nog maar één stap verwijderd van een oorlogsverklaring. De Russen willen die stukken wanhopig graag terug. Niet alleen omdat die bewijs zijn van hun betrokkenheid bij de plundering van Berlijn, maar ook omdat de symbolische én geldelijke waarde van de schat aanzienlijk daalt als hij niet compleet is.'

'En dan is er natuurlijk nog de mogelijkheid dat Clive en Mary het goud laten omsmelten om er maar vanaf te komen.'

Jack huiverde. 'Ook dat is een van de slechtst denkbare scenario's. De FBI heeft van hogerhand orders gekregen dat wij, en geen ander, de stukken moeten bemachtigen van de Gordons en dat we koste wat het kost de Russen het nakijken moeten geven. Als wij ze uiteindelijk in ons bezit hebben, kon dat wel eens een heel waardevolle onderhandelingstroef blijken voor de toekomst.'

Ik liet mijn schouders zakken en probeerde alle informatie te verwerken. In gedachten zag ik taferelen van Troje en van de schat, maar ook beelden van de val van Berlijn, die ik nog altijd niet kon vergeten. Ik nam een slok van de inmiddels koude koffie om mezelf tijd te geven, maar trok een vies gezicht bij de bittere smaak. Ik zette de mok terug op de formica tafel. 'En wat is nu eigenlijk mijn rol in het geheel?'

Hoofdstuk 9

'Jouw rol in het geheel...' Jack sprak langzaam, alsof hij tijd nodig had om een antwoord te bedenken. 'Tot twee uur geleden had je die niet, maar dit is een uitgelezen kans die ik niet voorbij kan laten gaan.'

'Jij vindt mij een uitgelezen kans?' Ik keek hem aan met opgetrokken wenkbrauwen en de ijzige blik die ik zó van mijn moeder had overgenomen.

'Je bent een vertrouweling. Mary denkt dat jij aan haar kant staat. Als je een beetje druk uitoefent, kun je haar waarschijnlijk zover krijgen dat ze jou het goud geeft.' Hij keek me niet aan terwijl hij dit zei. Anders had hij gezien dat ik niet van plan was in zijn voorstel mee te gaan.

Ik duwde mijn koffiebeker van me af en boog een beetje naar hem toe. 'Dus als ik het goed begrijp, Jack, denk jij dat ik bereid ben mijn voormalige cliënt, mijn beroepsethiek en mijn hele beroepsgroep te verloochenen om de FBI te helpen een paar stukjes goud te bemachtigen?'

Met een ruk keerde zijn blik terug naar de mijne. Ik kon hem bijna zien terugkrabbelen, op zoek naar vaste grond onder de voeten. 'Je hebt gelijk. Ik dacht niet na.'

'Je dacht wel na, maar niet over mij. Je dacht aan jezelf, hoe goed het zou staan op jouw staat van dienst als jij ervoor zou zorgen dat de regering iets kreeg wat ze heel graag wilde hebben. Nou, veel succes ermee. Ik wens je alle goeds toe, maar ik ben niet van plan alles wat voor mij belangrijk is overboord te zetten om jou een handje te helpen.'

'Wacht even.' Hij stak zijn handen omhoog als teken van overgave. 'Je hebt gelijk. Ik zag mezelf al promotie maken. Maar loop alsjeblieft nog niet weg. Je moet goed over deze situatie nadenken.'

Met mijn armen over elkaar gaf ik hem de kans uit te leggen wat hij bedoelde.

'Om te beginnen zijn Mary en Clive Gordon in gevaar. Ze accepteren geen hulp van de FBI, zelfs al zouden wij die aanbieden, en ze zouden zeker geen woord geloven van wat we hun vertelden. Als de Russen al achter hen aanzitten – en door wat jij me verteld hebt, denk ik dat dat zo is – dan zitten ze diep in de problemen.'

'Hoe ver zouden de Russen gaan om het goud terug te krijgen? Wat zouden ze doen?'

'Je kunt beter vragen: wat zouden ze níet doen? Dat is een veel korter antwoord.'

Dat liet ik even bezinken.

'Het feit dat de Russen hun geheim agenten aan het werk hebben gezet op Amerikaans grondgebied laat zien dat zij het goud bijzonder graag terug willen krijgen. Ik ben ervan overtuigd dat ze orders hebben gekregen om tegen elke prijs succes te boeken. Dat is niet zo best voor Clive of Mary. Vooral wanneer zij er geen idee van hebben wat hun te wachten staat.'

De serveerster kwam nog een keer bij ons tafeltje langs met de koffiepot. Er zat alleen nog maar een laagje drab in. Ik schudde mijn hoofd op haar vraag of ik meer wilde, en besloot dat het tijd was om te vertrekken.

'Ik moet mijn voormalige cliënt spreken, dus ik kom nog op je vraag terug.' Ik stond op en Jack volgde.

'Je hebt mijn visitekaartje. Mijn nummer staat erop.'

'Ik zal je mijn besluit laten weten.'

Mijn schoenen kraakten op het vettige linoleum, op weg naar de deur. Mijn hand lag al op de klink toen hij mijn naam riep.

'Allie, nog één ding.'

Ik zat er al op te wachten. Het lokkertje. Ik keek hem over mijn schouder aan. Hij stond nog bij de tafel, een glimlachje op zijn gezicht. Hij pakte zijn hoed van de tafel en stofte de rand af, voordat hij hem opzette en half in zijn gezicht trok.

Hij was de spanning aan het opvoeren. Hij liep naar me toe en kwam zo dicht bij me staan dat hij kon fluisteren.

'De FBI is vastbesloten deze voorwerpen te bemachtigen. Er is een beloning uitgeloofd van tienduizend dollar voor degene die ze vindt en aan onze regering overhandigt.'

Ik deed mijn best om geen reactie te laten merken. Het was wel duidelijk dat ze dit goud heel graag wilden hebben. Ik haalde diep adem en glimlachte beheerst naar hem. 'Zoals ik al zei, ik laat het je weten.' Ik draaide me om ging naar buiten.

Hoofdstuk 10

Weer een slapeloze nacht. Ditmaal werd mijn nachtrust verstoord door gedachten aan de hachelijke omstandigheden van Clive en Mary, en de mogelijkheid eindelijk te weten te komen wat er met David was gebeurd.

Mijn ochtend was gevuld met telefonisch inlichtingen inwinnen en de administratie bijwerken. Zaterdag was altijd de dag om achterstanden weg te werken. Toch was mijn aandacht maar half bij mijn klusjes; in gedachten beleefde ik het gesprek met Jack steeds opnieuw. Ik wist niet wat ik moest doen. Als het waar was wat hij gezegd had, dan had Mary mijn drie regels allemaal overtreden, inclusief de regel over het betrokken zijn bij illegale activiteiten. Toch had ik het gevoel dat ik haar nog steeds iets verschuldigd was – op zijn minst mijn bescherming. Het was nog maar tien uur, dus ik had nog een paar uur voor onze afspraak. Dat gaf me nog even bedenktijd.

Om tien over elf had ik razende honger en nog steeds geen idee wat ik moest doen. Ik kwam uit mijn stoel en pakte mijn handtas onder het bureau vandaan. Ik was van plan even een snelle lunch te kopen, verderop in de straat, en weer op tijd terug te zijn voor mijn afspraak met Mary.

Toen ik terugkwam, was het kwart voor twaalf. Ik rende haastig de trap naar mijn kantoor op. Daar aangekomen, zonk de moed me in de schoenen. Er zat een opgevouwen stuk papier tussen de deur en de deurpost gepropt. Ik trok het eruit en vouwde het open. Mijn ogen gingen meteen naar de laatste regel. Daar was ik al bang voor – ondertekend door Mary.

Gefrustreerd griste ik mijn sleutels uit mijn tas om de deur te openen. Het was lastig manoeuvreren met het briefje en de sleutel in de ene hand en mijn tas in de andere. Ik verloor mijn evenwicht en greep de deurknop – en de deur zwaaide open. Blijkbaar had ik hem niet op slot gedaan. Ik strompelde naar binnen en voelde me een dwaas, maar het lukte me om al mijn spullen vast te houden en mijn evenwicht te hervinden, zonder helemaal onderuit te gaan.

Op mijn bureau liet ik alles uit mijn handen vallen, behalve het briefje. Ik wachtte even, totdat mijn hart niet meer zo zou bonzen. Toen ik weer op adem en in balans was gekomen, opende ik het briefje en las:

Allie,

zoals afgesproken, ben ik naar je toe gekomen, maar je was niet aanwezig; vandaar de noodzaak per brief zaken te doen. Ik kwam slechts om je mee te delen dat ik heb besloten onze zakelijke overeenkomst te beëindigen. Ik ben niet tevreden over jouw prestaties in deze zaak, en ik zal mij tot andere privédetectives wenden indien het nodig mocht zijn dit onderzoek voort te zetten. Ik ben de komende dagen de stad uit, dus gelieve dit te beschouwen als mijn laatste bericht aan jou over deze kwestie.

Mary Gordon

Was het hypocriet van mij dat ik mij beledigd voelde, terwijl ik van plan was geweest haar die middag als cliënt aan de dijk te zetten?

Ik liet me in mijn stoel vallen en staarde lange tijd naar het vel papier.

De hele ochtend had ik me afgevraagd wat ik moest doen, en ik wist het nog steeds niet. Ik had wel een plannetje bedacht. Ik zou Mary ontslaan als mijn cliënt, maar ik zou haar ook grotendeels vertellen wat Jack mij had verteld. Ik zou aanbieden haar uit deze warboel te helpen, zij zou mijn hulp aannemen, we zouden het vrachtje bezorgen bij Jack en de FBI en dan zouden we Clive en

Mary uit beeld laten verdwijnen. Ik zou de twee helpen New York te verlaten en ze dan verder veel succes wensen. Toegegeven, ik had het scenario misschien iets te ver uitgewerkt, maar het was in elk geval een goed plan. Dat Mary en Clive de stad uit gingen zonder te weten wie er achter hen aanzat en waarom – dat was geen goed plan.

Ik steunde met mijn hoofd op mijn handen en probeerde na te denken. Wat nu?

De enige optie die ik kon bedenken, was naar hun huis gaan, in de hoop hen daar nog te treffen voordat ze vertrokken naar waar-dan-ook. Ze wisten niet alles wat ze weten moesten, en dat gemis kon hen nog meer in gevaar brengen. Het was mijn verantwoordelijkheid om het hun tenminste te vertellen. Maar zoals ik al vreesde, trof ik het appartement verlaten aan. Lichten uit, jaloezieën gesloten, geen enkel teken van leven. Ruim een uur lang hield ik hun raam in de gaten vanaf mijn plekje aan de overkant van de straat, maar diep in mijn hart wist ik dat het nutteloos was. Ze waren allang weg.

Met moeite maakte ik mezelf los van het gebouw achter me en ik besloot dat het tijd werd voor een wandeling. Dwalen door de straten was mijn beproefde methode om problemen te overdenken. De kwesties Jack, Clive en Mary, Helena van Troje en zelfs David waren allemaal samengebald in één ingewikkelde knoop, en ik wist niet waar ik moest beginnen om die te ontwarren. Het grootste probleem was het feit dat elke mogelijke oplossing die ik bedacht, weer gevolgen had die botsten met en van invloed waren op al die andere kwesties. Ik deed dus mijn best om alles uit mijn hoofd te zetten en ging gewoon maar lopen.

Op deze zaterdagmiddag was het druk in de straten van New York, maar er hing een ontspannen sfeer; er waren nog veel meer wandelaars. Mensen die duidelijk ergens wezen moesten, stoven voorbij, maar er waren minstens zoveel mensen op straat om te genieten van de buitenlucht en de zon.

Urenlang liep ik rond, nadenkend over cliënten, plannen, en

dingen die ik doen moest – alles, behalve mijn huidige problemen. Die liet ik rusten, sudderend in mijn achterhoofd.

Wat ik wilde doen, de kans die mij nu werd geboden, was in strijd met wat ik moreel juist achtte. Hoe kon ik van de FBI krijgen wat ik nodig had, zonder het vertrouwen te beschamen dat Mary Gordon in mij gesteld had? Of in elk geval het vertrouwen dat zij in mij had moeten stellen.

Ik had geen antwoorden. Die nacht lag ik wakker in bed, starend naar het plafond. Toen mijn ogen rond een uur of vier eindelijk dichtvielen, droomde ik over de dag dat ik David Rubeneski ontmoette.

Hoofdstuk 11

September 1937

Ik raapte een gladde grijze steen op, wreef er even over met mijn vingers, en gooide hem toen in het water. Hij zonk vrijwel geluidloos onder de oppervlakte, maar creëerde rimpelingen op het roerloze water van het reservoir. Ik had buikpijn van de zorg en frustratie. Het schooljaar was pas zeven dagen geleden begonnen, maar nu al liep ik twee uur te laat naar huis. Ik had gedacht dat ik eindelijk in staat was mijn woede te beheersen, hoezeer ik ook uitgedaagd werd, maar het feit dat ik vandaag had moeten nablijven, bewees het tegendeel.

Het schemerde; de zon was al achter de bomen en gebouwen van de stad verdwenen en de duisternis viel snel in. Het licht van de maan weerkaatste op het heldere, spiegelgladde oppervlak van het water en herinnerde mij eraan dat Central Park bij nacht geen veilige plaats was voor een zestienjarig meisje. Voor niemand trouwens.

Ik raapte een laatste steen op, gooide ook die in het reservoir en keek naar de beweging van het water, totdat het weer helemaal roerloos was. Met een zucht draaide ik me om en ik greep mijn schoudertas. Achter me ritselden bladeren. Ik sloot mijn ogen en hield mijn adem in. Het geritsel hield op; ik keek snel om me heen. Ik zag niemand, maar de waarschuwing was duidelijk. Tijd om te gaan.

Elke morgen en elke avond liep ik deze route, maar nu het bijna helemaal donker was geworden, voelde het heel anders dan anders. Mijn school, de Marymount Academy, was een particuliere meisjesschool, gelegen aan de oostkant van Central Park. Huize Fortune, waar ik woonde, lag aan de westkant ervan. Dus had ik de afgelopen tien jaar vijf dagen per week de wandeling door het park gemaakt, langs het reservoir, naar school en terug. Maar ik was altijd zo slim geweest om die tocht bij daglicht te maken.

Met mijn tas in de hand wierp ik nog een snelle blik om me heen, voordat ik aanstalten maakte naar het pad en naar huis terug te gaan.

Ik had nog maar een paar stappen gelopen toen ik het geritsel weer hoorde. Ik kreeg het benauwd; het zweet stond in mijn handen. Mijn verstand riep dat ik moest voortmaken, en ik versnelde mijn pas. Met mijn hoofd omlaag en mijn tas tegen mijn borst geklemd, klom ik tegen de wal rond het reservoir op. Boven aangekomen, keek ik op.

Mijn hart sloeg over. Recht voor me, verlicht door het maanlicht, stonden twee mannen. Ze liepen of bewogen niet; ze stonden daar maar. Ze keken naar mij, terwijl ik aan de grond genageld stond van angst. Ik wilde rennen, maar het enige dat ik kon opbrengen, was een wankele pas toen ik om hen heen probeerde te lopen.

'Hé, jongedame, kun je wat kleingeld missen?'

Ik negeerde hen en liep door, maar mijn staccato hartslag werd rustiger toen ik die vraag hoorde. Op het dieptepunt van de Grote Depressie waren er overal in New York zulke mannen geweest. Eerlijke mannen die hun baan waren kwijtgeraakt en die zich tot bedelen moesten verlagen. Volgens mijn moeder hoorde een dame hen te negeren en gewoon door te lopen. Ik was het weliswaar oneens met vrijwel alles wat ze zei, maar op dit moment was ik bang genoeg om haar raad op te volgen.

Ik ging hen voorbij en liep over het grasveld, totdat ik het pad naar huis bereikte. Op de een of andere manier voelde ik me veiliger op het pad. Even was het stil; toen weerklonken twee paar voetstappen op het pad achter me. Paniek nam bezit van mijn hersens.

'Hé, jongedame, ik heb het tegen jou.' Ik hoorde dat ze sneller gingen lopen, dichterbij kwamen, en ik wenste dat ik hen nooit de rug had toegekeerd. Maar daarvoor was het nu te laat, en daarom liep ik stevig door, zo snel als ik kon zonder te gaan rennen.

Ik voelde hen achter me, zo dichtbij dat een van beiden zijn hand uitstak en met zijn vingertop mijn nek beroerde. Ik onderdrukte een rilling. Ze bleven een halve meter achter me lopen, mij bedreigend met hun aanwezigheid. Opeens versnelde een van de twee zijn pas en haalde me in. De ander bleef achter me, waardoor ik ingesloten werd.

'Dat is niet aardig van je. Het is onbeleefd om iemand te negeren die tegen je praat.' De man voor mij had gesproken. Hij kwam nog iets dichterbij, en ik deed een stap achteruit. Even sloot ik mijn ogen. Hoe had ik zo stom kunnen zijn om in mijn eentje midden in het park te lopen in de snel invallende duisternis?

'Ik heb geen geld.'

De man voor me bekeek me van top tot teen. Waarschijnlijk zag hij nu pas dat ik een schooluniform droeg. Natuurlijk – hij had zich niet gerealiseerd dat ik maar een schoolmeisje was, en nu dat tot hem was doorgedrongen, zou hij zich verontschuldigen en mij erlangs laten. Ik probeerde mezelf wanhopig ervan te overtuigen dat dit allemaal een groot misverstand was.

'Het is niet verstandig om na schooltijd in het park rond te hangen, juffie. Vooral niet na zonsondergang.' Hij lachte, en de rillingen liepen me over de rug.

Ik dwong mezelf na te denken. Het bonken dat ik in mijn hoofd hoorde, maakte het moeilijk een plan te bedenken, maar lijdzaamheid werkte niet. Ik schakelde over op een tactiek die met succes was toegepast op machtiger mannen dan deze. Even sloot ik mijn ogen, om er zeker van te zijn dat ik de juiste toon trof. 'Je gaat opzij en laat mij erlangs. Nu.' Ik hoorde mijn moeders stem uit mijn eigen mond komen; dat bracht me even van mijn stuk. Nog nooit had een man mijn moeder getrotseerd, dus ik hoopte dat de situatie hiermee zou zijn opgelost.

In minder dan een oogwenk werd me duidelijk dat deze tactiek bij hem niet het gewenste effect opleverde. Integendeel – ik zag hoe zijn gezicht, verlicht door de maan, vertrok in een grijns die alleen maar als een rechtstreeks dreigement kon worden opgevat.

Dat effect had ik nog nooit gezien. Ik deed nog een stap achteruit. Mijn hart bonsde in mijn keel. Gejaagd haalde ik adem. De man kwam weer een stap dichterbij. Ik ging een halve pas achteruit. De man achter mij was zo dichtbij dat ik zijn lichaamswarmte kon voelen. Ik werd misselijk van angst.

De man voor me stak zijn hand uit en streelde met zijn vinger langs de zijkant van mijn gezicht. Ik draaide mijn gezicht weg, maar kon door de man achter me niet buiten zijn bereik komen.

De tranen sprongen me in de ogen. Ik haalde diep adem, in een poging mijn paniek te onderdrukken.

Opeens klonk een nieuwe stem door de duisternis. 'Ga opzij en laat de dame erlangs.' De stem was krachtig, maar kalm – bijna lui. Ik kon de spreker niet zien; de man voor me ook niet, concludeerde ik uit de manier waarop hij zoekend rondkeek in het donker. Helaas had de stem uit het duister geen van beide mannen opzij doen gaan.

Een paar tellen lang bewoog niemand zich. Pas toen mijn longen pijn begonnen te doen, realiseerde ik me dat ik mijn adem had ingehouden.

'Laat de dame gaan en scheer je weg.' De stem klonk zo zelfverzekerd, zo rustig en vast, dat de man voor me zich iets terugtrok en een blik achter zich wierp.

'Waarom zou ik?'

Opnieuw was het even stil, voordat de man weer sprak. 'Omdat het je zal berouwen als je dat niet doet.' Ik keek om me heen, maar kon niets zien.

De man voor me verplaatste zijn gewicht van het ene been op het andere en deed een stap achteruit. 'Kom op,' zei hij tegen de man achter me, 'we gaan. Het is de moeite niet waard om zo'n verwaand rijk meisje een lesje te leren.'

Binnen enkele seconden waren beide mannen in het duister verdwenen. Ik keek om me heen, nog niet helemaal in staat de plotselinge verandering van mijn omstandigheden te begrijpen. Toen de man die bij de stem hoorde niet tevoorschijn kwam, riep ik uit: 'Laat u zich nog zien?'

De stilte hield aan. Pas na een paar tellen zag ik vanuit mijn ooghoeken een glimp van beweging.

Een man kwam uit het donker tevoorschijn. Hij was lang en breedgebouwd, en stapte het maanlicht in met zijn armen uitgespreid om aan te geven dat hij geen bedreiging vormde. 'Tot uw dienst, prinses.' Een klein glimlachje speelde om zijn lippen, en zijn antwoord deed me blozen. Mijn bevel om zich te laten zien, was misschien hooghartiger overgekomen dan de bedoeling was geweest.

'Dank u voor uw hulp. Ik weet niet wat ik had moeten beginnen als u niet gekomen was.' Bij die gedachte kwam mijn misselijkheid weer opzetten. Mijn knieën begonnen te knikken toen het besef van wat er had kunnen gebeuren, tot me doordrong.

Hij kwam naar me toe, nam me bij mijn elleboog en leidde me naar het dichtstbijzijnde bankje. 'Kom eerst maar even tot rust. Alles is nu in orde. Ze zijn weg.'

Ik haalde een paar keer diep adem om te kalmeren, en stond toen weer van het bankje op. 'Ik moet gaan. Ik ben al twee uur te laat.'

'Zullen je ouders niet ongerust zijn?'

'Mijn ouders zitten in Europa. Bedienden krijgen niet genoeg betaald om zich zorgen te maken. Merken dat ik niet thuis ben als ik dat wel zou moeten zijn – ja; maar zich zorgen maken over mij – nee.' Er sijpelde een beetje bitterheid door in mijn antwoord. Ik was klaarblijkelijk nog steeds van streek.

'Waar woon je?' De man keek me in de ogen, waardoor mijn adem stokte.

'Aan de andere kant van het park.' Ik wees in de goede richting.

'Laten we dan maar gaan. We moeten hier niet langer rondhangen dan noodzakelijk is.'

'Wij?' Ik had zijn blik nog niet losgelaten en had moeite om het gesprek te volgen.

'Het is niet verstandig om in je eentje helemaal naar de andere kant van het park te lopen, dus ik breng je naar huis en ik zorg dat je veilig bij jullie voordeur wordt afgeleverd.'

Ik wilde bezwaar maken, zeggen dat ik er alleen ook wel zou komen, maar ik kon de woorden niet uitbrengen. De waarheid was dat ik het een angstaanjagend idee vond om de rest van de route naar huis in het donker te moeten afleggen. Dus knikte ik. 'Dank u. Nogmaals.'

Hij gebaarde dat ik moest voorgaan, en ik liep terug naar het pad. Een tijdlang wandelden we in stilte naast elkaar; ik gebruikte de tijd om heimelijke blikken op hem te werpen.

Hij was lang, zo'n één meter vijfentachtig, met donker haar en vermoedelijk bruine ogen. Waarschijnlijk vond men hem heel knap, een soort romantische Heathcliff, en hij was veel jonger dan ik in eerste instantie had aangenomen. Ik vermoedde dat hij niet ouder dan vier- of vijfentwintig was. Toen hij me erop betrapte dat ik hem vanuit mijn ooghoeken bekeek, glimlachte hij naar mij, en meer had mijn romantische tienerhart niet nodig om harder te gaan bonzen. Ik keek weg en kreeg een kleur als een boei.

Nog altijd zeiden we geen woord. Toen we dichter bij huis kwamen, vertraagde ik mijn pas een beetje. Ik wilde niet dat er aan deze tijd een einde kwam. Ik pijnigde mijn hersens om een intelligente opmerking te bedenken, maar zonder succes. Tegen de tijd dat we de voordeur van Huize Fortune bereikten, gaf ik mezelf er flink van langs omdat ik niet in staat was een semi-intelligent gesprek te voeren.

Wat mijn redder betreft, hij leek het niet nodig te vinden om te keuvelen. Toen ik de voordeur wilde openen, stak hij zijn handen in zijn zakken en deed een stap achteruit. 'Nou, je bent thuis. Doe me een plezier en hang 's avonds niet nog eens bij het reservoir rond. Het is geen veilige plek voor mooie jongedames om hun tijd door te brengen.'

Hij draaide zich om en liep weg, en ik moest mezelf dwingen te blijven ademen. Ik was bijna duizelig van de woorden van mijn mysterieuze redder. Opeens leken de gebeurtenissen van deze avond minder angstaanjagend en meer iets uit een romantische film.

Ik ging naar boven naar mijn kamer, sloot de deur en beleefde de avond in mijn gedachten opnieuw.

Toen ik wakker werd, voelde ik me uitgerust en kalm en had ik bedacht hoe ik verder moest met Clive en Mary.

Ik ging naar buiten, net op tijd om te zien hoe de allereerste straaltjes daglicht de lucht verlichtten. Het was maar een korte wandeling terug naar mijn kantoor. Aangezien het zondag was, had ik geen afspraken met cliënten; ik wilde alleen in meer detail uitwerken hoe ik Jacks hulp kon inschakelen voor mijn plan.

Sinds ik het ouderlijk huis had verlaten, was de zondag voor mij altijd een ietwat schimmige dag. Officieel was het natuurlijk geen werkdag, maar meestal gebruikte ik die dag om rapporten te lezen en alvast vooruit te werken voor maandagmorgen. Sinds ik op mezelf woonde, stond zondagochtend voor mij niet meer in het teken van kerkgang. Maar deze morgen had de Methodistenkerk die ik passeerde op weg naar kantoor, iets uitnodigends. Er was nog niemand, want het was nog veel te vroeg voor de dienst, maar het leek wel alsof ik gewenkt werd – een hevig, onverklaarbaar verlangen om snel de paar treden van het stoepje op te lopen en door de zware houten deuren naar binnen te gaan. Op zoek naar... iets. Wijsheid, misschien. Bemoediging? Maar in plaats daarvan wendde ik mijn ogen af en liep ik sneller door. Ik zou moeten doen alsof ik meezong met liederen waarin ik niet geloofde. Ik zou mijn hoofd moeten buigen voor de gebeden – niets dan loze woorden die niet verder reikten dan het dak. Waarom zou ik daar een hele ochtend aan verspillen? Alleen maar omdat ik behoefte had aan goede raad? Wat ik ook nodig had, uit die richting hoefde ik het niet te verwachten.

Ik had altijd op een roomskatholieke school gezeten en had alle Bijbelverhalen en preken gehoord. Maar ik kon het niet met elkaar rijmen: enerzijds een God Die almachtig was en van mij hield, anderzijds een God Die toestond dat ik zo veel pijn leed doordat ik niet wist wat er gebeurd was, doordat David er niet meer was. Als Hij echt van mij hield, als ik Hem kon vertrouwen, dan zou Hij dat niet hebben laten gebeuren. Ik had een tijdlang onophoudelijk tot Hem gebeden, maar Hij had nooit genoeg om mij gegeven om te antwoorden. En dat had mij geleerd dat ik er alleen voor stond.

Ik draaide de deur van mijn kantoor van het slot en liet mezelf binnen. Ik duwde mijn overpeinzingen weg en concentreerde me op mijn plannen. Inmiddels had ik duidelijk voor ogen wat mijn positie was, en ik was er vrij zeker van dat ik Jack en de FBI ervan kon overtuigen mijn voorstel aan te nemen. Natuurlijk zou ik een hele berg werk af moeten krijgen, en moest ik een aantal slepende zaken afronden om de tijd vrij te maken die ik nodig had om achter Clive en Mary aan te gaan. Ik haalde Jacks visitekaartje, dat veilig was opgeborgen in de zijden voering van mijn handtas, tevoorschijn en legde het op het bureau. Zodra ik alle details had uitgewerkt en op papier gezet, wilde ik hem bellen en eens zien of hij mijn voorwaarden zou accepteren.

Hoofdstuk 12

Over tien minuten had ik een afspraak met Jack. We zouden elkaar weer treffen in hetzelfde restaurantje. Hopelijk zou ik hem kunnen overtuigen van de wijsheid van mijn plan.

Ik had mijn zondag gebruikt om de situatie van alle kanten te bekijken, en om mijn zaken op orde te brengen. Als ik mezelf in de zoektocht naar Clive, Mary en het goud wilde storten, dan zouden alle andere dingen in mijn leven voorlopig op een laag pitje komen te staan.

Toen ik het restaurant binnenging, zag ik dat er meer mensen aan de tafeltjes zaten dan de vorige keer, maar het was nog steeds niet vol. Ik vond een zitje helemaal achter in het restaurant en ging met mijn gezicht naar de deur zitten. Ik was expres een paar minuten te vroeg gekomen, om elk mogelijk voordeel te benutten. De FBI moest het gevoel krijgen dat ik alle troeven in handen had; anders kreeg ik hen nooit zo ver dat ze mij zouden geven wat ik wilde hebben. *Als* ik hun tenminste het goud van Helena zou kunnen bezorgen.

De serveerster kwam langs en vulde mijn koffiekop bijna tot aan de rand. Ik zette hem aan mijn mond voor de eerste gloeiendhete slok. Het schroeiende gevoel in mijn slokdarm hielp minstens even goed om mij wakker te maken als de cafeïne in mijn bloed.

Eindelijk kwam Jack aangezet, tien minuten te laat en buiten adem. Ik was aan mijn tweede kop koffie bezig en mijn maag knorde bij de geur van spek, eieren en toast om me heen. Jack haastte zich naar mijn tafeltje, gekleed in een gekreukt antraciet-kleurig streepjespak. Hij zette zijn hoed af en hing hem op aan een haakje achter ons. Ik zei niets terwijl hij op de rode vinyl bank plaatsnam en probeerde zijn lange benen kwijt te raken.

'Het spijt me dat ik te laat ben. Ik was verdiept in m'n werk en heb me hierheen moeten haasten.'

Ik knikte. 'Ik heb je gebeld omdat ik denk dat ik de FBI kan helpen het goud terug te krijgen, maar ik moet eerst weten hoe graag de FBI het hebben wil.'

Jack kneep zijn ogen tot spleetjes en leunde achterover. 'Heel erg graag.' Hij sprak op zakelijke toon, en daar was ik blij om. 'Ik denk dat die beloning van tienduizend dollar die ze hebben uitgeloofd, wel laat zien hoe graag.'

'Die vind ik niet zo interessant. Ik wil meer.'

Jacks ogen werden groot; zijn blik werd koud. 'Hoeveel wil je hebben?'

'Ik ben niet uit op geld. Ik wil een beloning in een andere soort valuta.'

Zijn blik werd uitdrukkingsloos. 'Namelijk?'

'Informatie.' Ik liet het woord tussen ons in hangen.

Jack wenkte de serveerster. Ik hield mijn adem in, maar hij zei niets meer totdat de serveerster zijn mok had bijgevuld en weggelopen was. Terwijl hij de eerste slok nam, hield zijn blik de mijne vast. 'Wat voor informatie zoek je?'

Ik haalde diep adem en probeerde me het antwoord te herinneren dat ik in gedachten had geformuleerd. 'Ik ben op zoek naar iemand. Ik heb al mijn aanwijzingen opgevolgd, al m'n bronnen uitgeput. En elke keer liep het spoor dood. Ik wil dat de FBI deze informatie voor mij vindt. Dat is mijn prijs.'

Jack zette zijn koffiekop terug op tafel. 'Dat lijkt geen hoge prijs, maar informatie loskrijgen is altijd een hachelijke zaak. Ik weet niet of ik je zoiets kan toezeggen zonder de details te weten. Misschien zou je moeten overwegen het geld aan te nemen en dat te gebruiken om je eigen onderzoek te financieren.'

Ik boog me voorover en keek hem recht in de ogen. Ik deed mijn best om mijn stem niet te laten trillen, om sterk over te komen. 'Hierover ga ik niet in discussie. Ik ga niet onderhandelen of pingelen. Ofwel de FBI belooft me deze wederdienst, ofwel ze gaan zelf maar op zoek naar dat goud.'

Hij stak zijn hand op. 'Hé, ik zei niet dat het niet kon; ik zei alleen dat ik het niet wist. Ik kan zoiets niet zomaar beloven. Ik moet alle details weten van wat je vraagt, en dan moet ik het aan mijn meerderen voorleggen.'

'Prima. Ik heb een voorstel en een contract opgesteld. Het contract moet worden getekend voordat ik begin te zoeken naar het goud, en het voorstel beschrijft precies welke informatie ik zoek, met alle relevante details.' Ik gooide mijn antwoord er gehaast uit, bang dat de FBI of Jack zouden beslissen dat mijn eis te veel gedoe was, dat het gemakkelijker zou zijn als ze gewoon zelf op zoek gingen.

Jacks ogen verrieden niets. Ik viste het voorstel en het contract uit mijn tas en gaf ze aan hem. Hij nam de papieren een voor een door, zijn gezicht nog altijd onbewogen en uitdrukkingsloos. Uiteindelijk vouwde hij de velletjes op en frommelde ze in de binnenzak van zijn jasje.

Die papieren waren mijn laatste hoop; ik kromp ineen bij deze gevoelloze behandeling.

'Ik neem deze mee terug naar kantoor en ik zal je voorstel met mijn superieuren bespreken. Ik kan niets beloven.' Jack griste zijn hoed van het haakje en zette hem op zijn hoofd terwijl hij opstond. Hij was nu op en top een FBI-agent, onpersoonlijk en koud, en ik was verbaasd dat me dat dwarszat. Toch ging ik tegelijk met hem staan, en ik reikte over de tafel heen om zijn hand te schudden.

'Tot ziens, Allie. Je hoort van me zodra ik een antwoord heb.' Daarmee was hij vertrokken; op weg naar buiten stopte hij alleen nog om de rekening te betalen.

Ik haalde opgelucht adem. Ik had gedaan wat ik kon; nu kon ik alleen maar afwachten. Na een laatste slok koffie wurmde ik me uit het zitje. Het was tijd om terug naar kantoor te gaan. Er lag genoeg werk op me te wachten, en ik wilde mijn uren nuttig besteden terwijl ik op antwoord wachtte. Dat maakte het wachten bijna dragelijk.

Maar wat als het antwoord 'nee' was?

Pas de volgende dag kreeg ik bericht van Jack. Ik had voortdurend uitvluchten verzonnen om maar dicht bij mijn kantoor te blijven, zodat ik zijn telefoontje niet zou mislopen, maar die moeite had ik me kunnen besparen. Jack besloot de telefoon links te laten liggen; in plaats daarvan kwam hij dinsdagmorgen vroeg langs.

Ik zat achter mijn bureau, met de hoorn tegen mijn schouder geklemd en een potlood tussen mijn tanden, als een razende te hameren op mijn typemachine. Ik was aan het wachten totdat een rechercheur van het 33^e^ politiedistrict de telefoon zou opnemen en een paar vragen zou beantwoorden, maar ik was niet het type om niets te doen terwijl ik wachtte. Dus zat ik tegelijkertijd een rapport uit te tikken voor een andere cliënt. Mijn dag was nog maar net begonnen, maar ik liep nu al achter op schema.

Juist op het moment dat een barse stem 'McGilvery' bulderde door de telefoon, werd er op de deur geklopt. Met een zucht draaide ik me naar de deur en gebaarde ik degene die daar stond om binnen te komen, terwijl ik me probeerde te herinneren waarom ik rechercheur McGilvery ook al weer had gebeld. Ik moest het potlood uitspugen voordat ik kon spreken.

'Goedemorgen, u spreekt met Allie Fortune. Ik ben privédetective en ik wil u graag een paar vragen stellen over de Linden-zaak.' Aan de andere kant van de lijn klonk wat venijnig gemompel, gevolgd door een paar niet zo vleiende opmerkingen over privédetectives. Dat had ik allemaal al eens eerder gehoord, dus ik negeerde het. In plaats daarvan keek ik wie mijn kantoor binnen was gekomen.

Jack was ongeveer een meter de kamer ingelopen en keek met onverbloemde nieuwsgierigheid om zich heen. Ik schraapte mijn keel en ving zijn blik. Ik stak twee vingers op om te zeggen dat ik twee minuten nodig had voordat ik hem te woord kon staan, en hij knikte. Toen vestigde ik mijn aandacht weer op de nog altijd mopperende rechercheur en vuurde mijn vragen op hem af. Zijn antwoorden waren kort en krachtig, en grotendeels wat ik verwacht had te horen. Ik kwam niets nieuws te weten, maar kreeg wel bevestiging uit een andere hoek van de informatie die ik al had, en dat was ook belangrijk. Toen ik genoeg wist, hing ik op en richtte ik me op Jack.

Hij was verder de kamer ingelopen en stond nu mijn boekenkast te bekijken. Ik wachtte af. Uiteindelijk ontmoette zijn blik de mijne, maar nog altijd zei hij niets.

'Nou, wat is het vonnis?'

Hij glimlachte om mijn directheid. 'De FBI is in principe bereid je te geven wat je wilt, als je het goud kunt terughalen, maar ze stellen zelf ook een paar voorwaarden.'

Mijn hart maakte een paar vreemde sprongen. De FBI ging akkoord. Ik kon het bijna niet geloven en wist niet of ik dolblij of doodsbang moest zijn. Vermoedelijk een beetje van allebei. Als ik mij aan mijn deel van de afspraak kon houden, zou de FBI uitzoeken wat er met David was gebeurd. Hoogstwaarschijnlijk zou dat antwoord een einde maken aan alle twijfel en zou er weer een stukje van mijn hart sterven, maar dan had ik tenminste zekerheid. Al meer dan vier jaar zat ik vast op dit punt van mijn leven, omdat ik niet wist wat er echt gebeurd was. Daar kon nu een einde aan komen. Ik was er vrij zeker van dat de opluchting het uiteindelijk zou winnen van het verlangen om me vast te blijven klampen aan de hoop. Toch probeerde ik Jack niet te laten merken wat dit bericht allemaal met me deed. 'Wat zijn de voorwaarden?'

'Eigenlijk zijn het er maar twee. De eerste is dat je de details van dit onderzoek geheimhoudt, en de tweede is dat je samenwerkt met iemand van de FBI voor de duur van jouw onderzoek.' Hij grijnsde. 'Die iemand ben ik.'

Zijn laatste opmerking negeerde ik. 'Willen ze dat ik het onderzoek geheimhoud, of onze overeenkomst?'

'Allebei.'

Ik dacht er even over na. 'Goed.' Het maakte me ook eigenlijk niet uit. 'En ik krijg een partner. Of is het een oppas?'

'Noem het wat je wilt. Je zit voor de duur van het onderzoek met mij opgescheept. Maar als je er goed over nadenkt, zul jij ook wel inzien dat we meer kans maken het goud te vinden als wij onze krachten bundelen. We kunnen elkaar helpen.'

Ik vond het geen prettig vooruitzicht, maar in deze hele zaak ging het er niet om wat mij een goed gevoel gaf. Het ging om het verkrijgen van de informatie die ik nodig had om verder te kunnen gaan met mijn leven. Dat was het ongemak van een partner wel waard.

'Goed, ik ga akkoord met de voorwaarden.'

Jack knikte en ging op de stoel naast mijn bureau zitten. Hij haalde uit zijn binnenzak enkele papieren tevoorschijn, vouwde ze open, legde ze op het bureau en schoof ze naar me toe. Ik pakte ze aan en begon te lezen. Het was een contract, veel ingewikkelder en juridischer dan het contract dat ik had opgesteld, maar de inhoud leek ongeveer hetzelfde. Ik leunde achterover in mijn stoel en las de vijf bladzijden van het document woord voor woord door. Ik liet me niet opjutten door Jacks aanwezigheid, en pakte pas een pen toen ik er zeker van was dat ik begreep waar ik mijn handtekening onder zette. Ik keek Jack aan.

'Klaar om te tekenen?' vroeg hij.

Ik antwoordde niet, maar ondertekende en dateerde het document, en schoof het toen naar hem terug om hetzelfde te doen. Toen hij onderaan zijn naam krabbelde, slaakte ik een zucht van verlichting. Dankzij dit contract zou ik krijgen wat ik meer dan wat ook ter wereld nodig had.

Nu hoefde ik alleen nog maar het goud te vinden.

Hoofdstuk 13

Ik leunde achterover en bekeek Jack O'Connor eens goed. Hij was een knappe man, die gemoedelijk overkwam; maar ik wist ook dat de FBI geen watjes in dienst nam. Blijkbaar had Jack meerdere kanten, en ik zou er goed aan doen om dat in gedachten te houden tijdens onze samenwerking.

'Nu we partners zijn, moet je mij maar eens bijpraten over je onderzoek.'

Jack nam zijn hoed af, legde hem op mijn bureau en keek mijn kantoor rond. 'Nu wij partners zijn, ga ik je allereerst vertellen dat je iets aan deze ruimte moet doen. Afbladderende verf is nou niet bepaald een sfeervolle aankleding.'

'Mijn cliënten houden zich over het algemeen niet bezig met ambiance, en jij bent de eerste die erover valt.'

'Maar de kamer straalt nu uit dat jij niet succesvol bent.'

'Over niet succesvol gesproken, Jack, laten we het weer over jouw onderzoek hebben.'

Jacks gezicht vertrok, en ik beet op mijn tong. Ik was geërgerd door zijn oordeel over mijn kantoor, en dat uitte zich in sarcasme. Waarschijnlijk niet de beste manier om een samenwerking te beginnen. Ik probeerde het nog een keer. 'Vertel me eens wat je te weten bent gekomen.'

Hij pakte zijn hoed weer op en veegde een beetje stof van de bol. 'De hele zaak kwam ruim twee weken geleden onder onze aandacht, toen Clive en Mary de eerste gouden sieraden van Helena verkochten. Ik kreeg de zaak toegewezen, met de opdracht te onderzoeken wat ervoor nodig was om het goud terug te krijgen. Toen ik me realiseerde dat ook de Russische geheime agenten erop uitgestuurd waren om het te bemachtigen, wist ik dat we snel moesten handelen. Ik hield het huis van Mary en Clive een paar dagen in het oog, maar slechts sporadisch, en dat leverde me geen nieuwe informatie op. Ik kreeg toestemming om hun appartement onopvallend te doorzoeken, maar daar vond ik geen spoor van het goud.'

Ik moest een glimlach onderdrukken. Geen wonder dat Mary bij mij had aangeklopt; ze werd door meer mensen in de gaten gehouden dan de president van de Verenigde Staten. 'En toen?'

'Toen heb ik mijn rapport geschreven. Ik zei dat de kans dat we het goud door onderhandelingen zouden kunnen bemachtigen, te verwaarlozen was, en dat we moesten overgaan op meer directe actie als we de Russen vóór wilden zijn.'

'Wat voor soort directe actie?'

'De avond van het feest bij jouw ouders, toen wij elkaar voor het eerst ontmoetten, zat ik te wachten op toestemming om Clive en Mary naar het bureau te brengen voor ondervraging. Helaas kreeg ik pas in de loop van zaterdagmorgen groen licht...'

'En toen waren zij er allang vandoor.'

'Precies. Ik bleef hopen dat ze terug zouden komen, maar toen jij me belde, besefte ik dat ik alleen met jouw hulp nog enige kans maakte om hen weer op het spoor te komen.'

'Bedankt – nu heb ik een beter overzicht van wat er wanneer gebeurd is. Dat helpt.' Ik stond op en begon achter mijn bureau te ijsberen. Jack bleef zitten en keek me alleen maar aan. 'Wat heeft dit alles in gang gezet? Waarom nu? Ze hebben dat goud al jaren in hun bezit. Waarom proberen ze het nu te verkopen?' Ik verwachtte geen antwoord en kreeg er geen, maar Jack pakte een leeg schrijfblok en een pen van mijn bureau en schreef iets op.

'De volgende vraag is dan: waarom gingen ze juist naar *die* heler om hun spullen te verkopen? Kenden zij hem van een eerdere gelegenheid?' Ik pakte een pen en speelde ermee. 'Een van de belangrijkste vragen waarop we een antwoord moeten krijgen, is: weten zij dat ze in gevaar zijn? Kan het zijn dat ze er geen idee van hebben hoe diep ze in de problemen zitten?'

Jack zat over het schrijfblok gebogen en maakte nog steeds aantekeningen. 'Er is nog een relevant feit dat we moeten achterhalen,' zei hij. 'Namelijk: waar zijn ze nu?'

'Goed, dat zijn dus de vragen die we moeten beantwoorden. Wat weten we over hen?'

Jack haalde een klein notitieblokje tevoorschijn, maar keek er niet in. 'Clive Gordon: vijfendertig jaar, getrouwd, geen kinderen. Tweemaal gearresteerd en eenmaal veroordeeld voor oplichting. Hij heeft zes maanden in de gevangenis gezeten, en er is geen arrestatiebevel tegen hem uitgevaardigd sinds...'

Ik onderbrak zijn opsomming van feiten. 'Omdat hij geen misdrijven meer pleegt?'

'... omdat hij handiger geworden is in het plegen van misdrijven.'

Ik knikte en hij ging verder. 'Hij heeft twee jaar in Europa in het leger gediend. Hij was in Berlijn toen de stad viel. Voor de rest hebben we meer veronderstellingen dan feiten.'

'En Mary?'

'Mary Gordon, meisjesnaam Mary Black. Ze trouwde met Clive toen ze tweeëntwintig was. Ze heeft geen strafblad, maar men vermoedt dat zij in het verleden betrokken was bij Clives oplichtingspraktijken.'

'Goed, we hebben dus een aardig beeld van onze doelwitten. Nu hoeven we ze alleen nog maar te vinden.'

De rest van de middag besteedden we aan het opstellen van onze onderzoeksstrategie. Na het eerste uur van onze samenwerking begon Jack zich te gedragen alsof hij thuis was. Hij trok zijn jasje uit en maakte zijn das los – een concessie aan de overweldigende hitte van de stad New York in augustus. Hij nam ook de andere kant van mijn bureau in beslag als zijn werkplek, hoewel ik denk dat hij evenveel tijd doorbracht met ijsberen door het kantoor als met zitten aan het bureau. Hij leek voortdurend in beweging te zijn: hardop denkend, mompelend en lopend. Hij moest alles aanraken. Hij pakte alle prulletjes in de kamer op en zette ze weer neer; hij trok zelfs boeken uit de boekenkast, bladerde ze even door en zette ze weer terug.

Ik nam de taak op me om telefoontjes te plegen, terwijl hij alle gegevens die we hadden, samenbracht in een dossier. Hij kon het officiële FBI-dossier niet meenemen naar mijn kantoor, dus schreef hij uit het hoofd de inhoud ervan op. Ik vermoedde dat hij een fotografisch geheugen had. Zo te zien hoefde hij iets maar één keer te horen of te lezen en dan stond het in zijn herinnering gegrift.

'Allie, ik moet er even een poosje uit.'

Zijn stem onderbrak mijn gedachtegang. 'Eh, ja, ga je gang. Ik handel het hier wel af.'

'Nee, Allie, jij moet er ook even uit.'

Ik keek hem niet-begrijpend aan. 'En waar moet ik dan heen?'

'Maakt niet uit – als het maar geen benauwd, bloedheet kantoor is.'

'O... goed. Ik kan dit ook wel thuis afmaken.'

Hij schudde zijn hoofd terwijl hij zijn jasje van de kapstok nam en het over zijn arm legde. 'Allie, ik zal het je voorkauwen. Ik heb razende honger, jij moet iets eten, en we moeten allebei ons hoofd leegmaken. Laten we ergens een hapje gaan eten. Ik weet een Italiaans restaurantje, niet zo ver hier vandaan.'

Mijn maag kromp ineen. Dit kon ik niet laten gebeuren. Ik moest het uitleggen.

Jack zag mijn gezichtsuitdrukking en legde me met een handgebaar het zwijgen op. 'Ik heb je dossier doorgenomen en ik kan behoorlijk goed tussen de regels door lezen. Ik ben niet uit op een afspraakje. Ik stel alleen maar voor om samen te gaan eten en elkaar te leren kennen als partners in dit onderzoek.'

De steen op mijn maag verdween onmiddellijk. 'Dat is een goed idee.' Jack greep zijn hoed en maakte me aan het lachen door de hoed over zijn arm omhoog te rollen totdat hij op zijn hoofd belandde. Het was een kinderachtig kunstje, maar in combinatie met zijn grijns was het precies wat ik nodig had om te ontspannen.

Ik pakte mijn eigen hoed en handtas en we gingen op pad. Buiten op straat werd ik verrast door de zachte, verkoelende bries op mijn huid. Wat voelde dat goed! Jack leek precies te weten waar hij heenging, en dus ik volgde hem.

Het kleine Italiaanse restaurant bleek eigendom van Jacks familie. Ik kon me bijna niet voorstellen dat een familie die O'Connor heette een Italiaanse eetgelegenheid kon bezitten, maar één blik op Jacks moeder maakte me duidelijk dat Jack een unieke combinatie was van Iers en Italiaans bloed.

Jack moest glimlachen om mijn reactie op het restaurant. 'Klein' was een passende omschrijving: er was slechts plaats voor zes tafeltjes in het zitgedeelte. De kleine ruimte was gevuld met doordringende aroma's uit de keuken. De geur van versgebakken brood, knoflook en tomaten deed mijn maag knorren. Ik volgde Jack naar het tafeltje dat het verst van de deur verwijderd was, achter in het restaurant. We gingen zitten, en vrijwel meteen bracht een jong meisje van misschien zeventien jaar ons een paar glazen water en een mandje met warm brood.

'Nancy, dit is Allie, een vriendin van me. Allie, dit is mijn zus Nancy.' Hij nam een slok van zijn water en glimlachte naar het meisje. 'Zorg dat je dat goed doorvertelt aan de anderen.' Hij keerde zich weer naar mij toe, en bij het zien van mijn verwarring legde hij uit: 'Ik vermoed dat alle vrouwelijke leden van mijn familie nu achter die deur staan te fluisteren en giechelen, om uit te vinden wie jij bent en wat wij aan het doen zijn.'

Ik trok mijn wenkbrauwen op. 'Zijn er veel vrouwen in je familie?'

'Veel te veel. Allemaal erop gebrand om mij aan een vrouw te helpen, dus we kunnen die roddel beter nu meteen de kop indrukken, voordat ze alvast de bruiloft gaan organiseren.'

Terwijl Jack aan het uitleggen was, stond Nancy met open mond elk woord in zich op te nemen. Ik had zo'n donkerbruin vermoeden dat deze conversatie zometeen woord voor woord zou worden herhaald. Jack ving mijn blik en grinnikte. Zijn opgewekte humeur werkte aanstekelijk, en ik voelde dat er een glimlach over mijn gezicht gleed.

Het eten was uitstekend, en het was heerlijk om even uit het kantoor weg te zijn. Ik at niet vaak buiten de deur, omdat ik er een hekel aan had om in mijn eentje aan tafel te zitten. Afgezien van de woensdagavonddiners bij mijn ouders, kon ik me eigenlijk niet eens herinneren wanneer ik voor het laatst een uitgebreidere avondmaaltijd had gehad dan een snelle boterham achter mijn bureau.

'Dus... morgen.'

Ik keek op. 'Dat komt na vanavond. Hoezo?'

'Wat staat er morgen op het programma?'

'Ik denk dat we een kleine excursie moeten maken naar het museum. Een paar schilderijen bekijken, een beetje cultuur opsnuiven...'

'En een zekere conservator ondervragen?'

'Dat was mijn plan, ja.'

Jack zakte onderuit in zijn stoel. 'Ik ben blij dat we er hetzelfde over denken. Dat maakt onze samenwerking als partners een stuk makkelijker.'

'Hoe heet die kunstheler annex conservator?'

Ditmaal liet Jack de schijnvertoning met het notitieblokje maar achterwege. 'Robert Follett, drieënvijftig jaar, werkt sinds tweeëntwintig jaar bij het New York Museum of Antiquities. Hij wil graag meewerken aan ons onderzoek in ruil voor de toezegging dat wij hem niet zullen aanklagen voor het bezit van gestolen goederen. Hij zou zijn baan bij het museum kwijtraken en nooit meer door een ander museum worden aangenomen als bekend werd waarmee hij in zijn vrije tijd wat bijverdient.'

'Altijd handig om een machtspositie te hebben.'

Jack glimlachte. 'Zo zie ik het ook.'

'Dat vergat ik nog te vragen – waar zijn de sieraden die hij van de Gordons heeft gekocht?'

'Die zijn als bewijsstukken opgeborgen in het FBI-kantoor.'

'Nog een uitstapje dat ik moet maken, denk ik. Ik wil het goud met eigen ogen zien.'

Jack keek een beetje moeilijk. 'Ik zal kijken wat ik kan doen, maar het is niet makkelijk om toegang tot het kantoor te regelen voor een burger.'

'Dan moet je je uiterste best doen, want het is voor het onderzoek heel belangrijk dat ik alle feiten en details helder voor de geest heb.'

Jack keek nog steeds ongelukkig, maar hij knikte. Ik nam een slokje water en dacht een ogenblik na.

Hij hield iets voor me achter. Ik wist niet wat het was, maar ik wist wel *dat* er iets was. Gelukkig was ik uitstekend in staat om voor mijn eigen belangen op te komen; ik hoefde niet bang te zijn dat de FBI mij voor de gek zou kunnen houden.

Hoofdstuk 14

Dinsdagmorgen kwam Jack al vroeg naar mijn kantoor om me op te halen. We gingen naar het museum en wilden daar zijn zodra het openging voor het publiek.

Het verkeer was druk; we waren veel later dan we hadden gehoopt. Het museum was niet een van de beste in de stad, maar het stond goed bekend. Ik was er nog nooit binnen geweest, dus ik had er zelf nog geen mening over.

We haastten ons de stenen trap naar de entree op en minderden pas vaart toen we door de enorme houten deuren naar binnen gingen. Toen de deuren achter ons sloten, leek het of we in een andere wereld belandden. Het geluid van auto's en mensen werd binnen volledig gedempt; in het gebouw heerste een drukkende stilte. Hoewel het museum al bijna een uur geleden was opengegaan, waren er niet veel bezoekers. Jack liep naar de kassa. Na een gesprek op zachte toon werd hem met overdreven armgebaren de weg gewezen naar het achterste deel van het gebouw. Hij voegde zich weer bij mij en samen liepen we naar Robert Folletts kantoor.

Jack klopte op de deur, maar wachtte niet op toestemming om naar binnen te gaan. Dat was typisch dominant gedrag. Je moet het heft in handen nemen als je een ondervraging ingaat, en Jack beheerste het aanvallende gedrag tot in de puntjes. Hij ging zelfs anders lopen toen we naar binnen gingen. Ik kon me nu goed voorstellen dat mensen hem soms intimiderend vonden.

Robert zat achter zijn bureau en keek met overduidelijke angst naar Jack. Hij leek niet eens op te merken dat ik achter hem stond.

‘W-wat wilt u van me?’

‘Ik kom praten, Robert.’

‘Doe de deur dicht.’ De conservator stond geagiteerd op. ‘Doe alstublieft de deur dicht zodat we ongestoord kunnen praten.’ Volgens Jack was de man drieënvijftig jaar, maar hij leek veel ouder. Hij was zwaargebouwd, zijn gezicht vuurrood, en er liep een straaltje zweet langs zijn oor. Als ik zou moeten raden, zou ik zeggen dat het zweten pas begonnen was toen hij zag wie er bij de deur van zijn kantoor stond.

‘Robert, dit is mijn partner, Allie Fortune.’ Jack gebaarde naar mij en keerde zich toen weer om naar Follett. ‘Je weet waarom we hier zijn, dus laten we maar ter zake komen. In jouw belang zou ik zeggen: hoe sneller wij krijgen wat we willen hebben en weer weggaan, hoe zekerder jij bent van jouw baan.’

Robert veegde zijn voorhoofd af en dwong zichzelf te glimlachen. Hij gebaarde dat we moesten gaan zitten. Ik keek snel rond. Het kantoor was één grote puinhoop; boeken en papieren lagen over het hele bureau verspreid, in wankele stapels op de grond. Elk denkbaar oppervlak was bezaaid met gebroken stukjes aardewerk en andere, niet te identificeren antieke spullen. Het was het kantoor van een vreselijk chaotisch persoon, en ik kreeg er bijna letterlijk de kriebels van.

De conservator droeg een zelfgebreid kastanjebruin vest met een vlek op het voorpand. Hij zag er in de verste verten niet uit als een crimineel; hij leek gewoon niet bijdehand genoeg om weg te komen met wat voor bedrog dan ook. Waarschijnlijk was hij wel intelligent genoeg, maar te sloom.

Alle beschikbare stoelen waren volgestapeld met spullen, dus ik koos ervoor om tegen de muur te leunen, twee meter van Jack vandaan.

‘Clive en Mary Gordon: waar ken je hen van?’ Jacks botheid zette de toon voor de ondervraging. Blijkbaar gingen we niet proberen een vriendelijk gesprek aan te knopen; we gingen op de intimiderende toer. Ik paste me aan en leefde me in mijn rol in.

'Ik ken ze al jaren. Het zijn kennissen van me.'

'Jij hebt helemaal geen vrienden en kennissen, Robert; je woont bij je moeder. Je bent al jaren hun heler.'

'Nee. Dat is niet waar.' Hij begon te stamelen. 'Ik bedoel, ik heb wel eens een paar schilderijen van ze gekocht, maar echt niet regelmatig.'

'Schilderijen van twijfelachtige herkomst?'

'Ik heb nooit gevraagd waar ze vandaan kwamen.'

Jack haalde zijn schouders op. 'Vertel me eens over het goud, Robert.'

Hij keek verslagen. 'Ze belden me op. Clive zei dat hij een paar sieraden had die hij wilde verkopen. Ik ben geen deskundige op dat gebied, maar ik heb in de loop der jaren wel een paar verkopen afgehandeld. Dus ik zei dat ze die avond maar naar mijn huis moesten komen en dat ik er eens naar zou kijken.'

'Dus zij kenden je goed genoeg om te weten hoe ze bij jouw huis moesten komen?' Ik stelde de vraag op neutrale toon, maar de onuitgesproken bedoeling was duidelijk. Ik had Robert betrapt op een leugen.

Zijn gezicht werd nog roder en hij sloeg zijn ogen neer. 'Dat zei ik toch. Het waren kennissen van me.' Hij mikte waarschijnlijk op een uitdagende toon, maar het kwam er jengelig uit.

'Dus ze kwamen bij jou thuis. Wat zeiden ze tegen je?' Jack deed geen moeite zijn ongeduld te verbergen.

'Ze hadden de twee spelden bij zich, gewikkeld in een lapje stof. Ze gingen er niet eens voorzichtig mee om. Achteraf gezien is het wel duidelijk dat ze er geen idee van hadden dat ze iets onbetaalbaars wilden verhandelen. Zij dachten vast dat ze gewoon een paar oude gouden sieraden hadden.

Toen ze de voorwerpen tevoorschijn haalden, kon ik mijn ogen niet geloven. Ik haalde mijn vergrootglas om ze beter te bekijken. Clive had het erover dat hij nog een aantal stukken uit dezelfde collectie had, maar ik luisterde niet echt naar hem. Ik was te opgewonden bij het idee dat deze twee kleine spelden deel uitmaakten van de beruchte collectie van Helena van Troje. Die collectie was een van de belangrijkste archeologische vondsten van de eeuw. Ik liet Clive en Mary even alleen achter in mijn woonkamer toen ik m'n vergrootglas ging halen, en zocht het gauw op in een naslagwerk. Het hielp om een plaatje van de collectie te zien ter bevestiging van wat ik al wist. De spelden die ze bij zich hadden, waren een paar van de kleinere stukken, maar op zich nog altijd een fortuin waard.'

Ik kon me niet langer inhouden en stelde de vraag die al dagenlang door mijn hoofd speelde. 'Hoeveel zijn ze waard?'

Hij keek me aan alsof ik een vreselijk domme vraag had gesteld. 'Het is moeilijk een goede schatting te geven, maar de collectie als geheel is onbetaalbaar, en de stukken die zij meebrachten, zijn bijna vijftigduizend dollar waard – hoewel verzamelaars op de zwarte markt bereid zouden zijn het dubbele te betalen. Elk volgend stuk zou de prijs exponentieel doen stijgen.'

Ik hapte bijna naar adem. Ik wist dat ze waardevol waren, maar ik had er geen idee van *hoe* waardevol. Heimelijk gluurde ik naar Jack, en aan zijn effen gezicht kon ik zien dat het bedrag hem niet verraste. Hij wist dit al. Ik vroeg me af hoeveel hij nog meer wist en mij niet vertelde.

'Dus je ging het nakijken in je boek, en toen?'

'Toen kwam ik terug, bekeek ze onder het vergrootglas, bewonderde het ingewikkelde ontwerp, en bood hen vijfhonderd dollar per stuk.'

Jack zuchtte. 'Dat was meer dan ze hadden verwacht.'

Robert zag er ongelukkig uit. 'Veel meer. Ik heb het verknald. Als het maar gewone sieraden waren geweest, zou het goud hooguit vijfentwintig dollar per speld waard zijn. Vijfhonderd was twintig keer zoveel als ze verwachtten, en ze wisten meteen dat er iets bijzonders aan de hand was met die dingen. Daarna moest ik heel veel moeite doen om hen te bewegen ze aan mij te verkopen; ik moest hen echt ompraten, en uiteindelijk stemden ze toe. Ik liet ze beloven dat ze mij de volgende dag de andere stukken zouden brengen. We maakten harde afspraken, maar...'

'... ze kwamen niet opdagen,' maakte Jack zijn zin voor hem af. 'Ze hadden waarschijnlijk hun huiswerk gedaan en ontdekt wat ze in handen hadden.'

Robert schudde zijn hoofd. 'Ik zou niet weten hoe. Er zijn hooguit twintig mensen in deze stad die het goud van Helena meteen zouden kunnen identificeren; en ik wil niet onbeleefd zijn, maar de Gordons verkeren nou niet bepaald in academische kringen.'

'Wanneer speelde dit alles zich af?'

Follett wendde zich tot mij om te antwoorden. 'Iets meer dan twee weken geleden, en sinds die avond heb ik geen van beiden meer gezien.'

'Toen je die gouden stukken eenmaal in je bezit had, wat gebeurde er toen?'

'Ik kocht ze van de Gordons, en het was net alsof ik een handvol diamanten in mijn broekzak had. Ik *moest* iemand vertellen over mijn aankoop.' Hij schudde zijn hoofd. 'Maar als je het aan één persoon verteld hebt, wordt het jammer genoeg gemakkelijker om het verhaal nog een keer te vertellen. En die mensen vinden het nodig het verhaal door te vertellen en...'

'Enzovoort, enzovoort, totdat je de FBI op je dak krijgt,' maakte Jack zijn verhaal voor hem af.

Robert knikte, waardoor zijn onderkinnen trilden. Hij deed me denken aan de oude jachthond die mijn buren ooit hadden gehad. Die keek ook altijd zo somber.

'Goed, nog een laatste vraag, Robert. Heb je enig idee waar de Gordons heen zouden gaan als ze een poosje er tussenuit zouden willen knijpen, de stad uit?'

Robert veegde met zijn hand over zijn kale, zwetende hoofd. Blijkbaar stelde het nieuws dat dit de laatste vraag zou zijn, hem op zijn gemak. Hij keek een paar tellen nadenkend voor zich uit. 'Ik zou het niet echt weten. Ik bedoel, ik weet niet of ze buiten de stad een huis ofzo hebben, maar ik weet wel dat Clive een broer heeft die ergens meer naar het noorden woont.'

'Waar in het noorden?'

'Geen idee. Ik heb de man nooit ontmoet. Ik heb alleen Clive een keer iets horen zeggen over een broer.'

Jack keek gefrustreerd toen we aanstalten maakten om weg te gaan. 'Blijf hier waar we je kunnen vinden, Follett. En als je iets hoort van Clive of Mary, bel ons dan onmiddellijk. We kunnen je het leven heel zuur maken als we het gevoel krijgen dat je niet meewerkt.'

'Ja, meneer. Ik zal meteen bellen. Doe ik.' Hij knikte ijverig terwijl hij sprak.

'Goed zo.' Jack trok de deur van het kantoor open en liet mij voorgaan, de gang in.

We waren van Follett niet veel nieuws te weten gekomen, maar we hadden weer een paar puzzelstukjes om in het totaalplaatje te verwerken. We maakten vorderingen.

Rond het middaguur gingen Jack en ik uit elkaar. Ook zonder dit onderzoek zaten we allebei tot over onze oren in het werk, dus we moesten onze tijd goed indelen. We spraken af elkaar de volgende ochtend weer te treffen en dan te bezien hoe we verder zouden gaan.

Ik besloot eerst een eindje te gaan wandelen. Ik wilde de ondervraging van Follett nog eens de revue laten passeren, om te zien of zijn verhaal tot nieuwe inzichten kon leiden. Na mijn wandeling stonden alle details van het gesprek onuitwisbaar in mijn geheugen gegrift, en was ik er klaar voor om mijn andere dossiers aan te pakken.

Terwijl ik mijn sleutels tevoorschijn haalde om mijn kantoor te openen, hoorde ik mijn telefoon rinkelen. Haastig gooide ik de deur open, hard genoeg om het ruitje te laten rammelen in de sponning. De telefoon ging al voor de vierde keer over toen ik me over mijn bureau heen boog en de hoorn oppakte.

'U spreekt met Allie Fortune.'

'Miss Fortune, fijn dat ik u te pakken heb gekregen.' De stem was zoetgevooisd met een vaag Brits accent. Ik herkende hem niet.

'Met wie spreek ik?'

'Mijn naam is Nigel Gordon. Ik geloof dat u mijn broer kent.'

Ik liet me in mijn stoel vallen. Eén ogenblik was ik met stomheid geslagen; toen reikte ik naar een schrijfblok en een potlood. 'Meneer Gordon, wat kan ik voor u doen?'

Hij lachte. 'Een toepasselijker vraag zou zijn: wat kan ik voor *u* doen?'

Ik weigerde zijn spelletje mee te spelen. 'Wat wilt u van me, meneer Gordon?'

'Ik heb reden om aan te nemen dat u op zoek bent naar mijn broer en zijn lieftallige echtgenote. Ik denk dat ik misschien informatie heb die u zou kunnen helpen in uw zoektocht.'

'Waarom denkt u dat ik naar hen op zoek ben? Wie heeft u dat verteld?'

'Dat doet er niet toe. Ik hoor van alles gedurende de dag. Hebt u belangstelling voor wat ik u te bieden heb?'

Ik kon nu geen slag meer om de arm houden. Als hij me kon helpen, dan moest ik open kaart spelen. 'Ja, ik ben geïnteresseerd. Waar denkt u dat ze zijn, meneer Gordon?'

Weer lachte hij, en een koude rilling liep over mijn rug. 'Dat is niet iets wat we telefonisch kunnen bespreken, miss Fortune. In plaats daarvan kunt u mij over drie kwartier ontmoeten in het Belvédère Hotel. Suite 509.'

'Ik weet niet of het me lukt om zo snel bij u te komen. Het is niet naast de deur. Misschien ben ik langer onderweg.'

'In dat geval hebt u uw kans gemist. Ik wacht op u in mijn hotelkamer over vijfenveertig minuten. Als u er dan niet bent, zult u Clive zelf maar moeten vinden.'

Ik schreef het kamernummer op dat hij me gegeven had, terwijl ik probeerde iets te bedenken om tijd te rekken. Toen ik aan de kiestoon hoorde dat hij had opgehangen, drukte ik zó hard op mijn potlood dat de punt brak. Onmiddellijk begon ik Jacks nummer op kantoor te draaien. Maar met elke verwoede draai aan de kiesschijf nam mijn hoop af. Hij was hier nog geen uur geleden weggegaan, en hij had gezegd dat hij met iemand had afgesproken om één uur. Hij kon onmogelijk nu alweer terug zijn op kantoor. Ik liet de telefoon heel lang overgaan, maar ik wist dat het hopeloos was. Ik moest dit zelf opknappen.

Hoe had Nigel Gordon eigenlijk van mij gehoord, en hoe wist hij dat ik zou willen weten waar Clive en Mary uithingen? Nog een goede vraag: waarom probeerde Clives eigen broer mij te helpen hem te vinden? Door het autoraampje betaalde ik de taxichauffeur voor de rit. Opnieuw wenste ik dat ik Jack te pakken had kunnen krijgen, maar het was nu te laat om me daar zorgen over te maken. Tijdens de rit hiernaartoe had ik voldoende gelegenheid gehad om na te denken over het onverwachte, maar welkome telefoontje. Ik had al een hele rij vragen die beantwoord moesten worden. Ik probeerde mijn gedachten te ordenen. Die antwoorden kwamen zo meteen wel.

Ik baande me een weg naar de lift en vertelde de liftbediende dat ik op de vijfde verdieping moest wezen. Een paar minuten later stond ik voor kamer 509. Ik hoefde maar één keer te kloppen voordat de deur openzwaaide.

'U bent er. Ik had bijna de moed opgegeven.' Hij deed een stap opzij om mij binnen te laten.

Toen de deur achter mij gesloten was, gebaarde hij me naar het zitgedeelte van de suite. Ik koos een stoel uit, streek mijn rok glad en wachtte totdat hij iets zou zeggen. Een vaag gevoel van onbehaaglijkheid stak de kop op, maar ik verjoeg het door me te concentreren op de man voor me.

'Miss Fortune, ik ben Nigel Gordon.'

'Zullen we de beleefdheden overslaan en het hebben over de vraag. Waarom hebt u me gevraagd hier te komen?'

'Goed dan. Ik wil dat u Clive en Mary vindt, en ik heb informatie die u kan helpen om dat te doen.'

'Dan is mijn volgende vraag: waarom wilt u dat ik ze vind?'

Achter me hoorde ik de deur van de aangrenzende kamer opengaan, en ik voelde een siddering van angst in mijn buik.

'Eigenlijk wil ik niet dat jij ze vindt; ik wil dat jij mij helpt ze te vinden.' Opeens was zijn stem niet meer zo vriendelijk. Hij stond voor me, maar achter mij werd een koud metalen voorwerp in mijn nek geduwd. Er was dus nog iemand in de kamer. Ik sloot mijn ogen toen de gewapende man die ik niet zien kon, nog meer kracht zette. Toen ik hier naar binnen was gegaan, wist ik dat dit een valstrik kon zijn, maar ik had eigenlijk geen andere keus gehad dan het risico te nemen.

'Wat wilt u van me, meneer Gordon? U hoeft me toch zeker niet onder schot te houden. Ik kan me niet voorstellen dat u zich bedreigd zou voelen door een ongewapende vrouw, of wel soms?'

'O, ik voel me niet bedreigd. Ik vind dit gewoon een prettige manier van zakendoen. Zo weet ik zeker dat jij zult meewerken zonder al te veel gedoe. Ik wil je geen pijn doen. Ik bedoel, dat staat vandaag vooralsnog niet op het programma, maar aan de andere kant: ik ben een spontaan type. Er kan van alles gebeuren en ik laat me door de omstandigheden inspireren. Ik raad je aan hetzelfde te doen. Het enige wat ik van je wil, is een beetje informatie.'

Ik wist dat ik op dit moment geen keus had. 'Zeg het maar.'

'Wie zit er nog meer achter Clive en die domme gans Mary aan?'

'Voor zover ik weet: ikzelf, de Russische geheime dienst en de FBI.'

'Dat dacht ik al. Ik neem aan dat je niet toevallig weet waar Clive en Mary nu zijn?'

'Ik zou hier niet alleen naartoe zijn gekomen als ik enig idee had waar ze waren.'

'Dat is waar. Nog een laatste vraag.'

'En dat is...'

'Wat voor beloning heeft de FBI uitgeloofd voor het goud? Ik heb al een fors aanbod van de Russen gekregen, maar ik moet natuurlijk wel zeker weten dat er geen beter bod op tafel ligt. In dit soort situaties loont het om met geen van beide partijen een band te hebben. Dan kun je ervoor zorgen dat ze tegen elkaar gaan opbieden.'

Ik walgde van de man, en ik weet zeker dat mijn afkeer op mijn gezicht te lezen was, maar Nigel trok zich daar niets van aan. Sterker nog, hij leek het vermakelijk te vinden.

'M'n lieve kind, je moet het leven niet zo serieus nemen. Ik maak gewoon ten volle gebruik van het kapitalistische systeem. Ik ben altijd te koop voor de hoogste bieder. Eigenlijk is alles te koop, behalve mijn loyaliteit. Die heb ik niet.'

'Klaarblijkelijk zelfs niet aan uw eigen broer.'

Hij glimlachte weer. 'Alsof ik daarin een keus heb. Ik heb er niet om gevraagd opgezadeld te worden met zo'n hansworst als Clive; dat is nu eenmaal gebeurd. Dat is toch niet mijn schuld? En het is geen reden waarom ik niet zou mogen profiteren van deze kwestie rond het goud. Dus ik vraag het nog een keer: wat biedt de FBI?'

'Voor zover ik weet, staat de beloning op tienduizend dollar.'

Hij deed een stapje achteruit. 'Ik had het kunnen weten. Krenterige Amerikanen.' Hij leek zijn woorden te wegen. 'Jij wedt op het verkeerde paard, weet je.'

Ik keek hem woest aan.

'Nee, echt waar. Als je dat goud zoekt voor iemand anders dan voor jezelf, dan wed je op het verkeerde paard. Je bent loyaal aan hen en wat krijg je ervoor terug? Zodra ze de kans krijgen, laten ze je vallen en vergeten ze dat je bestaat.'

Ik liet hem niet zien dat hij mijn grootste angst onder woorden bracht. In plaats daarvan herinnerde ik mezelf eraan dat ik een contract had getekend en dat ik alleen maar met mijn aandeel over de brug hoefde te komen.

'Waarom werken we niet samen? Met jouw achtergrond en contacten, en mijn inzicht in Clives eenvoudige en voorspelbare geest, kunnen we dat goud vast en zeker in een mum van tijd vinden. Dan delen we de beloning van de Russen – wat overigens per persoon nog altijd meer zou zijn dan wat de Amerikanen in totaal bieden.'

Ik deed geen moeite mijn afkeer te verbergen. 'Het spijt me, Nigel. Mijn loyaliteit is niet te koop, tegen geen enkele prijs.'

Hij haalde zijn schouders op. 'Ach, wat zal ik zeggen? Ik heb het in elk geval geprobeerd.' Hij hief zijn arm op en gebaarde naar de man achter mij.

Ik voelde dat het pistool uit mijn nek werd gehaald, maar enkele tellen later donderde een daverende klap tegen de zijkant van mijn hoofd. Ik zag een heleboel sterretjes, waarna het doek viel en ik door een diepe duisternis werd opgeslokt.

Hoofdstuk 15

Door de pijn kon ik niet nadenken. Ik opende mijn ogen; ik had geen idee waar ik was, al was ik er wel vrij zeker van dat hetgeen ik voor me zag, vloerbedekking was. Langzaam en voorzichtig duwde ik mezelf een beetje overeind. Toen mijn hoofd wat helderder werd, besefte ik dat ik languit op de grond lag. Ik bevond me nog steeds in Nigels hotelkamer, en getuige de afdruk van de vloerbedekking op mijn wang, was ik waarschijnlijk een poosje buiten westen geweest.

Het lukte me om te gaan zitten, maar toen moest ik eerst wachten totdat het bonken in mijn hoofd was afgenomen tot minder heftig getrommel. Met behulp van de stoel ging ik voorzichtig staan. Eenmaal overeind streek ik mijn rok glad en probeerde ik mijn jasje te fatsoeneren – totdat ik me realiseerde hoe dom het was me druk te maken over mijn uiterlijk, terwijl ik nog altijd in gevaar kon zijn. Een snelle blik om me heen overtuigde mij ervan dat ik alleen was. Ik was blijkbaar een tijdje bewusteloos geweest.

De lange taxirit terug naar het kantoor gaf me voldoende tijd om na te denken, en meer dan genoeg tijd om mezelf mentaal een schop te geven. Ik had er nooit zonder Jack naartoe mogen gaan. Normaal gesproken werkte ik alleen en was dat geen probleem, maar normaal gesproken was ik niet verwikkeld in zaken die de landsgrenzen overschreden en waarbij vijandige regeringen betrokken waren. Ik had een ernstige tactische fout gemaakt.

De taxi hield halt voor het kantoor. Ik betaalde de rit en klom de stoeptreden op; langzaam, om mijn hersens niet méér te schudden dan nodig was.

Ik schuifelde de trap op naar boven. Mijn hart zonk me in de schoenen toen ik Jack zag staan, leunend tegen de gesloten deur. Hij zag mij, en ik huiverde. Zijn houding veranderde ogenblikkelijk van ontspannen naar gespannen. Met een paar stappen was hij bij me. 'Wat is er gebeurd?'

Ik zag er ongetwijfeld even slecht uit als ik me voelde. Er zat maar een klein korstje bloed op mijn schedel, maar de buil was groot genoeg om mij het gevoel te geven dat mijn hoofd uit balans was. Ik vermoed dat de pijnlijke stappen die ik zette, waarbij ik probeerde zo min mogelijk te bewegen, helemaal duidelijk maakten dat er iets niet in orde was.

Ik haalde mijn sleutels uit mijn handtas tevoorschijn. 'Laat me eerst even gaan zitten, dan zal ik het je vertellen.'

Ik ontgrendelde de deur, duwde hem open en schuifelde naar de leren bank. Voorzichtig liet ik me erin zakken; ik sloot even mijn ogen om de duizeligheid kwijt te raken. Toen ik mezelf weer wat in de hand had, deed ik mijn ogen open. Jack stond voor me, nog net niet stampvoetend van frustratie. Hij was zo onrustig dat ik mijn ogen weer sloot, voordat hij me duizelig zou maken.

Mezelf schrap zettend voor zijn woede, vertelde ik over mijn ontmoeting met Nigel Gordon. Toen ik klaar was, zag ik dat ik het goed had ingeschat.

'Je ging in je eentje naar hem toe?' Hij schreeuwde niet, maar het scheelde niet veel. 'Hoe haal je het in je hoofd?'

'Jij was niet te bereiken, en ik kon niet op je wachten. Het was een aanbod met een tijdslimiet. Ik was er zelf nog maar net op tijd.'

'Je had helemaal niet mogen gaan. Je had het zelfs niet mogen overwegen.'

Ik verstrakte. 'Ik heb gedaan wat ik vond dat ik moest doen. Het was niet de beste optie, maar het was de enige optie die ik had. Wat zou jij hebben gedaan?'

'Ik zou op mijn partner hebben gewacht, zelfs als ik daardoor de afspraak misliep,' barstte hij uit.

Ik keek hem aan tot hij zijn ogen neersloeg. 'Echt waar? Als jij achter je bureau zat en er kwam een telefoontje met hetzelfde aanbod van informatie, dan zou jij het laten gaan als ik niet beschikbaar was?'

Stilte. 'Ja, waarschijnlijk wel. Misschien. Maar hoe dan ook, dat is wat anders.'

'Zo zie ik het niet. Ja, ik nam een risico. Ja, het liep slecht af. Maar volgens mij had ik geen enkele keus.'

Jack antwoordde niet, maar liep het kantoor uit. De klap waarmee hij de deur dichtsloeg, sprak boekdelen.

Met een zucht zakte ik verder onderuit op de bank. Ik had mijn partner tegen me in het harnas gejaagd en een klap op mijn hoofd gehad met de kolf van een pistool, en dat alles voor niets. Ik was nog geen stap verder.

Tegen vijven begon ik me wat beter te voelen. De buil zat er nog steeds, maar de hoofdpijn was grotendeels verdwenen. Precies op tijd voor het familiediner. Ik wist maar al te goed dat de hoofdpijn in alle hevigheid zou zijn teruggekeerd wanneer ik vanavond het huis van mijn ouders verliet.

Toch ging ik naar huis, trok iets gepasts aan – waarbij ik er goed op lette de zere plek op mijn hoofd niet aan te raken – en nam de metro. Toen ik aankwam, was ik eigenlijk te moe en had ik te veel pijn om nog zin te hebben in mijn tafelherenspelletje, maar toen ik een Chevrolet uit 1945 op de oprit zag staan, moest ik toch even glimlachen.

Een dienstmeisje dat ik nog niet eerder had gezien, liet me binnen. Voor één keer bleef ik niet bij de voordeur talmen, maar liep ik meteen naar de salon. Ik was er vrij zeker van dat ik wist wie mij daar zou opwachten.

Mijn moeder trok haar wenkbrauwen op toen ze mij zag. Het was nog maar twintig over zes, dus ik was tien hele minuten te vroeg; het kleine glimlachje op haar gezicht vertelde me dat zij er notitie van genomen had. Een snelle blik de kamer rond overtuigde mij ervan dat ik het goed had geraden.

Mijn moeder had besloten de kennismaking van afgelopen vrijdag voort te zetten met een dinerafspraakje op woensdagavond. In al die jaren was dit de eerste keer dat ik blij was de man te zien aan wie mijn moeder me had gekoppeld. Niet dat ik het fijn vond gekoppeld te worden, maar ik was blij met de kans iets goed te maken.

Tijdens het hele diner hield mijn moeder het gesprek gaande. Jack was openhartig en vriendelijk wanneer hij met haar sprak, maar enigszins koeler naar mij toe. Waarschijnlijk merkte niemand anders het verschil, maar ik wel.

Na het eten gingen mijn moeder en ik naar de salon voor de koffie. Jack en mijn vader, die het uitstekend met elkaar konden vinden, vertrokken naar mijn vaders studeerkamer. Pa wilde Jack zijn verzameling biografieën laten zien.

Ik zat erop te wachten, maar ze stak al van wal voordat ik mijn eerste slok koffie op had. 'Waarom deed je niet beter je best? Jack is een fijne man. Intelligent, knap, uit een tamelijk goede familie. Zijn vader is senator, weet je. Zijn moeder – nou ja, dat is een verhaal apart. Om de een of andere reden vindt ze het nodig een restaurant te bestieren. Kun je het je voorstellen? Blijkbaar vond Jacks vader het wel een goed idee; dan had ze iets omhanden wanneer hij in Washington was. Hoe komt hij erbij?'

Mijn moeder onderbrak zichzelf en keerde terug naar het eigenlijke onderwerp van gesprek. 'Maar het allerbelangrijkste is: ik denk dat hij jou wel zou begrijpen, Alexandra.' Ze keek me aan, en ik was verrast door de ernst die ik in haar ogen zag. 'Ik begrijp je niet altijd, maar ik geef wel om jou. Ik wil gewoon dat je gelukkig bent en een man vindt. Ik denk dat als je het een kans gaf, je misschien wel zou ontdekken dat je Jack zowaar aardig vindt.'

Ze had gelijk: ze had me nooit begrepen. Ik probeerde nog één keer tot haar door te dringen. 'Ik vind Jack al aardig. Hij is geweldig, en als de omstandigheden anders waren geweest, zou ik inderdaad iets voor hem kunnen gaan voelen. Maar de situatie ís niet anders, en dus gaat dat niet gebeuren.'

'Maar Alexandra, het is allemaal al zo lang geleden. Je weet dat David niet de man is die ik voor jou zou hebben gewenst, maar als hij uit de oorlog was thuisgekomen, zou ik het misschien hebben kunnen accepteren. Maar dat was jaren geleden. Hij is weg. Wat wil je dan – de rest van je leven een oude-vrijster-detective blijven?'

'Als het moet.'

Ze sloot gefrustreerd haar ogen. 'Waarom kun je dit niet loslaten?'

Ik keek haar recht in het gezicht en probeerde echt contact met haar te maken. 'Als ik iets anders zou kunnen doen, dan deed ik dat. Ik wil niet op deze manier leven, maar ik heb geen keus. Hoe zou ik ooit kunnen trouwen met een man als Jack – een goede, eerlijke man – terwijl ik weet dat ik van iemand anders houd?'

Ze trok zich terug, liet mijn handen los en zuchtte geërgerd. 'Ik kan gewoon niet tot jou doordringen.'

'En ik heb nooit tot u kunnen doordringen, dus staan we quitte.' Na die woorden zette ik mijn koffiekopje neer en liep naar de achterdeur.

Buiten was het inmiddels frisser geworden. Het was niet koud, maar er stond een briesje dat hielp om mijn verhitte frustratie af te koelen. Ik beende door de straat, die aan weerszijden door bomen geflankeerd was, en het enige geluid was het getik van mijn hakken op het plaveisel. Ik vertraagde mijn pas een beetje toen ik het pad door het park insloeg. Het was nog niet donker, maar de schemering was al ingevallen. Vreemd – ik was in mijn leven waarschijnlijk al duizenden keren door het park gelopen, maar de enige keren die ik mij kon herinneren, waren de keren samen met David. Die keer dat hij me in het donker had thuisgebracht, was een keerpunt in mijn leven geweest. Sindsdien was alles verdeeld in vóór David en na David.

Terwijl ik daar liep, hoorde ik snelle voetstappen achter mij. Mijn adem stokte. Ik was zo diep in gedachten geweest, dat ik niet had opgelet waar ik was. Maar ik was geen naïef zestienjarig meisje meer, bang voor schaduwen in het donker. Ik draaide me om, klaar en bijna popelend om oog in oog te staan met degene die achter me liep.

Ik herkende zijn silhouet in het halfduister, zijn brede schouders in zijn donkere pak en zijn hoed schuin voorover op zijn hoofd.

'Behoefte aan gezelschap?'

'Heb je nog niet genoeg van mij gehad voor één dag?'

'Ach, wat zal ik zeggen? Conflicten doen me goed.'

'Maar ik weet niet of ik er nog eentje aankan.'

'Laten we dan gewoon een stukje lopen.'

Jack paste zijn tempo aan mij aan, en naast elkaar liepen we door de invallende duisternis.

'Het spijt me. Ik had op jou moeten wachten.'

'Ja, dat had je inderdaad gemoeten, maar waarschijnlijk had ik precies hetzelfde gedaan. Ik werd gewoon woedend toen ik zag dat jij gewond was. Ik schoot een beetje uit mijn slof.'

'Een beetje? Ik dacht dat de ruit in mijn deur zou breken.'

'Vergeet niet dat ik uit een gezin van vrouwen kom. Soms is met deuren slaan de enige manier om het laatste woord te krijgen.'

Ik moest lachen, en we liepen een poosje in stilte verder.

'Lopen we eigenlijk zomaar wat rond, of zijn we naar een specifieke plek onderweg?'

'Het reservoir aan de andere kant van het park is mijn lievelingsplek.' Althans, tegenwoordig wel. 'Soms moet ik daar gewoon even naartoe om er een paar stenen in te gooien.'

'Wijs me dan maar de weg.'

Zwijgend en in gepeins verzonken wandelden we het park door naar de andere kant. Toen we in de buurt van het reservoir kwamen, dwaalden mijn gedachten weer naar het verleden af.

September 1937

Ik wilde hem weer zien. In de twee weken na het voorval bleef ik steeds talmen bij het reservoir, zo lang als ik durfde.

Ik had al besloten dat deze avond de laatste keer zou zijn dat ik daar bleef wachten. Hij woonde waarschijnlijk niet in de buurt; misschien was het enkel een gelukkig toeval geweest dat hij die nacht hier was geweest om mij te redden. Ik had alle mogelijkheden eindeloos overdacht, maar toch bleef ik wachten.

Ik keek nog eens om me heen naar het verlaten park en keerde met een zucht terug naar het boek op mijn schoot. In elk geval zat ik mijn tijd niet te verspillen: vandaag had ik mijn huiswerk meegenomen. Ik had me verscholen achter een groepje bomen, maar ik kon de mensen zien die op het pad voorbijliepen.

De Peloponnesische oorlog had niet echt mijn belangstelling – zeker niet vergeleken bij een mogelijk weerzien met mijn redder – maar ik deed mijn best me te concentreren. Toen de schemering begon in te vallen, ging ik nog harder werken. Ik had er geen behoefte aan om weer na zonsondergang buiten te zijn, maar ik had nog een paar minuten voordat ik echt weg moest. Tien minuten later had ik mijn laatste huiswerkvragen af. Terwijl ik mijn boeken sloot en ze in mijn tas stopte, gaf ik toe dat ik verslagen was. Ik voelde me een beetje belachelijk omdat ik hem zo graag weer wilde zien. Ik raapte mijn hoed op van de grond, zette hem op en kwam overeind, klaar om te gaan. Pas op dat moment merkte ik dat er iets was veranderd in mijn omgeving.

Het geluid van een staccato gesprek, rechts van mij, deed mij verstijven; ik was nog altijd angstig omdat het de vorige keer maar op het nippertje goed was afgelopen. Toen de conversatie steeds luider werd, begon mijn hart als een razende tekeer te gaan. Ik kon niet verstaan wat er gezegd werd, maar de ruzieachtige toon zorgde er wel voor dat ik geen stap verzette, in de hoop dat ik niet zou worden opgemerkt.

Ik sloot mijn ogen en gaf mezelf ervan langs omdat ik wéér in zo'n situatie was beland. Ik besloot dat in dit geval niet voorzichtigheid, maar lafheid de moeder der wijsheid was, en dat ik beter kon wachten met naar huis gaan totdat het geruzie was afgelopen en de mensen vertrokken waren. Tevreden met mijn plan zette ik mijn tas weer neer.

Opeens werd er geschreeuwd. 'Nee!'
Toen een harde knal.
Mijn adem stokte.
Mijn geest wilde niet geloven wat ik onmiddellijk begreep. Ondanks het feit dat ik nog nooit een pistoolschot had gehoord, herkende ik het geluid meteen.
Ik was verlamd van angst. Er klonk een luid geritsel en vervolgens het geluid van voetstappen op het asfalt. Ik deed een heel klein stapje opzij, om door een opening tussen de bomen door te kijken. Een man rende weg, onherkenbaar in het schemerlicht van de zonsondergang. Ik draaide me om naar de plek waar ik de mannen had horen ruziën. Op het voetpad lag een andere man. Voor mijn gevoel bleef ik heel lang staan wachten; mijn geest leek op een vreemde manier uit de pas te lopen met mijn lichaam. Ik wachtte totdat ik er zeker van was dat de eerste man uit het zicht was; toen rende ik naar de man die zojuist was neergeschoten.
Toen ik dichterbij kwam, merkte ik eerst de geur op: een scherpe geur, zoals een combinatie van roest en zeewater, die pijn deed aan mijn zintuigen. Ik herkende het als bloed. Zijn donkere jasje was ermee doorweekt, en ik was even bang dat ik zou moeten overgeven. Ik had geen tijd om te wachten tot de misselijkheid zou afnemen. In plaats daarvan knielde ik neer en hield ik mijn vingers tegen zijn nek, zoekend naar een hartslag. Ik kon er geen vinden, maar ik voelde hoe hij hortend en stotend ademde.
Paniek maakte zich van mij meester. Ik had geen idee wat ik moest doen. Ik kon hem hier niet alleen laten liggen, maar met al dat bloed op de grond was ik ervan overtuigd dat hij zou sterven als ik niets deed.
Mijn besluit werd voor me genomen toen hij zijn hand uitstak en de mijne greep. Zijn pezige vingers trokken mij met verbazingwekkende kracht omlaag. Instinctief probeerde ik me los te rukken. Zijn grip verstevigde zich en hij trok me nog dichter naar zich toe. In zijn nietsziende kastanjebruine ogen las ik panische angst en afgrijzen.
Ik probeerde nogmaals mijn hand los te trekken. 'Ik moet hulp gaan halen. U hebt een dokter nodig. Ik ga een dokter voor u halen.'

Een gevoel van radeloosheid bekroop me terwijl ik probeerde los te komen van deze man, die mij te stevig vasthield. De man sidderde eenmaal; toen verslapte zijn grip. Eén ogenblik bleef ik stil zitten, wachtend op het rijzen en dalen van zijn borst, maar zijn borst daalde nog één keer met een sissend geluid en toen was er niets meer. Zijn lichaam was bewegingloos. Een golf van misselijkheid overspoelde me en ik trok me met een ruk terug, opeens walgend van de aanraking van zijn lichaam dat niet meer reageerde. Mijn hersens leken bevroren. Ik kon hem hier niet achterlaten. Ik voelde met mijn vingers aan zijn nek, op zoek naar een hartslag, naar wat voor beweging dan ook, maar in het logisch denkende deel van mijn hersenen wist ik dat hij dood was.

Ik weet niet hoe lang ik daar geknield zat, wachtend tot zijn borst weer zou rijzen en dalen, wachtend op welk levensteken dan ook, waarbij een deel van mij al wist dat het niet zou komen. Het volgende dat ik mij kan herinneren, was een hand op mijn schouder die mij wegtrok, losmaakte van de koude, roerloze gestalte op het pad.

'Laat hem los. Je moet hem loslaten.' Ondanks de mist in mijn hoofd en het feit dat ik hem maar één keer eerder ontmoet had, herkende ik de stem meteen. Hij was gekomen.

Hoofdstuk 16

'Het idee dat Clive zich in moeilijke tijden tot zijn liefhebbende broer Nigel zou wenden, kunnen we wel laten varen.' Jacks gezicht vertrok bij het uitspreken van Nigel Gordons naam. Ik kon het hem niet kwalijk nemen. Die man had het bij mij ook aardig verbruid. Ik wreef over de nog altijd pijnlijke bult op mijn hoofd.

We waren weer terug op kantoor. Voor normale mensen was het hoog en breed bedtijd, maar ik sliep zelden of nooit en Jack leek dezelfde rare werktijden erop na te houden als ik. Na onze wandeling door het park besloten we nog wat over de zaak door te praten. Op dit moment hadden we niet zoveel ideeën en nog minder feitelijke aanknopingspunten.

'Wat zien we over het hoofd? We hebben alleen maar stukjes en beetjes van het verhaal – een paar puzzelstukjes waarmee we een beeld van de situatie moeten vormen.' Ik wreef weer over mijn hoofd.

'Wat is het grootste ontbrekende stuk?'

'Ik weet niet of het 't grootste stuk is, maar wat mij het meest dwarszit, is het hele punt van het tijdstip. Waarom nu? Waarom niet eerder, ergens in de afgelopen drie jaar sinds het einde van de oorlog? Wat is de reden dat Clive en Mary het goud *nu* willen verpanden?' Ik ijsbeerde achter mijn bureau. 'Hebben ze schulden die afbetaald moeten worden? Zitten ze in geldnood? Zijn hun omstandigheden op de een of andere manier veranderd in de afgelopen paar maanden?'

Jack haalde zijn schouders op. Hij wist de antwoorden net zo min als ik.

'Ik denk dat wij het antwoord op die vraag moeten vinden, als we deze zaak willen oplossen. Volgens mij is dat onze enige kans – tenzij we de Gordons ergens op straat tegen het lijf lopen.'

'Morgenochtend zal ik een paar telefoontjes plegen en iemand van het bureau erop zetten.'

Bij het idee dat andere mensen het veldwerk voor een onderzoek voor mij zouden doen, had ik gemengde gevoelens. Aan de ene kant was het opwindend om toegang te hebben tot allerlei middelen waarvan een nederige privédetective niet eens durfde dromen, maar aan de andere kant vond ik het geen geruststellende gedachte om een ander de teugels van het onderzoek in handen te geven. En ik vond het helemaal geen prettig idee om informatie in hapklare brokken te krijgen van een bron die ik niet helemaal vertrouwde.

'Waarom bel je nu niet? Dan kunnen ze aan jouw kant vast beginnen.'

'Nu? Het is al na enen!'

'Nou en? Gaat de FBI om vijf uur 's middags dicht? Ik nam aan dat ze daar vierentwintig uur per dag doorgingen, gezien de werktijden die jij aanhoudt.'

'Dat is ook zo, maar over het algemeen bel ik midden in de nacht geen verzoeken door.'

'Is er een goede reden om het niet te doen?'

'Nee. Als het zó belangrijk is dat we nu meteen beginnen, geef me dan de telefoon maar.' Hij klonk geërgerd, en dat kon ik hem niet kwalijk nemen. Ik wist ook niet waarom ik er zo'n punt van maakte; misschien omdat ik daardoor de touwtjes nog enigszins in handen hield?

Ik pakte de telefoon en schoof hem naar Jack toe. Hij nam de hoorn van de haak en begon het nummer te draaien. Zijn ogen lieten de mijne niet los. Ik kon zien dat hij wist dat ik de FBI – en dus ook hem – niet volledig vertrouwde, en hij daagde mij uit dat hardop te zeggen.

Als ik het goed begreep, moest Jack door meerdere telefonistes worden doorverbonden voordat hij de persoon of de afdeling die hij zocht, had bereikt. Vervolgens had hij binnen vijf minuten een verzoek om informatie ingediend en gecontroleerd of er berichten voor hem waren. Toen hij de hoorn weer op de haak gooide, was hij overduidelijk nog steeds nijdig.

Hij pakte zijn hoed van het bureau en drukte hem op zijn hoofd. 'Het is tijd om te gaan. Ik heb vanavond nog meer werk te doen.'

Ik wilde me verontschuldigen voor mijn veeleisendheid, maar ik kon de woorden niet over mijn lippen krijgen. 'Tot morgenochtend.'

'Ik zal er zijn.' Hij keerde zich om en vertrok.

Ik plofte neer in mijn stoel en gaf mezelf ervan langs omdat ik de altijd kalme Jack kwaad had gemaakt. Enkele uitspraken van Nigel Gordon over de FBI hadden de hele avond door mijn hoofd gespeeld, omdat ze zo waar klonken.

Het lukte me om een uurtje te slapen op de bank in mijn kantoor. Daarna ging ik naar huis om te douchen en me om te kleden. Toen ik bij het kantoor terugkwam, stond Jack weer naast de deur op mij te wachten. Zo te zien had hij de afgelopen nacht nog minder geslapen dan ik, en ik vermoedde dat hij zich niet eens had omgekleed. Hij droeg nog steeds zijn verkreukelde pak en zijn gezicht werd ontsierd door een baard van minstens één dag.

Ik moest grinniken toen ik hem zag. Ik kon er niets aan doen. Hij zag eruit alsof hij de nacht in de goot onder een krant had doorgebracht, maar op de een of andere manier was hij nog steeds aantrekkelijk. Ik opende de deur en ging hem voor, het kantoor in.

'Laat geworden gisteren?' Ik probeerde tevergeefs mijn lachen in te houden. Jack keek me woest aan, waardoor het alleen maar erger werd.

'Ik had surveillancedienst. Ik heb niet geslapen, gegeten of me geschoren. Ik ben hier niet voor in de stemming, Fortune.' Ondanks zijn bewering speelde een glimlachje om zijn lippen. 'Zie ik er even beroerd uit als ik me voel?'

Ik bleef maar glimlachen. 'Beroerder. Veel beroerder.'

Jack zuchtte. 'Ik heb onze plannen voor vandaag al helemaal uitgestippeld, maar ik zal naar huis moeten om me te fatsoeneren voordat ik me ergens kan vertonen.'

'Wat zijn de plannen?'

'Dankzij een enorme papierwinkel, een beroep op wederdiensten en heel veel smeken, heb ik toestemming gekregen jou mee te nemen naar het FBI-kantoor om de sieraden te zien. We kunnen er vanmorgen terecht en dan kun jij de stukken bekijken.'

Dat was opwindend nieuws. Even vroeg ik mij af of Jack zo zijn best had gedaan die toegang voor mij te regelen als een blijk van zijn betrouwbaarheid. Een bewijs dat mijn vertrouwen in hem niet misplaatst was.

Hoofdstuk 17

Op weg naar het FBI-kantoor gingen we even langs Jacks huis, zodat hij tenminste kon douchen, omkleden en scheren. Toen hij me binnenliet door de onopvallende deur van een appartement in een onbeduidend gebouw, deed ik mijn best om niet door nieuwsgierigheid overmand te worden. Ik wilde meer te weten komen over Jack, de man zien achter het masker van de FBI-agent, en ik besefte dat dit wel eens mijn kans zou kunnen zijn.

Met een zacht duwtje sloot ik de deur achter me. Jack draaide zich om. 'Ik ga me opfrissen en omkleden. Je kunt hier wel wachten.'

'Natuurlijk; ik vermaak me wel.'

Jacks ogen vernauwden zich en opeens leek hij zich niet helemaal op zijn gemak te voelen. Ik was niet trots op het feit dat ik ervan genoot hem in verlegenheid te zien, maar aangezien hij de afgelopen dagen elk boek en elk los papiertje in mijn kantoor nauwkeurig had bekeken, zag ik dit als revanche. Zonder nog een woord te zeggen, zette hij koers naar wat vermoedelijk de slaapkamer was. Ik was een moderne vrouw uit de jaren veertig, geen blozend preuts meisje, maar toch sloeg ik mijn ogen neer.

Jacks woonkamer was heel sober ingericht: alleen een bank en een stoel, beide enigszins haveloos, en een bijzettafeltje vol oude kranten. Verreweg de belangrijkste plaats in de kamer werd ingenomen door zijn enorme verzameling boeken. Waar je ook keek, lagen ze op stapels, stonden ze op planken, werden ze door boekensteunen overeind gehouden of waren ze willekeurig rondgestrooid. Ik liep naar een wankele stapel toe om een paar boeken beter te bekijken. Al bladerend kreeg ik een duidelijker beeld van

Jack. Zijn boeken besloegen het hele spectrum, van de verhalen over Sherlock Holmes tot studieboeken over hogere wiskunde, van de theorie van de luchtvaart tot de geschiedenis van de Eerste Wereldoorlog.

Ik verhuisde naar zijn stoel, waar een kleinere stapel opengeslagen boeken lag, met de tekst naar beneden; hoogstwaarschijnlijk zijn leesvoer van dit moment. Er lag een boek over de Grieken en de Spartanen – toepasselijk, gezien ons lopende onderzoek – en eentje over het veranderende karakter van de landbouw. Daaronder lag een dichtgeslagen, dun bruin boek met daarin iets wat dienstdeed als bladwijzer. Ik pakte het boek op en bekeek de rug. *De verzamelde werken van John Donne*. Poëzie? Jack? Ik sloeg het open bij de bladzijde waar Jack gebleven was, maar werd meteen van de woorden afgeleid door de bladwijzer. Het was een gekreukelde, verbleekte foto van een vrouw die naar de camera lachte met half dichtgeknepen ogen. Ze zag er jong uit, begin twintig misschien. Haar glimlach was warm en aanstekelijk, en de foto straalde een en al blijdschap en schoonheid uit. Ik keerde hem om en zag een verbleekt opschrift op de achterkant. *Maggie 1940.*

Ik stopte de bladwijzer voorzichtig terug om de randen niet nog meer te beschadigen, en legde het boek weer op de stapel. *Wie is deze vrouw, en heeft zij een bijzonder plekje in Jacks hart?* De vraag schoot me door het hoofd, maar ik duwde hem weg. Iedereen heeft recht op privacy, en ondanks mijn nieuwsgierigheid was het nooit mijn bedoeling om in Jacks privéaangelegenheden te wroeten. Schuldgevoel knaagde aan me. Ik verliet de woonkamer en liep de keuken binnen. Bij het zien van zijn fornuis kreeg ik een idee hoe ik mijn indiscretie kon goedmaken. Ik opende de koelkast. Het was wel duidelijk dat hij hier niet veel tijd doorbracht of veel maaltijden nuttigde, maar er was genoeg in huis voor een geïmproviseerd ontbijt. Terwijl ik eieren voor hem klaarmaakte, probeerde ik niet te denken aan de foto en me niet af te vragen wie de vrouw was.

Toen Jack gewassen, geschoren en omgekleed voor de dag kwam, was zijn ontbijt klaar. Ik overhandigde hem het bord zonder een woord te zeggen. Hij wierp me een snelle, vragende blik toe voordat hij me bedankte. Ik wenste bijna dat ik hier nooit gekomen was. Ik werd zó in beslag genomen door mijn eigen worstelingen dat ik soms vergat dat alle andere mensen ook een verhaal hebben. Door de foto vroeg ik me af of Jacks verhaal ook verdrietig was.

September 1937

Hij was gekomen.

Hij legde zijn hand op mijn schouder en trok me zachtjes achteruit. Weg van het lichaam. Weg van het donker wordende bloed. Mijn knieën waren stijf geworden; ik vroeg me af hoe lang ik naast een lijk geknield had gezeten. Een huivering trok door mijn lichaam en ik probeerde die gedachte te verdringen.

Hij liet zich op één knie zakken om dichter bij de dode man te komen; hij belemmerde mij opzettelijk het zicht, beschermde me tegen het zien van het lichaam. Hij had maar een paar tellen nodig om vast te stellen dat de man dood was; zocht snel naar een hartslag en stond toen op om mij weg te leiden. Desondanks bleven mijn ogen gefixeerd op de plas stollend bloed op het geasfalteerde voetpad. Het was al niet meer vloeibaar; er leek een vel op te zitten, zoals op afgekoelde jus. Mijn maag keerde zich om bij die gedachte.

Het kostte me veel moeite om mijn ogen af te wenden, en toen ik weer naar mijn redder keek, zag ik dat hij probeerde mijn aandacht te trekken.

'Alles goed met je? Ben je gewond?'

Ik schudde langzaam mijn hoofd, terwijl ik in gedachten zijn woorden een voor een op een rij zette, totdat ze betekenis kregen.

'We moeten de politie bellen.' Hij legde een hand op mijn schouder en draaide mij naar zich toe. Zijn donkere ogen hielden de mijne vast. 'Hebben jullie thuis een telefoon?' Zijn stem was indringend, en ten slotte kon ik zijn vraag verwerken.

'Ja.' Mijn gedachten kolkten en smolten samen, te onsamenhangend om meer dan dit korte antwoord te kunnen voortbrengen.

'Mooi. Dan kunnen we daar vandaan bellen.'

Ik aarzelde om het lichaam alleen te laten. Op de een of andere manier leek dat heiligschennis. 'Wat doen we met hem?'

'We kunnen hier niet blijven staan. We moeten de politie waarschuwen. We hebben geen keus.'

Hij sloeg een arm om mij heen en voerde me van die plek weg. Hij was sterk en toch teder. Maar terwijl hij me wegleidde, voelde ik iets afscheuren, abrupt en pijnlijk: een deel van mijzelf dat voorgoed zou achterblijven op dat kleine stukje asfalt.

Van onze tocht door het park kon ik me later niets meer herinneren, behalve het gevoel omringd en gesteund te zijn door iemand die ik kon vertrouwen. Toen we eindelijk Huize Fortune bereikten, kostte het mij veel moeite om gewoon de voordeur te openen en hem de telefoon te wijzen. Terwijl hij belde, probeerde ik aan iets anders te denken – wat dan ook – of zelfs aan helemaal niets, maar mijn geest stond het niet toe. Het enige dat ik kon zien, als een film die steeds maar werd herhaald in mijn hoofd, was de paniek in de ogen van de man, die langzaam oploste in het niets. Ogen die wezenloos werden. Groenbruine diepten die zich ondoordringbaar sloten. Een doek dat viel, om het einde aan te geven.

Ik hoorde de bijna-vreemdeling praten aan de telefoon, maar zijn woorden drongen slechts sporadisch tot mij door. 'Schietpartij... dood... getuige.' Hij keek mij aan. 'Waar zijn we? Ik moet een adres geven.'

Hakkelend gaf ik hem het adres en ik deed mijn best me weer te concentreren op wat er nu gaande was.

'Ja, we blijven hier. Mijn naam is David Rubeneski, en de jongedame die getuige was van de schietpartij heet...' Hij wendde zich tot mij. Het was wel grappig dat we elkaars naam nog niet eens wisten, hoewel dit al onze tweede ontmoeting was. Ik vertelde het hem.

'Alexandra Fortune.'

David gaf mijn naam door en hing op. 'Ze zullen er over een paar minuten wel zijn. Ik heb hun verteld dat jij getuige was van de schietpartij, maar dat heb ik je niet gevraagd – ik ben er gewoon van uitgegaan. Heb je gezien wat er gebeurd is?'

Ik knikte. Ik wilde er niet aan denken; in plaats daarvan sloot ik mijn ogen.

Ik opende ze weer toen ik een hand op mijn schouder voelde. Ik keek op. David zat op zijn hurken naast me en keek me ononderbroken aan, wachtend tot ik oogcontact zou maken. Pas toen ik dat deed, sprak hij. Zijn belofte was zacht, maar stellig. 'Ik ben er voor jou en ik help je hier doorheen. Je hoeft niet bang te zijn. Ik laat je niet alleen.'

Toen Jack zijn ontbijt op had, gingen we op weg naar de andere kant van de stad, naar het New York City FBI-kantoor. De eerste aanblik stelde mij een beetje teleur. De FBI besloeg de hele vijfentwintigste verdieping van een gewoon kantoorgebouw. Door mijn werk bracht ik veel tijd door op politiebureaus, en waarschijnlijk had ik een grotere versie van zo'n bureau verwacht. In plaats daarvan was het een rustig, zakelijk kantoorgebouw met veel gesloten deuren. Het enige dat nog een beetje interessant was, was al die beveiliging waar we langs moesten voordat we naar binnen konden. Zonder dat aspect had dit een willekeurig kantoor kunnen zijn. Jack had een speciaal identificatiebewijs voor me, dat ik op de revers van mijn mantelpakje moest dragen. Hij leidde me door een lange gang en stond stil voor een ongenummerde deur, die er net zo uitzag als elke andere ongenummerde deur waar we langsgekomen waren. Hij ontgrendelde hem met een sleutel die hij uit zijn jaszak haalde en liet hem openzwaaien; toen gebaarde hij dat ik hem moest voorgaan naar binnen, waarbij hij de deur voor me openhield.

We kwamen in een kleine kamer, ruim drieënhalve meter in het vierkant, met in het midden een gehavend stalen bureau. Blijkbaar was de ruimte op dit moment niet in gebruik als kantoor; de muffe lucht bevestigde dat de kamer al een tijdje leegstond. Op het bureau stond een verzegelde doos, ongeveer zo groot als een schoenendoos.

'Is dat het?'

'Daar zitten de spelden in.'

Ik verlangde er hevig naar ze met eigen ogen te zien. Tot nu toe had ik zelfs nog geen foto van het goud van Helena gezien, dus ik had geen idee waarnaar ik op zoek was. Ik ging op de stoel bij het bureau zitten. Jack haalde een zakmes tevoorschijn, knipte het open en sneed het plakband door waarmee de doos met bewijsmateriaal verzegeld was. Ik moest me inhouden om hem niet opzij te duwen en zelf de doos te openen.

Hij haalde het deksel van de doos. Ik kon niet langer wachten. Ik kwam overeind, ging naast hem staan en gluurde in de doos, popelend om mijn eerste glimp op te vangen van de schat waarvoor meerdere regeringen zo veel moeite deden om haar te bemachtigen. De doos was belachelijk groot, gezien het formaat van de inhoud.

Er lagen twee voorwerpen in, verpakt in watten, van ongeveer vijf centimeter breed en ruim vijftien centimeter lang. Ik kon me er niet van weerhouden in de doos te grijpen en er eentje uit te halen. Voorzichtig maakte ik de watten los. Ik was verrast door wat er tevoorschijn kwam. Toen Jack het over een speld had, stelde ik me zoiets als een broche voor, of in elk geval een klein voorwerp. Dit was iets totaal anders. Het leek een beetje op een hoedenspeld: een gouden ornament met een pin van twaalf centimeter eraan. Ik draaide wat meer naar het licht toe om het beter te bekijken.

Het ornament op de speld was bijna vierkant en leek een beetje op het zeil van een schip uit de oudheid. Boven op het vierkant stonden zes amfora-achtige kruikjes op een rij, en de hele voorkant van het zeil was bedekt met krullerige versieringen. De pin was dun en krom. Het was overduidelijk dat dit sieraad niet met hedendaags gereedschap was gemaakt. Het goud zelf zag er antiek uit; het had een bronskleurige glans gekregen, zoals kenmerkend is voor oud goud. Daardoor leek het meer op koper dat van ouderdom vlekkerig en donker was geworden. Aan de ene kant kon ik wel begrijpen dat Clive en Mary schrokken van de prijs die Robert Follett hen bood voor zo'n primitief voorwerp; aan de andere kant straalde het sieraad dat ik in mijn hand hield, uit dat het méér was. Ik had er geen verklaring voor, maar het voelde gewoon kostbaar aan. Ik vroeg me af of ik dat gevoel alleen maar kreeg door alles wat ik over de spelden wist. Nee, toch niet. Als ik met mijn vingers het patroon volgde, kon ik ondanks het kleine formaat en de primitieve makelij voelen dat dit niet zomaar wat oud goud was.

Naast mij had Jack de andere speld uitgepakt; de zijne was veel eenvoudiger van vorm. Deze had een eenvoudig T-vormig ornament, waarvan de uiteinden aan beide kanten in een spiraal krulden. Ook deze speld was klein, maar had een uitstraling die zijn vorm oversteeg.

Jack liet me een paar minuten voelen en kijken. Ten slotte keek ik op. 'Wil je zien wat de FBI over het goud zelf boven water heeft gekregen?'

Ik knikte, popelend om meer te weten.

Hoofdstuk 18

Jack haalde een map tevoorschijn die onder in de doos lag. Hij sloeg hem open, schoof een paar papieren terzijde en nam er een dun stapeltje foto's uit. Zonder een woord te zeggen gaf hij ze aan mij.

Foto's van andere voorwerpen uit de schat. Prachtige stukken met dezelfde oude uitstraling als de sieraden die ik zojuist had vastgehouden. Ik bladerde er snel doorheen en stopte alleen bij de foto van het voorwerp dat duidelijk het hoogtepunt van de collectie was. Op de foto stond een vrouw met donkere ogen en donker haar, die in de verte staarde. Ze droeg iets wat het midden hield tussen een kroon en een hoofdtooi. Het bestond uit 'draden' van gedreven goud die als een band om haar hoofd zaten. Aan weerszijden van haar gezicht viel een sluier van goud tot op haar schouders, maar aan de voorkant was het korter en rustte het als franje op haar voorhoofd. Het paste bij mijn beeld van wat een mythische koningin zou dragen. Bij het zien ervan moest ik denken aan grote schoonheden en machtige koninginnen uit het verleden: Cleopatra, Nefertiti, of zelfs de Bijbelse Ester.

Ik bladerde de overige foto's door en wierp een blik op de gouden maskers, oorhangers, kettingen en schalen die allemaal deel uitmaakten van de collectie. Ten slotte viel mijn oog weer op het diadeem. 'Weten we welke voorwerpen Clive Gordon in handen heeft?'

Jack schudde zijn hoofd. 'We vermoeden dat het gaat om een paar van de mooiere gouden voorwerpen uit de collectie. Clive moet immers gedacht hebben dat ze de moeite van het meesmokkelen, en de eventuele onkosten daarvan, waard zouden zijn. Maar we weten niet zeker welke stukken hij heeft.'

Hij bladerde door het dossier en gaf mij een paar stukken papier. 'Dit is wat we weten over Clive Gordons staat van dienst tijdens de oorlog. Hij diende iets meer dan een jaar, voornamelijk in Frankrijk, en zat bij de geallieerde troepen die tijdens de val van Berlijn de stad binnentrokken. We denken dat hij toen het goud heeft bemachtigd, dus dat is een punt waar we kunnen beginnen met zoeken.'

'Waar moeten we naar zoeken?'

'Ik ben benieuwd of Clive goede vrienden had in zijn regiment, of er misschien nog iemand anders bij hem was toen hij de stukken stal.'

Dat idee liet ik even bezinken. Ik had nooit aan de mogelijkheid gedacht dat Clive niet alleen had gehandeld, dat er misschien nog iemand was die wist wat er was gebeurd, maar ik kon Jacks theorie niet buiten beschouwing laten. 'Je hebt gelijk. Dat moeten we uitzoeken.' Ik gaf hem de foto's terug, en hij stopte ze weer in het dossier. Voordat hij de map had kunnen terugleggen in de doos, werd er op de deur geklopt.

We schrokken allebei op. Jack deed de deur open. Een man in een wit overhemd en een donkere stropdas maar zonder jasje, stond in de deuropening. Hij begroette mij met een nauwelijks waarneembaar knikje, voordat hij zijn aandacht geheel op Jack richtte. 'Ik moet je spreken.'

Jack draaide zich naar mij om en gaf me het dossier. 'Ik ben zo terug. Kijk dit gerust nog even in.' Hij verliet de kamer en trok de deur met een klik dicht.

Ik bladerde een poosje door het dossier terwijl ik wachtte op Jacks terugkeer, maar er stond niets nieuws in. Ik kon zien dat dit niet de officiële FBI-stukken waren. Waarschijnlijk was dit dossier slechts samengesteld uit alle niet-vertrouwelijke gegevens die ik wel mocht inzien. Dat was vervelend, maar ik zou er gewoon op moeten vertrouwen dat Jack mij op de hoogte hield van alle relevante informatie.

Na twintig minuten sloeg ik mijn armen over elkaar en begon ongeduldig met mijn voet te tikken. Ik probeerde de ergernis die me overspoelde, te temperen door mezelf eraan te herinneren dat het voor Jack niet makkelijk was geweest om mij hier binnen te krijgen en mij dit alles te laten zien. Desondanks was ik het beu om in dit kleine kantoortje opgesloten te zitten. Geen ramen, geen ruimte om te bewegen, niets om naar te kijken. Ik had er meer dan genoeg van en liep naar de deur, klaar om te gaan. Juist op het moment dat ik mijn hand op de klink legde, werd de deur geopend. Ik deed snel een stap achteruit.

Jack beende naar binnen en ging rechtstreeks naar het bureau. Hij duwde het deksel op de doos, greep zijn hoed van het bureau en smakte hem op zijn hoofd. Toen wendde hij zich tot mij. 'We moeten weg. Nu meteen. Robert Follett is vanmorgen gevonden in een steegje achter het museum. Doodgeschoten.'

Hoofdstuk 19

We reden in Jacks auto naar het museum. Het was onvoorstelbaar dat Robert dood was terwijl hij twee dagen geleden, toen wij hier op bezoek waren, nog springlevend was geweest. Jack kon me geen details vertellen; het enige dat hij wist, was dat een voorbijganger vanmorgen het lichaam had gevonden en dat hij waarschijnlijk in de loop van de nacht was vermoord. Jack had zijn FBI-gezag laten gelden om te zorgen dat de New Yorkse politie het lichaam niet zou verplaatsen en de plaats delict niet zou opruimen voordat wij er waren.

Mijn hoofd tolde. Alles wat er de afgelopen paar dagen was gebeurd, draaide om de twee spelden die ik zojuist in handen had gehad. En nu leek het aannemelijk dat Robert Follett vanwege die spelden gedood was. Ik kon tenminste geen andere reden bedenken waarom iemand zo'n onbeduidend persoon zou willen vermoorden. Toch moest ik mijn gedachten ordenen en proberen objectief naar de locatie te kijken.

We draaiden een steegje achter het museum in. Onze weg werd al na een paar meter versperd door een politiewagen. Jack zette de motor uit en we gooiden de portieren open, nog voordat de auto helemaal tot stilstand was gekomen.

Het was een stralend zonnige dag, maar in de smalle steeg was het schemerig en donker. Er stonden minstens tien politieagenten. Het grote aantal sigarettenpeuken op de grond duidde erop dat ze al een tijd op ons stonden te wachten. Ik liep om een groepje van drie agenten heen en schudde een hand die mij probeerde tegen te houden, van me af. Toen ik hen voorbij was, lag het lichaam recht voor me. Ik probeerde niet naar zijn gezicht te kijken en concentreerde me op de kogelwonden. In zijn borst zaten twee wonden; het nu opgedroogde bloed dat daaruit gestroomd was, vormde een grote, donkere vlek op zijn blauwe gebreide spencer.

De bekende misselijkheid maakte zich van mij meester. Ik keek naar Roberts gezicht, uitdrukkingloos door de dood, maar het was een ander gezicht dat ik zag. Ogen vol paniek, die volkomen leeg werden. Ogen die mij al jarenlang in mijn dromen achtervolgden.

September 1937

Als een zwerm sprinkhanen streek de politie neer op Huize Fortune. De agenten kwamen binnen met veel gebulder en gegrom, maar hun stemmen werden vriendelijker wanneer ze met mij spraken, alsof ik een klein kind was. Hun vragen waren echter niet vriendelijk, maar scherp en meedogenloos. 'Waar bevond u zich? Waar waren de mannen die u zag? Hoe zagen ze eruit? Heeft de man die neergeschoten werd, nog iets gezegd voordat hij stierf? Welke kant rende de moordenaar uit?' De vragen beukten op mij in; het waren steeds weer dezelfde in een andere volgorde.

Ondanks de nevel in mijn hoofd gaf ik overal antwoord op. Alles in mij leek verdoofd. Ik voelde zelfs mijn tranen niet, totdat ze op mijn handen druppelden. Ik schuurde met mijn handen over mijn gezicht en wreef hard om de tranen te doen ophouden. Voorovergebogen verborg ik mijn gezicht in mijn handen, ik sloot mijn ogen en wenste dat ik wakker kon worden uit deze nachtmerrie. Naast mij kraakte en bewoog de bank, en ik voelde een beschermende arm om mijn schouders.

'Ze heeft u alles verteld wat ze weet. Laat haar nu met rust. Ze is uitgeput.'

Ik opende mijn ogen niet; ik koesterde me in de bescherming die David me bood. Ik hoorde dat de politieagenten wegliepen, en even later voelde ik koele lucht in mijn nek, in plaats van de warmte van Davids arm.

'Hoe gaat het met je?'

Ik opende mijn ogen. Hij zat naast me, met zijn ellebogen op zijn knieën; zijn donkerbruine ogen probeerden het antwoord op mijn gezicht te lezen. Toen mijn ogen de zijne ontmoette, keek hij me lange tijd aan; vervolgens wendde hij zijn blik af. Even wenste ik dat ik zijn gezicht weer zou kunnen zien, maar van waar ik zat, kon ik alleen zijn profiel bekijken, dat verzacht werd door het donkere haar dat over zijn voorhoofd viel.

'Niet zo goed. Ik voel me niet goed.' Ik kon niet liegen, niet zeggen dat alles in orde was. Het masker van uiterlijk vertoon en pasklare antwoorden was weggerukt.

'Het spijt me dat je dat hebt moeten zien.' Hij draaide zijn gezicht weer naar mij toe, en een klein glimlachje speelde om zijn lippen. 'Maar wat deed je daar, trouwens? Ik dacht dat we hadden afgesproken dat jij na zonsondergang uit de buurt van het reservoir zou blijven.' Hij zei het luchtig. Ik wilde naar hem glimlachen, zijn ogen lang genoeg vasthouden om de vragen te lezen die daar net onder de oppervlakte lagen, maar in plaats daarvan wendde ik me af.

'Ik wilde een poosje alleen zijn om na te denken.' Ik kon hem niet de waarheid vertellen – dat ik daar had rondgehangen in de hoop hem weer te zien. 'Toen de zon onderging, wilde ik weggaan, maar op dat moment hoorde ik het schot.'

David schoof een paar centimeter van me vandaan en keek me toen weer aan. 'De politie zal hier wel gauw klaar zijn. Kan ik nog iets voor je doen?'

Het idee om alleen thuis te zijn, maakte me misselijk van angst, maar ik dwong mezelf dapper te glimlachen. 'De huishoudster woont in een huisje hier achter. Dus ik ben niet echt alleen. Ik red me wel.'

Hij geloofde me niet. Dat zag ik aan zijn opgetrokken wenkbrauwen. 'Zal ik haar halen, zodat ze vannacht hier bij jou in huis kan blijven?'

'Nee. Ik wil er niet over praten. Ik kan het verhaal niet nog een keer vertellen. Vandaag niet.'

Hij zuchtte, maar knikte ook. 'Dan ga ik even informeren hoe lang die agenten nog verwachten hier te zijn. Ik blijf bij je totdat ze weggaan.'

Ik stemde toe, dankbaarder dan hij kon vermoeden. Ik wilde me aan hem vastklampen, mij door hem laten beschermen, maar ik wist dat hij moest gaan. Het zou heel ongepast zijn als hij hier in huis bleef nadat de politie vertrokken was. Maar welvoeglijkheid had nog nooit zo irrelevant geleken.

David kwam overeind en liep naar de eetkamer, waar de twee overgebleven agenten stonden te praten. Ik keek toe hoe ze met elkaar spraken, zonder bewust naar hen te luisteren. Blijkbaar was de politie ook David aan het verhoren. Ik ving zijn antwoord op.

'Ik had met haar afgesproken bij het reservoir. Ze zal wel te vroeg zijn geweest. Toen ik aankwam, was die man al neergeschoten en zat zij over hem heen gebogen.'

Zijn woorden brachten mij in verwarring. Hij had helemaal niet met mij afgesproken, en ik vroeg me af waarom hij dat tegen de politie zei, maar ik was te moe en te afwezig om dat te kunnen verklaren. Ik luisterde niet langer en trok me in mezelf terug.

Mijn ogen vielen toe en ik zonk weg in de vredige duisternis. Ik haalde een paar keer diep adem en probeerde me te ontspannen. Langzaam vormde zich een beeld in mijn gedachten. De dode man lag op het voetpad. Er zat bloed op mijn handen en mijn schoenen. Ik wilde wegrennen, maar kon me niet bewegen. Ik wist niet waar ik heen moest. De dode man greep mijn enkel, zijn knokige handen knepen me. Een panische angst maakte zich van mij meester en ik gilde en probeerde te ontkomen.

Een andere hand greep mijn schouder en trok aan me, en mijn gillen veranderde in krijsen. Een zacht schudden en een diepe stem drongen door mijn gegil heen.

'Alexandra, stil maar. Doe je ogen open. Ik ben er. Word wakker. Het is allemaal voorbij.'

De woorden sijpelden door tot in mijn geest, en ik dwong mezelf mijn ogen te openen. David zat op zijn knieën voor me met paniek in zijn ogen. Mijn hart sloeg wild en luid, als regen op een plat dak, en ik vocht tegen de verstikkende druk op mijn longen. Mijn keel was droog en hees, wat bevestigde dat ik niet alleen in mijn droom had gegild.

'Het spijt me. Ik denk dat ik in slaap ben gevallen.' Het bloed steeg me naar de wangen. Ik probeerde de blik van de politieagenten in de aangrenzende kamer, die mij met grote ogen aanstaarden, en Davids blik te ontwijken, in verlegenheid gebracht en overstuur door mijn droom. David pakte mijn handen en hield ze in de zijne vast. Ik keek naar mijn kleine vingers, die losjes rustten in zijn grote, eeltige hand, en durfde hem niet aan te kijken.

'Ik laat jou vannacht hier niet alleen achter. Ik ga de huishoudster halen.'

Ik knikte, opgelucht dat ik niet alleen zou zijn, maar David ging niet weg. Ik keek op en tuurde in zijn diepbruine ogen.

'Alexandra, het is niet erg om bang te zijn. De dingen die jij vanavond hebt gezien, zouden iedereen nachtmerries bezorgen.'

'Zelfs jou?'

'Ik denk dat het geluid van jouw gillen in je slaap mij nog heel lang in mijn dromen zal achtervolgen.' Hij gaf me geen tijd om zijn antwoord te verwerken. 'Ik ga nu de huishoudster halen.'

Mijn handen klemden de zijne steviger vast. 'Ga niet weg. Alsjeblieft.' Ik probeerde de woorden nog in te slikken, maar ze ontglipten me.

David verstrakte en ontspande zich toen weer. 'Zal ik een van de agenten vragen het te doen? Dan kan ik bij jou blijven tot ze hier is.'

Opluchting overspoelde me en het beklemmende gevoel in mijn borst werd minder. Hij interpreteerde dat als mijn instemming. Binnen enkele minuten was een van de politieagenten weer terug met mevrouw Higgins bij zich. Zij hield Huize Fortune draaiende als een goed geoliede machine. Hoewel haar houding jegens mij nooit warm of moederlijk was, voelde ik me veilig zodra ik haar zag binnenkomen. Ik wist dat zij nu de touwtjes in handen zou nemen.

Toen zij er was, maakte de politie aanstalten om te gaan. David sprak weer met hen, maar bleef binnen mijn blikveld.

'Wil je warme melk?' De bezorgde blik in mevrouw Higgins' ogen logenstrafte de barse toon van haar vraag. Ik had geen zin in warme melk, maar zei toch ja. Zij haastte zich naar de keuken, terwijl ik toekeek hoe de politie eindelijk vertrok.

David sloot de deur achter hen en kwam naar mij toe. 'Ik moet nu ook gaan. Denk je dat je het zo wel zult redden?'

Ik knikte, al was ik er vrij zeker van dat dat een leugen was. Ik stond op van de bank en liep met hem mee naar de voordeur. Hij deed een stap naar buiten en keerde zich toen weer naar mij om. Een lang moment hield hij mijn blik gevangen. Het leek alsof hij iets wilde zeggen, maar in plaats daarvan gaf hij me een knikje, draaide zich om en begon het trapje af te lopen. Mijn hand op zijn arm hield hem tegen; hij keek me over zijn schouder aan. Langzaam wendde hij zich helemaal naar mij toe.

Mijn adem stokte, mijn wangen gloeiden. Ik haalde mijn hand van zijn arm. Eindeloze tellen gingen voorbij; mijn hoofd was leeg, ik kon me niet meer herinneren wat ik had willen zeggen. Davids donkere ogen lieten de mijne geen moment los. Hij deed een klein stapje naar voren. Ten slotte hervond ik mijn stem. 'Ik wilde je bedanken dat je hier vanavond was.' Het was niet meer dan een fluistering.

David schudde langzaam zijn hoofd. 'Ik wou dat het niet nodig was geweest.' Hij bleef roerloos staan, zijn ogen kolkend van raadselachtige emoties.

Ik deed een klein stapje naar voren, werd naar hem toe getrokken. Hij wendde zijn blik af en schudde nogmaals zijn hoofd, voordat hij een stap achteruit deed. 'Welterusten, Alexandra.'

Ik wilde wanhopig graag dit moment rekken, maar wist niet hoe of waarom. 'Allie. Iedereen noemt me Allie.'

Een klein glimlachje speelde om zijn mond. 'Ik vind je meer een Alexandra.' Met die woorden verdween hij, en ik ging weer naar binnen en sloot de deur. Van die paar minuten dat we daar hadden gestaan, was ik buiten adem en in de war geraakt. Maar voor het eerst die avond was ik niet bang.

Terwijl ik daar naast het lichaam van Robert Follett stond, kwamen de herinneringen aan die avond weer in alle hevigheid boven. Als een getijdenstroom golfde de herinnering aan de bezorgdheid in Davids ogen over me heen, me afwisselend vooruit stuwend en achteruit trekkend. Ik wreef over mijn slapen en haalde diep adem om mijn hoofd leeg te maken.

Jack kwam bij me staan. 'Gaat het? Ik had niet verwacht dat je het lichaam echt zou gaan bekijken. Je had ook in de auto kunnen blijven.'

Ik keek hem aan en glimlachte. 'Dit is niet het eerste lichaam dat ik zie, Jack. Ik ben niet het type om in de auto te blijven wachten.'

Daar moest hij om lachen. 'Nee, dat ben je zeker niet.'

Hoofdstuk 20

Ruim een uur lang snuffelde Jack rond op de plaats van de moord. Ik liep hem niet voor de voeten. Ik ben weliswaar privédetective, maar nu ging het om moord, en daarin ben ik geen expert. Bovendien vroeg ik me af of er eigenlijk wel iets te zien viel. Behalve het lichaam was er niets op de plaats delict wat mijn aandacht trok. Toch zocht Jack het wegdek centimeter voor centimeter af, op zoek naar aanwijzingen.

Toen hij klaar was, liepen we om het museum heen naar de hoofdingang. We gingen naar binnen, zonder acht te slaan op het museumpersoneel, en liepen rechtstreeks naar Roberts kantoor.

De vorige keer dat we hier waren, had ik gezien dat Roberts kantoor een rommeltje was; maar het was overduidelijk dat de kamer nu geplunderd en doorzocht was. Stukken aardewerk die verspreid over het bureau hadden gelegen, waren nu in gruzelementen op de grond gegooid. Boeken waren op de grond gesmeten, sommige geopend, sommige gesloten. Zo te zien had iemand alle boeken doorgebladerd, op zoek naar iets.

Ik wist niet wat de moordenaar bij Robert hoopte te vinden, maar ik had wel een vermoeden. Dat hij het goud niet meer in zijn bezit had, was voor iedereen duidelijk; maar hij zou informatie kunnen hebben over de verblijfplaats van Clive en Mary.

Ik deelde mijn vermoedens niet met Jack; ik hield me op de achtergrond en keek toe hoe hij te werk ging. Vanuit de deuropening nam hij het tafereel in zich op, alsof hij de hele kamer in zijn geheugen prentte. En dat was ongetwijfeld precies wat hij deed, gezien zijn vermogen om zich alles te herinneren wat hij zag.

'Wat denk je? Wie zou Robert willen doden en waarom?'

Ik dacht even over zijn vraag na. 'Het enige duidelijke motief dat ik kan bedenken, is dat iemand dacht dat hij wist waar Clive en Mary zich schuilhouden met de rest van het goud. Hij is degene aan wie zij de artefacten toevertrouwden, dus het spreekt vanzelf dat ze hem ook zouden kunnen vertellen waar ze zitten.'

'Dat klopt. Maar aangezien Robert duidelijk is vermoord voordat zijn kantoor doorzocht werd, is het onwaarschijnlijk dat hij zijn moordenaar de informatie heeft gegeven die hij zocht.'

'Waarom denk je dat?'

Jack keek de kamer rond. 'Robert is vermoord in de steeg. Vermoedelijk had hij daar met iemand afgesproken, waarschijnlijk iemand die hij kende. Ik denk dat de moordenaar de ontmoeting onder valse voorwendselen heeft geregeld, en toen hij Robert alleen in die steeg had, richtte hij een pistool op hem om hem uit te horen. Robert was niet dapper. Als hij in de loop van een pistool keek, zou hij niet aarzelen alles te vertellen wat hij wist.'

'Maar eigenlijk wist Robert helemaal niets.'

'Klopt. Hij kon de man die hij ontmoette dus niets vertellen, en hij werd daar in de steeg neergeschoten en gedood. De moordenaar haalde vervolgens zijn sleutels uit zijn zak – dat weten we omdat Roberts sleutels niet op zijn lichaam zaten en de politie ze in het museum heeft gevonden. Hij gebruikte de sleutels dus om het museum en Roberts kantoor binnen te komen. Zo te zien heeft hij het zoeken grondig aangepakt.'

'Dus je denkt dat de moordenaar niets te weten is gekomen, noch van Robert, noch van het doorzoeken van zijn kantoor?'

'Nee, ik denk het niet. Ik denk dat Robert ons alles heeft verteld wat hij wist, en ik geloof dat hij geen contact meer heeft gehad met Clive of Mary sinds zij hem de gouden spelden hebben verkocht.'

Ik draaide me om en bekeek de verwoesting in de kamer. 'Wie zou hem volgens jou vermoorden om de geringe kans dat hij iets wist wat hij niet wilde vertellen?'

Jack zuchtte. 'Ik heb wel een paar ideeën, maar het is nog te vroeg om daarover te praten. Laten we nog wat verder rondneuzen, en dan moeten we, denk ik, eens gaan kijken bij het huis van de Folletts. Ik heb het idee dat degene die dit heeft gedaan, niet zal stoppen voordat hij alle mogelijkheden heeft onderzocht.'

'Goed, dan gaan we rondneuzen, al heb ik geen idee waarnaar ik op zoek ben.'

Een uur lang kamden we de kamer uit, op zoek naar alles wat door de dader achtergelaten zou kunnen zijn.

Jack nam zijn plek bij de deur weer in en gebaarde me bij hem te komen. 'Kijk eens naar de kamer als geheel. Wat vertelt het tafereel je over de persoon die hem doorzocht heeft?'

Ik had nog nooit op Jacks manier naar een plaats delict gekeken; hij leek echter meer te zien dan ik, dus ik wilde zijn methode wel eens uitproberen. Ik probeerde mezelf af te sluiten voor de details en een goed beeld te vormen van het grote geheel. Wat ik zag, was de volledige verwoesting van de kamer. 'De kamer is heel grondig ondersteboven gekeerd.'

'Precies. Degene die dit heeft gedaan, had geen haast; hij nam de tijd om elk boek, elke la, elk artefact te controleren. Ik zie zelfs geen enkel voorwerp dat hij heeft overgeslagen. Dit is niet het werk van een geagiteerde amateur. Ik vermoed dat dit door een beroeps is gedaan.'

'Een beroeps?'

'Iemand die een man van dichtbij in koelen bloede kan neerschieten en dan rustig zijn kantoor gaat doorzoeken. Dat is niet kenmerkend voor de gemiddelde moordenaar. Wat mij het meest dwarszit in deze misdaad, is de zakelijkheid.'

Ik zag meteen dat hij gelijk had. 'Wat betekent dat? Wat voor beroeps?'

Hij schudde alleen zijn hoofd. 'We hebben hier alles gezien wat er te zien valt; laten we naar zijn huis gaan.'

Hij ging mij voor naar de auto, en het laatste dat ik zag toen we achteruit uit de steeg wegreden, was een man in een donker pak, die een wit laken over Robert Folletts gezicht trok.

Hoofdstuk 21

We reden door de stad naar het huis van de Folletts. Even hoopte ik dat Roberts moeder niet thuis zou zijn. Het leek me onvoorstelbaar moeilijk om te horen te krijgen dat je kind vermoord was, maar het moest vrijwel ondraaglijk zijn als er tijdens zo'n periode van rouw allerlei mensen door je huis krioelden die vragen stelden en in zijn spullen snuffelden. Ik duwde de gedachten en het medelijden weg toen ik me realiseerde dat Jack tegen me sprak.

'Voor hun eigen bestwil hoop ik dat wij Clive en Mary vinden, voordat iemand anders dat doet.'

Ik knikte. Als hun achtervolger een man had vermoord om informatie die hij niet had, dan moest ik er niet aan denken wat hij Clive en Mary zou aandoen om het goud in handen te krijgen.

Jack sloeg een straat in een woonwijk in en parkeerde voor een onopvallend huis. Ik haalde diep adem om mezelf schrap te zetten, opende toen het portier en stapte uit. Jack voegde zich bij mij en samen liepen we naar het huis. Ik klopte op de deur en hield mijn adem in. Een paar tellen later zwaaide de deur open en zagen we een stevig gebouwde vrouw van een jaar of zeventig, met slap grijs haar en roodomrande ogen. Ze bette haar ogen met een zakdoek, voordat ze ons begroette.

'Goedemiddag...'

'Goedemiddag, mevrouw, ik ben agent Jack O'Connor van de FBI,' zei Jack, terwijl hij zijn penning tevoorschijn haalde om aan de vrouw te laten zien, 'en dit is mijn partner, miss Fortune. Mogen we binnenkomen?'

De vrouw deed een stap achteruit en liet ons binnen. Ik had me geen duidelijke voorstelling gemaakt van Robert Folletts huis, maar ik was verrast door de sobere netheid. Het rook er naar bleekmiddel en zeep, en in het deel van het huis dat ik kon zien, was er geen vuiltje of stofje te vinden. Ik vond het onbegrijpelijk dat iemand als Robert was opgegroeid in zo'n omgeving en dan toch zo'n sloddervos kon zijn.

Ik schudde deze irrelevante gedachte van me af en wendde me tot mevrouw Follett. 'Gecondoleerd met uw verlies, mevrouw.' Mijn woorden klonken hol en obligaat, maar ze waren oprecht gemeend.

Ze keek me een lang moment in de ogen en knikte. 'Dank u. Ik zie nog niet hoe God dit ten goede kan doen werken, maar ik moet er gewoon op vertrouwen dat Hij dat zal doen.'

Verrast en niet op mijn gemak door haar woorden, week ik achteruit. 'Ten goede?'

Ze knikte. 'Als je bereid bent op de Vader te vertrouwen in goede tijden, moet je ook bereid zijn Hem ondanks alles te vertrouwen wanneer je iets slechts overkomt. Alle dingen doet God medewerken ten goede voor hen, die Hem liefhebben. Dat is niet zomaar een Bijbelvers, Miss Fortune; het is een belofte. En het is het enige waaraan ik mij op dit moment kan vasthouden.'

Ik wist niet wat ik hierop moest antwoorden. Zo openlijk te spreken over het geloof was ik niet gewend. Haar verklaring bezorgde me een ongemakkelijk gevoel, maar boezemde ook ontzag in.

Ik deed een stap achteruit en probeerde weer in mijn rol van zakelijke detective te komen.

'Zou u ons alstublieft Roberts kamers willen laten zien?' Jack schoot me te hulp door de oudere vrouw te herinneren aan de reden voor ons bezoek.

Mevrouw Follett bracht ons naar het souterrain waar Robert woonde, en liet ons alleen in het muffe halfduister. Dit leek een totaal ander huis. Terwijl de bovenverdieping sober, bijna steriel was geweest, zag het souterrain eruit alsof er tien mannen met sterke ruggen en grote schoppen voor nodig waren om het uit te ruimen. Beneden rook het niet naar bleekmiddel; het was meer de geur van vieze sokken. Ik zou het liefst een raampje hebben opengezet om de bedompte lucht eruit te laten, maar in plaats daarvan bleef ik op de overloop staan en bekeek ik het tafereel zoals Jack het me had geleerd.

Daar stonden we samen een hele tijd, voordat ik als eerste iets zei. 'Ik geloof niet dat iemand dit heeft doorzocht.'

Jack knikte.

'Het is een rommeltje, maar ik denk dat Robert gewoon zo leefde. Dit ziet er net zo uit als zijn kantoor, voordat hij stierf.'

'Mee eens. De vraag is: waarom heeft de persoon die Follett vermoordde, ook niet hier gezocht? Dat zou de logische volgende stap zijn. Waarom zou je een man doden en zijn kantoor doorspitten voor informatie, waarom zou je al die moeite doen, als je de klus niet afmaakt en niet ook zijn huis doorzoekt?'

Ik kon hem geen antwoord geven; ik begreep het evenmin.

'Laten we maar weer naar boven gaan en met mevrouw Follett gaan praten. Ik heb nog wel een paar vragen voor haar.'

Zwijgend volgde ik Jack naar boven, terug naar het licht.

'Mevrouw Follett, ik realiseer me dat u vandaag een vreselijke schok hebt gehad, maar ik zou u toch een paar vragen willen stellen die ons zouden kunnen helpen in ons onderzoek.'

Mevrouw Follett knikte.

'Is er, afgezien van ons tweeën, iemand in Roberts woonruimte geweest in de afgelopen vierentwintig uur?'

Ze schudde haar hoofd, het verdriet in haar ogen onveranderd.

'Is er de afgelopen dagen iets gebeurd wat u als verdacht zou aanmerken? Verkopers aan de deur die probeerden binnen te komen, of werklieden zonder een werkopdracht? Iets wat niet leek te kloppen, maar waaraan u verder geen aandacht hebt geschonken?'

Ze dacht er even over na, maar schudde toen weer haar hoofd. 'Niet dat ik weet. Het enige vreemde was Roberts gedrag. Hij leek gespannen en van slag. Als hij thuiskwam uit zijn werk, ging hij meteen naar beneden. Hij wilde zelfs geen avondeten. Ik zei tegen hem dat hij er slecht begon uit te zien, en raadde hem aan naar de dokter te gaan. Hij zei dat hij gewoon wat moeilijkheden op zijn werk had, maar dat het binnenkort wel weer beter zou worden.'

Ik wist precies waarom hij gespannen en van slag was geweest, maar het had geen zin om zijn moeder te vertellen dat hij gesnapt was bij het helen van gestolen artefacten.

'Goed. Dank u wel voor uw medewerking, mevrouw. We zullen ons uiterste best doen om uit te vinden wie uw zoon heeft vermoord.' Alleen omdat ik hem inmiddels wat beter had leren kennen, hoorde ik de teleurstelling in Jacks stem.

We waren met ons onderzoek niet veel verder gekomen, en dat was ontmoedigend. Toch had ik het gevoel dat dat op het punt stond te veranderen. Succes in een onderzoek werd voor de helft behaald door volharding. We moesten gewoon vragen blijven stellen; dan zouden we uiteindelijk wel op nieuwe informatie stuiten.

Mevrouw Follett liep met ons mee naar de voordeur en hield hem voor ons open. Ik wilde haar graag een beetje troosten, maar ik had geen woorden die haar zouden kunnen helpen. Van wat ik ten slotte zei, schrok ik zelf. 'Ik zal voor u bidden, mevrouw Follett. Ik weet niet of God zal luisteren, maar ik zal Hem vragen u de kracht te geven die u nodig hebt om hier doorheen te komen.' Ik zou nog niet half zo geschokt zijn geweest als er plotseling Japans uit mijn mond was gekomen.

Jack keek me zijdelings aan, en wendde zich toen tot de oudere vrouw. 'Dat geldt ook voor mij, mevrouw.' Hij greep in zijn zak en haalde het etui met zijn penning weer tevoorschijn. Daaruit nam hij een visitekaartje en overhandigde het aan haar. 'Als u nog iets nodig hebt, belt u me dan gerust.'

Ze nam het kaartje van hem aan. 'Dank u, meneer O'Connor. Trouwens, nog één ding. Ik weet niet of het belangrijk genoeg is om te noemen, maar het is wel een beetje vreemd.'

Jacks houding veranderde – nauwelijks merkbaar, maar ik kon het zien – in een fractie van een seconde van berustend naar alert.

‘Niets is te onbelangrijk om te vertellen.’

‘Nou,’ zei ze, terwijl ze de zakdoek in haar handen in drieën opvouwde, ‘er staat hier al een paar dagen een vreemde auto geparkeerd, een paar huizen verderop.’ Ze wees naar een onopvallende groene wagen. ‘Ik woon al ruim veertig jaar in deze straat, en ik ken alle buren en ik weet wat voor auto’s ze hebben. Deze wagen is niet van iemand die hier woont. Dat viel me gewoon op.’ Ze leek zich ervoor te schamen dat ze erover begonnen was.

Jack deed een stap in haar richting en legde zijn hand op haar arm. ‘Dat soort informatie is precies wat we nodig hebben. Dank u wel dat u ons dit verteld hebt. We zullen het uitzoeken. En mevrouw, weest u de komende dagen alstublieft extra voorzichtig.’

We liepen de deur uit en het stoepje af. Ik hield mijn mond totdat we weer in de auto zaten. ‘Wat moeten we doen?’

Jack keek me aan terwijl hij de auto met een luid gebrul startte. ‘Wat dacht je van wat schaduwwerk?’

Ik lachte naar hem. ‘Als dat ons helpt een doorbraak in deze zaak te krijgen, dan ben ik er helemaal vóór.’

Hij draaide de straat op. ‘Laten we iets te eten halen en dan hier terugkomen. We gaan die vreemde auto bespioneren om te zien of die het huis van de Folletts in de gaten houdt.’

‘Klinkt goed.’

We kochten broodjes en iets te drinken bij een winkeltje in de buurt en reden toen terug naar de straat waar de Folletts woonden. We parkeerden de auto ver van het huis vandaan; er stonden een stuk of drie auto’s tussen ons en de wagen die we wilden observeren.

Ik zag dat er mensen in de auto zaten en dat de raampjes opengedraaid waren; meer kon ik niet onderscheiden. We deden onze eigen raampjes open en stelden ons in op een paar uurtjes wachten. Terwijl de duisternis inviel en in alle huizen de lichten aangingen, sloot ik mijn ogen in de hoop een dutje te kunnen doen.

Als vanzelf gingen mijn gedachten naar David.

Februari 1939

Er was meer dan een jaar verstreken sinds ik hem voor het laatst had gezien. Ik bleef nooit meer wachten bij het reservoir. Hoewel het bloed door de regen was weggespoeld, zag ik nog altijd het lichaam en hoorde ik het schot, elke keer als ik over het pad liep. Wat ooit mijn favoriete denkplek was geweest, was nu slechts een locatie die mij herinnerde aan een nacht die ik het liefst zou vergeten. Ik zou hem graag helemaal uit mijn geheugen bannen, op één deel na.

David Rubeneski. Soms herhaalde ik zijn naam, gewoon om er zeker van te zijn dat ik hem niet zou vergeten. Hij had mij tweemaal gered en was vervolgens verdwenen, en ik ging me bijna afvragen of hij eigenlijk wel echt had bestaan.

Ik zag hem pas weer op een koude, winderige februariavond waarop niemand buiten zou moeten zijn. De wind gierde om het huis en rammelde aan de ramen; boomtakken schudden en braken af. Ik zat op de bank een boek te lezen, dankbaar voor het vuur in de open haard en blij dat ik binnen was, toen er op de achterdeur werd geklopt. Hoewel, geklopt – het was meer een herhaald bonzen. Het was bijna elf uur, en door het onverwachte dreunende geluid sloeg de schrik me om het hart.

Ik was alleen thuis; moeder en vader waren het weekend weg, naar een of ander liefdadigheidsevenement buiten de stad. Ik rende door de eetkamer en keuken naar de achterdeur. De angst greep me bij de keel, maar het bonzen klonk zo dringend dat ik *moest* gaan kijken wie er voor de deur stond.

Ik pakte de deurknop beet, maar deed niet open; eerst schoof ik het gordijn opzij. Ik slaakte een zucht van verlichting toen ik het silhouet herkende, en mijn hart begon sneller te kloppen. David stond voor de deur. Of beter gezegd, hij leunde ertegenaan en liet zijn hoofd ertegen rusten. Hij hield één arm stevig tegen zijn zij gedrukt; met zijn andere hand beukte hij op het hout. Ik draaide de deur van het slot en gooide hem open. Daardoor viel David bijna naar binnen, tegen mij aan.

'Wat doe jij hier?' Ik sloeg mijn armen om hem heen om hem te ondersteunen. Hij stond te wankelen op zijn benen, alsof hij duizelig was. Geschokt staarde ik hem aan. 'Ben je dronken?' flapte ik eruit. Toen ik echter beter keek, besefte ik dat dat niet het probleem was. Er was iets goed mis. 'David! Ben je wel in orde?' Hij leunde tegen mij aan; ik had al mijn kracht nodig om hem ver genoeg van mij af te duwen om hem te kunnen bekijken. Hij hield zijn arm nog steeds dicht tegen zijn lichaam geklemd, maar nu kon ik zien dat hij bloedde. 'David!' Ontzetting maakte zich van mij meester.

'Alexandra...' Zijn stem was zacht, bijna een fluistering in mijn oor. 'Kun je me in een stoel helpen? Ik weet niet hoe lang ik nog kan blijven staan.'

Ik draaide me onmiddellijk om, sloeg zijn arm om mijn nek en liet hem op mij steunen. Zo leidde ik hem naar de zitkamer. Zijn hortende ademhaling maakte duidelijk hoeveel moeite het hem kostte om op de been te blijven en te bewegen. Hij leunde zwaar op mij, en na een paar meter hijgde ik al even hard. Toen ik hem eindelijk bij een sofa had gekregen, probeerde ik hem er voorzichtig in te laten zakken, maar desondanks deed de schok hem kreunen.

Met gesloten ogen zakte hij onderuit in een hoek van de bank. Nu kon ik hem pas goed bekijken. Zijn gezicht was wit als een doek, en op de schouder van zijn wollen jas glansde iets donkers en vochtigs. Ik raakte het met mijn vingers aan, en toen ik ze terugtrok, was ik niet verbaasd dat ze bedekt waren met helderrood bloed.

'David, wat moet ik doen?' Paniek borrelde op in mijn binnenste. De aanblik van bloed, vermoedelijk van een kogelwond, maakte me licht in het hoofd. Ik deed mijn best rustig te blijven en dwong mezelf adem te halen. 'Je bent gewond. Hoe kan ik je helpen?' Ik schudde mijn hoofd. Dat was een domme vraag. 'Ik ga een ambulance voor je bellen. Ik breng je zo snel mogelijk naar het ziekenhuis.' Ik draaide me om naar het tafeltje naast de sofa en nam de hoorn op, maar David haalde naar me uit en greep mijn hand, mij dwingend de hoorn weer op de haak te leggen.

'Nee. Alsjeblieft. Je moet niemand bellen. Ik ben naar jou toe gekomen omdat jij de enige bent die ik durf te vertrouwen. Je moet me beloven dat je niemand vertelt dat ik hier ben.'

'Maar wat moet ik dan doen? Je hier op de bank voor mijn ogen laten doodbloeden?' Mijn stem werd schril van angst.

'Laat me gewoon een poosje hier blijven. En misschien kunnen we kijken hoe diep die wond is. Dat is alles. Meer vraag ik niet van je, en ik zou hier niet zijn als ik een andere optie had.'

Jacks stem wekte me. Ik opende mijn ogen en wist even niet waar ik was. Mijn nek was stijf, en het was nu helemaal donker. Ik duwde mezelf overeind. 'Hoe lang heb ik geslapen?' Mijn woorden kwamen er ongearticuleerd en schor uit.

'Een uurtje. Het spijt me dat ik je dutje moet onderbreken, maar zo te zien moeten we in beweging komen. Zij hebben hun auto gestart en staan op het punt weg te rijden. We moeten hen volgen, als we willen weten wie het huis van de Folletts hebben bespioneerd.'

De auto draaide de straat in; het enige dat ik kon zien, waren de rode achterlichten die gloeiden in de duisternis. Jack volgde de wagen met gemak en hield voldoende afstand tussen hen en ons. De mensen die het huis hadden bespied, merkten blijkbaar niet dat ze gevolgd werden.

We reden ongeveer een half uur door de stad en hielden uiteindelijk halt bij een bekend oriëntatiepunt: we waren vlak bij Clive en Mary's appartement, waarmee de bedoeling van de inzittenden van de auto wel duidelijk was. Ze waren onmiskenbaar betrokken bij de jacht op het goud van Helena.

Wij parkeerden een eindje achter de andere auto. Jack doofde de koplampen, maar liet de motor draaien.

'Wat is ons plan? We gaan toch niet de hele nacht zitten gluren naar wie het ook zijn die Clive en Mary's huis in de gaten houden?' vroeg ik ongeduldig. Ik had meer dan genoeg van al dat rondhangen en wachten.

'Nee. Ik denk dat het tijd wordt om ons voor te stellen aan de heren in de groene auto.'

Hoofdstuk 22

We liepen door het halfduister naar de auto toe, waarbij we de gouden lichtcirkels van de straatlantaarns vermeden en de schaduwen opzochten. Jack stapte van de stoep af en zette koers naar het raampje van de bestuurder, terwijl ik geruisloos naar de passagierskant liep. Toen ik dichterbij kwam, merkte ik dat de motor nog draaide en de raampjes helemaal opengedraaid waren. De man aan mijn kant leunde door zijn raampje naar buiten, zo ver als hij gerieflijk maar kon.

Ik overbrugde de laatste meter naar het autoportier en keek in het donker naar Jacks silhouet aan de andere kant van de auto. Hij knikte; ik trok aan de portierhendel en rukte het portier zo hard en zo snel mogelijk open. Daarmee verraste ik de man, en hij viel uit zijn stoel op straat. Ik hoorde een harde klap – vermoedelijk zijn elleboog die het plaveisel bereikte.

Aan Jacks kant van de auto hoorde ik gevloek met een zwaar accent en het geluid van een worsteling. Ik liet me daardoor niet afleiden, want de man die ik op straat had gekieperd, kwam al vechtend weer overeind. Mijn maag kromp samen toen ik hem zag opstaan. Hij woog beslist zo'n honderdtwintig kilo en was bijna twee meter lang. Ik moest tegen hem opkijken, maar ik liet mezelf niet lang intimideren door zijn postuur. Ieder mens heeft kwetsbare plekken, ook enorme kleerkasten zoals deze kerel. Alleen hebben zij wel het voordeel van iets grotere afmetingen.

Ik dook weg toen hij een grote vuist in de richting van mijn gezicht zwaaide. Woedend maakte hij een sprongetje en haalde nogmaals uit. Ik zorgde dat ik buiten het bereik van zijn vuist bleef. Toen zocht ik een kwetsbare plek uit, en met mijn volle gewicht trapte ik tegen de buitenkant van zijn rechterknie. Zijn been sloeg dubbel, waardoor hij kreunend op het plaveisel belandde. Met mijn voet op zijn opgezwollen knie nagelde ik hem aan de grond.

Ik zag dat hij in zijn jaszak graaide en bliksemsnel greep ik het pistool uit zijn hand, nog voor hij het helemaal uit de holster had gehaald. Daarmee spoorde ik hem aan om op te staan. Langzaam kwam hij overeind, kreunend toen hij gewicht op zijn knie zette. Met het pistool voortdurend op hem gericht, gebaarde ik hem weer in de auto te gaan zitten. Hij gehoorzaamde zonder een woord, maar de blik van walging en woede die hij me zond, was bepaald dreigend. Toen hij weer in zijn stoel zat, sloot ik zijn portier en schoof ik in de stoel recht achter hem.

'Wat wilt u van ons?' Ik meende te weten wie deze kerels waren, maar het platte Midwesten-accent van de man leek mijn veronderstelling te logenstraffen.

Jack rukte het portier aan de chauffeurskant open en duwde de andere man weer in de auto; toen kwam hij naast mij op de achterbank zitten. Ik hield mijn pistool afwisselend op beide mannen gericht, totdat Jack zat en een van de twee onder schot nam.

'Waarom hielden jullie vandaag het huis van de Folletts in de gaten, en waarom staan jullie nu het appartement van de Gordons te bespieden?' Jack kwam meteen ter zake.

De chauffeur keek alleen maar stuurs, maar de man die voor mij zat, sprak namens hen beiden. 'We weten niet wie u bedoelt. We zaten gewoon in de auto toen jullie kwamen en ons aanvielen. We zouden de politie moeten bellen.'

'Doe dat, Boris. Ik heb er geen moeite mee om dit gesprekje op het politiebureau te voeren.'

'Boris? Ik ben bang dat u mij verwart met iemand anders.' Zijn nasale klank leek zijn woorden te bevestigen, maar aan de blik op Jacks gezicht kon ik zien dat hij er anders over dacht.

'Jullie houden Mary nu al ruim een week in de gaten. Jullie waren het die haar volgden en de stuipen op het lijf joegen, en jullie waren het die haar huis binnenstebuiten hebben gekeerd op zoek naar het goud.'

'We weten niet waar u het over hebt.'

Ik bekeek de twee mannen eens goed. Ze waren allebei lang en grofgebouwd, en konden zó doorgaan voor kleinsteedse Amerikaanse mannen. Van die kerels die op de middelbare school football-helden waren geweest en nu bedrijfjes leidden in kleine plaatsen met namen als Woodpile of Riverside. Ik had er nooit diep over nagedacht, maar ik had altijd verondersteld dat ik Russische spionnen er zo uit zou kunnen halen. In mijn fantasie hadden ze een zwaar accent en noemden ze iedereen 'kameraad'. Deze twee zagen er even Amerikaans uit als de Amerikaanse vlag. Die gedachte deed rillingen over mijn rug lopen.

De man voor mij voldeed exact aan Mary's beschrijving van Overjas. Ik moest er niet aan denken wat deze mannen Mary of Clive zouden kunnen aandoen, of wat ze die arme Robert Follett al aangedaan hadden, om het goud in handen te krijgen.

Jack keek door het raampje naar buiten, maar hield zijn pistool gericht op de nek van de chauffeur. 'Zie jij wat ik zie?'

Ik had geen idee waar hij het over had, dus volgde ik zijn blik. Die was gericht op Clive en Mary's appartement. Eerst zag ik niets, maar na een paar tellen zag ik een schaduw langs het raam bewegen. 'Ze zijn thuis!' Ik kon niet geloven dat ze zo stom zouden zijn om naar huis terug te keren.

'Er is *iemand* thuis,' verbeterde Jack. 'Kun jij deze twee in bedwang houden terwijl ik boven een kijkje ga nemen?'

Ik zag de schouders van Overjas verstijven, alsof hij al aan het bedenken was hoe hij mij zou overmeesteren. Jack zag het ook en schudde zijn hoofd. 'Nee, dat is geen goed idee.' Hij dacht even na en duwde toen zijn pistool in mijn vrije hand. 'Momentje, ik moet even naar onze auto toe. Ik ben zo terug. Als een van deze twee heren beweegt, voel je dan vrij om te schieten.'

Ik knikte en hoopte dat ik geen van beide pistolen nodig zou hebben.

Hoofdstuk 23

Jack glipte de auto uit, en ik hoorde zijn stampende voetstappen toen hij naar onze auto rende. Geen van beide mannen bewoog.

'Wij zijn niet wie u blijkbaar denkt dat wij zijn. We willen u met alle plezier onze papieren laten zien, dan kunnen we het bewijzen.' Overjas sprak zacht, maar dwingend. Ik weigerde op zijn woorden te reageren en vertelde hem alleen dat hij zijn mond moest houden.

Ik hield beide mannen nauwgezet in het oog, totdat ik de klik van het portier hoorde en Jack weer in de auto kroop, met iets glimmends in zijn handen.

Hij legde een paar handboeien over mijn onderarm. 'Ik had deze uit mijn zak gehaald toen we aan het surveilleren waren.' Met een tweede paar begon hij beide handen van de chauffeur vast te maken aan het stuur.

Toen hij klaar was, gaf ik Jack zijn pistool en het mijne. Ik boog me over de voorstoel heen, greep de linkerpols van Overjas en maakte de handboei vast. Zoekend naar iets om de boeien doorheen te halen, vond ik niets beters dan het stuur. Ik vlocht de ketting door het stuur, trok de man met een ruk dichterbij, sloeg zijn andere pols in de boeien en nam toen het pistool weer van Jack over.

Nu hadden we haast. We gooiden de achterportieren open en sprongen uit de auto. Ik wierp een blik op het raam, maar zag geen spoor van de bewegende schaduw die we eerder hadden waargenomen. In de hoop dat we nog niet te laat waren, trokken we de buitendeur open en haastten ons de trap op naar het appartement op de tweede verdieping.

Ik deed mijn best om geen kabaal te maken en kwam een paar tellen achter Jack aan. Toen ik de overloop op de tweede verdieping bereikte, stak Jack zijn arm uit en gebaarde me stil te zijn. Voor mij uit sloop hij stilletjes naar de deur van het appartement. Toen zag ik dat die weliswaar grotendeels dichtgetrokken, maar niet helemaal gesloten was, en dat er krassen op het hout zaten – het bewijs dat de deur opengebroken was.

Het idee dat Mary en Clive daarbinnen waren, werd met de minuut onwaarschijnlijker. Blij dat ik nog altijd een pistool bij me had, nam ik mijn positie in tegen de muur achter Jack en dwong mezelf diep adem te halen. Jack keek me aan. 'Ik tel tot drie,' fluisterde hij.

'Eén.' Hij vormde het woord met zijn mond, maar maakte geen geluid.

'Twee.'

'Drie!' We stormden naar binnen door de open deur, pistolen in de aanslag, klaar voor wat we ook maar zouden aantreffen.

Toen we de voordeur doorkwamen, hadden we goed zicht op de woonkamer en het halletje. Het meubilair in de kamer was verwoest. Op de gestoffeerde meubels was zo venijnig ingehakt, dat de vulling eruit hing alsof het ingewanden waren. Planken waren leeggemaakt, de boeken en prulletjes die erop hadden gestaan op de grond gegooid en gebroken. Een spiegel aan de muur hing scheef en werd vertroebeld door een spinrag van barstjes.

Jack en ik slopen stilletjes door de kamer. Er was niemand in de woonkamer, maar we leken allebei te voelen dat de vijand nog in het huis aanwezig was. Jack gebaarde mij hem te volgen, de gang door, en we hielden halt bij de eerste deur.

Er klonk een geluid – wat duidelijk niet thuishoorde in een leeg appartement. Mijn hart sloeg over, de adem stokte mij in de keel. Jack knikte één keer en we stormden door de deur naar binnen. Er was weinig ruimte om te bewegen, want het was een kleine slaapkamer, en wat er van de vloer niet in beslag was genomen door een bed en een commode, lag bezaaid met rommel. Aan de andere kant van het bed stonden twee mannen. Allebei hadden ze lange zwarte leren jassen en handschoenen aan, ondanks de hitte. Een van de twee droeg een bril met een zwart montuur, en beiden hielden ze een pistool op ons gericht. Tegelijkertijd waren onze pistolen op hen gericht, wat een gevaarlijke impasse creëerde. Ik schuifelde langs het bed, een meter bij Jack vandaan, om in een betere defensieve positie te komen. Ik negeerde zoveel mogelijk de angst die de loop van een pistool, wijzend naar het midden van mijn voorhoofd, bij me opriep; ik concentreerde me helemaal op het stilhouden van de hand waarmee ik mijn pistool vasthield.

De man op wie Jack zijn wapen gericht hield, deed een kleine stap achteruit naar de muur, waarbij zijn ogen mij niet loslieten. Hij liet zijn pistool even iets zakken, zodat de baan van de kogel bij mijn neus uitkwam, en mikte toen weer wat hoger. De man die ik in het vizier had – degene wiens pistool op Jack gericht was – had nog geen centimeter bewogen; hij leek zelfs geen adem te halen.

Bliksemsnel richtte de man op het plafond en haalde de trekker over. Bij het geluid van brekend glas keek ik omhoog en ik zag nog net hoe de lamp uiteenspatte. Iets heets schroeide langs mijn jukbeen, en een tweede stroom van vuur raakte mijn arm. Eén ogenblik was ik verlamd van schrik; toen keek ik weer naar beneden, net op tijd om de beide mannen te zien ontsnappen door het slaapkamerraam, naar de brandtrap die hen in veiligheid zou brengen.

Jack sprong op het bed en dook naar het raam. Hij miste de tweede man op een paar centimeter; gefrustreerd sloeg hij met zijn hand tegen het raamkozijn. Ik hoorde het gekletter van rennende voeten op de stalen brandtrap. Jack draaide zich om naar mij, waarschijnlijk om te controleren of ik hem volgde, maar ik stond aan de grond genageld. Verdoofd liet ik mijn hand over de tintelende hitte van mijn gezicht gaan.

'Allie!'

Mijn hand zocht langzaam en onhandig zijn weg over mijn

wang, en liet een nat en plakkerig spoor achter. Beduusd wreef ik weer over mijn wang. Toen de rug van mijn hand mijn gezicht aanraakte, kwam de pijn opzetten; hij schoot door de zijkant van mijn gezicht met de brandende intensiteit van zuur dat in steen etst.

Jack wierp nog één blik op het raam, maar het was duidelijk dat de mannen nu buiten zijn bereik waren. Hij liep om het bed heen en kwam naar me toe. 'Dat is een diepe snee. Laat me eens kijken.'

Ik bewoog mijn hoofd zo min mogelijk, maar net genoeg zodat mijn wang naar hem gekeerd was. Het spannen en trekken van de kapotte huid deed me ineenkrimpen, en ik werd me opeens bewust van pijn in mijn arm.

Jack haalde diep adem en voelde voorzichtig met zijn vingers aan mijn gezicht. Hij had niet lang nodig om een oordeel te vellen. 'We moeten die snee schoonmaken. Het is een diepe.' Hij greep mijn hand en leidde mij de kamer uit.

Februari 1939

'David, je bloedt als een rund. We moeten het stelpen.' Ik had steeds meer moeite om niet in paniek te raken. 'David, wat moet ik doen?'

'Pak schone handdoeken. Alcohol, als je dat hebt. En een paar repen stof, maakt niet uit wat. Breng ze hier en ik zorg voor de rest.' De inspanning van het praten leek hem uit te putten. Hij sloot zijn ogen en liet zijn hoofd rusten tegen de rugleuning van de bank.

Mezelf dwingend hem alleen te laten, ging ik naar de keuken om te halen waar hij om gevraagd had. Ik greep een stapeltje schone witte handdoeken, een fles van mijn vaders beste single malt whisky, en een stuk touw uit de keukenla.

Met de benodigdheden haastte ik me terug naar de zitkamer. David had zich niet bewogen. Ik legde de spullen op de salontafel en ging dicht bij hem zitten. Ontzetting overviel me toen het beeld van een andere met bloed bedekte man mij voor de geest kwam. Ik legde mijn hand plat op zijn borstkas. Mijn grootste angst verdween toen ik zijn stevige spieren en regelmatige ademhaling voelde.

Ik streelde zijn gezicht om hem voorzichtig wakker te maken. Zijn kaak voelde ruw aan door de stoppelbaard. Ik stond mezelf toe hem goed te bekijken. Zijn ogen waren gesloten en hij zag er vredig uit, maar ik wist dat wanneer ze geopend waren, die bruine diepten vol onrust zouden zijn. Donker haar viel op zijn geprononceerde voorhoofd. Al zijn gelaatstrekken waren sterk, uitgesproken. Blijkbaar had ik nog niet het kleinste detail ervan vergeten sinds ik hem de laatste keer had gezien.

'David, je moet me helpen. Ik weet niet wat ik moet doen.' Ik schudde hem aan zijn gezonde schouder, in een wanhopige poging hem wakker te maken.

Hij draaide zijn hoofd weg en mompelde iets, dus ik schudde hem nog een keer. Nu gingen zijn ogen open.

'Alexandra?' Zijn woorden waren een schor gefluister. Even was het stil, terwijl hij om zich heen keek. 'Wat doe jij hier? Ik had beloofd weg te blijven. Waarom ben je hier?'

Ik dwong mezelf te glimlachen. 'Ik woon hier. Jij kwam naar mij toe. Je hebt hulp nodig, omdat je neergeschoten bent, denk ik. Jij moet me vertellen wat ik moet doen.'

Met zijn goede arm duwde hij zichzelf overeind. Hij keek om zich heen, zag de spullen op de tafel, en zakte weer half onderuit. 'Het spijt me, maar ik moet je om hulp vragen. Ik moet mijn jas en overhemd uittrekken. Kun je me daarbij helpen?'

Ik vond het vreselijk dat ik bloosde. Dit was niet het moment om me druk te maken over decorum. Als ik niet snel iets deed, zou David voor mijn ogen kunnen doodbloeden. 'Natuurlijk. Zeg maar wat je wilt dat ik doe.'

'Die jas moet uit. Eerst de goede kant.' Hij schudde zijn schouder en ik hielp hem de jas aan één kant uit te trekken. Tegen de tijd dat zijn arm eruit was, was hij buiten adem en stond het zweet op zijn voorhoofd. 'Goed, nu moet de andere kant uit. Ik zal rechtop gaan zitten; kijk eens of je voorzichtig aan de mouw kunt trekken.' Hij nam even de tijd om zijn krachten te verzamelen en werkte zich toen overeind. Ik deed mijn best de jas uit te trekken en zijn gekerm niet te horen.

Toen zijn arm eruit was, kon ik de wond beter bekijken. De bloedrode vlek op zijn katoenen overhemd vormde een kring om een gerafeld gat boven in zijn schouder. Ik wist dat we het overhemd ook uit moesten krijgen, en ik wist dat dat meer pijn zou doen dan het uittrekken van de jas. Een paar katoenen draden van de rafelige randen van zijn shirt zaten vast in de wond. Mijn maag keerde zich om bij het idee dat ik die eruit moest trekken.

Davids ogen knipperden open en hij probeerde naar me te glimlachen. 'Nu wordt het pas echt leuk. Ik zal je zoveel mogelijk helpen, maar wat er ook gebeurt, je moet deze klus afmaken. Afgesproken?'

Ik knikte, nu al misselijk.

'Zodra de stof van de wond af is, zal die weer flink gaan bloeden, dus je moet een paar handdoeken bij de hand hebben. Druk ze er stevig op om het bloeden te stelpen.' Hij onderbrak zijn instructies om een paar keer diep adem te halen. 'Daarna moet je alcohol in de wond gieten. Aan de voorkant en de achterkant. Echt door en door nat maken. Alsjeblieft.' Even zweeg hij. 'Het spijt me echt dat ik dit allemaal van jou moet vragen, maar ik kon nergens anders naartoe.'

Ik antwoordde niet.

'Zijn we klaar om te beginnen?'

Ik zette alle benodigdheden onder handbereik en herhaalde in gedachten alle stappen. Toen ik die een paar keer had doorgenomen, knikte ik naar David. 'Ik ben er klaar voor, denk ik.'

Ik begon met het losknopen van zijn overhemd, van boven naar beneden, totdat het helemaal open was. Ik duwde elke gedachte weg en concentreerde me helemaal op wat er moest gebeuren. David duwde zichzelf weer naar voren en ik trok het overhemd van zijn gezonde arm. Met voorzichtige bewegingen bracht ik mezelf in de juiste positie.

Hij haalde diep adem, en toen schoof ik de mouw van zijn schouder. De draden trokken los en scheurden de wond gedeeltelijk open. Er klonk een gesmoorde kreet; Davids lichaam schokte. Eén ogenblik verstijfde ik, toen dwong ik mezelf verder te gaan. Ik stond mezelf niet toe aan iets anders te denken dan aan het feit dat ik het overhemd uit moest krijgen. Centimeter voor centimeter schoof ik het naar beneden, van zijn arm af. Opeens begon de opnieuw geopende wond hevig te bloeden; het bloed stroomde over zijn borst en arm en over mijn handen. Zijn lichaam schokte weer; toen zakte hij in elkaar. Ik keek naar hem en was blij dat hij eindelijk het bewustzijn had verloren. Ik greep de stapel handdoeken, legde er een tussen zijn schouder en de bank, en eentje aan de voorkant op de wond. Het bloed welde helderrood op, maar ik bedekte het met de stralend witte handdoeken. Ik drukte ze zo hard ik durfde aan, wetend dat dat de enige manier was om het bloeden te stelpen.

David kermde zachtjes en bewoog zijn hoofd heen en weer. Ik moest snel verder met de volgende stap. Ik greep de fles whisky en haalde met één hand de dop eraf. De indringende geur van eikenhout en alcohol bestormde mijn zintuigen. Ik hield de fles bij de hals vast en bracht hem bij mijn andere hand. Toen trok ik de handdoek opzij; zodra de druk op de wond wegviel, welde het bloed op. Ik hield de fles schuin en goot de whisky rechtstreeks op de wond. Davids hele lichaam verstijfde; hij schreeuwde het uit, maar zijn ogen bleven gesloten. Ik baadde in het zweet en voelde me misselijk worden, maar kon nu niet stoppen. Ik kantelde hem naar voren, haalde de handdoek van de wond af waar de kogel zijn lichaam had verlaten, en goot de drank ook daarop. Ditmaal reageerde David niet, en daar was ik dankbaar voor.

Ik zette de fles neer en drukte de handdoeken weer op de schoongemaakte wonden. Ik bond nog een handdoek om zijn schouder heen en maakte alles vast met het touw. Toen ik dat had vastgeknoopt, leunde ik achterover en zuchtte diep. David was rustig, roerloos.

Opluchting overspoelde mij met de kracht van een oceaangolf, op de hielen gevolgd door uitputting. Ik ging naast hem op de bank zitten, liet mijn hoofd achterover vallen en liet mijn geest leeg worden. De slaap kwam onmiddellijk.

Jack maakte mijn snijwonden zo goed mogelijk schoon, bond een handdoekje om mijn arm en gaf me nog een doek om tegen mijn wang te houden. We sloten de deur van Clive en Mary's appartement en gingen terug naar de plek waar we de Russen hadden achtergelaten. Daar troffen we alleen een lege parkeerplek.

Hij draaide zich naar mij om. 'Ik ben vergeten hun sleutels af te pakken.'

Ik probeerde mijn lachen in te houden. Ik zag het helemaal vóór me: twee mannen die probeerden te rijden met hun handen vastgeketend aan het stuur. 'Ik hoop dat ze niet te vaak links af moesten slaan.' Ook Jack moest grinniken bij het idee.

'Laten we er voor vannacht maar een punt achter zetten. Kun je me naar mijn kantoor terugbrengen?'

Jack keek zorgelijk. 'Je zou die snijwonden door een arts moeten laten nakijken.'

Ik haalde de doek van mijn wang en voelde of die nog vochtig was. 'Liever niet. Volgens mij is het bijna opgehouden te bloeden, en jij hebt het goed schoongemaakt. Nu wil ik alleen nog maar op de bank liggen.'

'We zullen zien. Als we beter licht hebben, zal ik er nog eens naar kijken en dan beslissen we of je het moet laten hechten of niet. Meer kan ik je niet beloven.'

'Nou, vooruit dan maar. Gaat u voor, agent O'Connor.'

Hoofdstuk 24

Het leek alsof ik weken niet op kantoor was geweest, in plaats van uren. Ik opende de deur en knipte het licht aan. We hadden niet veel gesproken tijdens de rit hiernaartoe; ik had nagedacht over alles wat er gebeurd was en had geprobeerd de pijn in mijn wang en arm te negeren.

Zodra de deur achter ons gesloten was, legde Jack een hand op mijn schouder en draaide mij naar zich toe. Hij hield mijn gezicht schuin om het beter te kunnen bekijken, en voelde er voorzichtig aan. 'Ik weet het niet. Het bloeden is grotendeels opgehouden, maar de snee is wel diep. Ik denk dat je hem zou moeten laten hechten.'

Ik liep naar een kleine spiegel aan de muur. De hele zijkant van mijn gezicht was rood en er zaten kleine vegen opgedroogd bloed op mijn huid. De wond zelf was zo'n zes centimeter lang, maar het was eerder een sneetje dan een snijwond. De huid leek zelf de wond al dicht te trekken. 'Ik laat het zo. Het enige dat een ziekenhuis voor me kan doen, is het hechten, en dat heeft het zo te zien niet nodig. Als ik de komende dagen niet te veel lach, zal het litteken waarschijnlijk niet al te erg worden.'

Jack was geschokt. 'Daar had ik nog niet aan gedacht. Je krijgt een litteken.'

Ik glimlachte een beetje – niet zo breed dat de snee erdoor open kon gaan. 'Ja, dat denk ik wel.'

'Het spijt me zo, Allie. Ik had je nooit hierin mogen betrekken.'

'Geloof me, Jack, er zijn ergere dingen in het leven dan een litteken.'

'Maar toch...' Hij keek gepijnigd.

Ik besloot dat het tijd werd om drastisch van onderwerp te veranderen. 'Dit klinkt nieuwsgierig, en dat is het ook, maar ik *moet* het vragen.'

Jack keek me zwijgend aan.

'Wie is Maggie?'

Met een ruk draaide hij zijn hoofd om en hapte naar adem. Na een paar tellen ging hij op de bank zitten. 'Hoe weet je van het bestaan van Maggie?'

Tijd om op te biechten. 'Vanmorgen bij jou thuis zag ik toevallig een foto van haar.'

Jack was even stil. 'Dus dáár was dat ontbijt voor.' Ik zag in zijn ogen dat het hem begon te dagen. 'Je schaamde je omdat je had lopen snuffelen.'

Ik kreeg een kleur. 'Betrapt.'

Hij moest lachen. Even was het stil, toen zuchtte hij. 'Maggie.'

Ik ging in een stoel tegenover de bank zitten.

'Maggie woonde als kind drie huizen bij mij vandaan. Ik kende haar al vanaf haar vijfde. Ze was een jaar jonger dan ik, en een meisje, dus ze speelde geen rol van betekenis in mijn leven, totdat haar beide ouders omkwamen bij een auto-ongeluk.' Hij nam zijn hoed af en draaide hem rond in zijn handen. 'Ze was toen vijftien en opeens wees. Mijn oom en tante, die naast ons woonden, namen haar in huis. Dat leek de beste oplossing voor haar. Ze kon in dezelfde buurt blijven wonen en naar dezelfde school blijven gaan; op deze manier zou haar leven zo min mogelijk veranderen door de dood van haar ouders.'

Jack legde zijn hoed weg en zuchtte teleurgesteld.

'Het pakte echter anders uit. Maggie was een aardig meisje, maar ze zonderde zichzelf af. Met de diepzinnigheid van een zestienjarige jongen was ik allang blij dat ze mij niet voor de voeten liep.

Toen, op een dag, veranderde alles. Het was de laatste schooldag voor de zomervakantie. Ik was op weg naar huis en was bij de winkel op de hoek gestopt om mezelf te trakteren op een Coca-Cola. Ik nam de kortere route door een klein stuk bos. In het midden daarvan lag een helder meertje, en ik was van plan om bij dat meer m'n cola op te drinken en er een poosje te blijven. Maar toen ik er aankwam, zat er al iemand.'

'Maggie.' Ik had hem al aangevuld voordat ik mezelf kon inhouden.

'Inderdaad. Ze zat bij het meertje te huilen. Het erge was dat ik eerst alleen maar kwaad was omdat ze mijn plannetje had verstoord. Het kon me niet schelen waarom zij van streek was.' Jack walgde van zichzelf bij de herinnering. 'Ze bleek allemaal negens en tienen op haar rapport te hebben, en ze had zich gerealiseerd dat ze niemand had aan wie ze dat kon laten zien. Natuurlijk zouden mijn oom en tante blij zijn, maar dat was toch anders, snap je?'

'Ja, ik denk dat ik het wel begrijp.'

Jack was even stil.

'Dus wat deed je toen?'

'Ik deelde m'n cola met haar.'

Ik glimlachte. 'Dat is lief.'

'Nou, op enig moment terwijl we zaten te praten, drong het tot me door dat ze geen irritant elfjarig buurmeisje meer was. Opeens kon ik eigenlijk niet geloven dat ik haar jarenlang niet had opgemerkt.'

Een brede glimlach gleed over mijn gezicht, en ik kromp ineen toen ik de wond voelde opengaan. 'En heb je daarna nog vaker je cola met haar gedeeld?'

Jack lachte. 'Zo vaak als ik het me kon veroorloven. We bleven onze hele schooltijd en studietijd bij elkaar. Na de middelbare school volgde zij een verpleegstersopleiding, en ik ging er altijd van uit dat we uiteindelijk zouden trouwen.'

'Maar dat gebeurde niet?'

'In de oorlog meldde ze zich aan om als verpleegster aan het front te dienen. Eerst was er geen vuiltje aan de lucht, maar toen vertelde ze me opeens dat ze ging werken in een veldhospitaal in het niet-bezette deel van Frankrijk. Ik was woedend. Ik wilde niet dat ze daarheen zou gaan en zichzelf in gevaar zou brengen. Ik werkte toen al voor de FBI en ik wist precies hoe erg de situatie daar was. We hadden een enorme ruzie. Ze zei dat ik haar nooit naar haar toekomstplannen had gevraagd; ik was er altijd van uitgegaan dat zij wilde wat ik wilde. Zij vertelde me dat ze altijd al de zending in had willen gaan als verpleegster. Dat werken met gewonde soldaten en het evangelie uitdragen precies was wat zij met haar leven wilde doen. Ik voelde me gekwetst. En ik stond duizend angsten uit dat haar iets zou overkomen.'

Jacks stem stierf weg. Lange tijd was het stil.

'Heeft ze de oorlog overleefd?' Ik durfde het bijna niet te vragen.

'Ja, maar ze is nooit teruggekomen. Ze is in Berlijn gebleven om voor de gewonden en zieken daar te zorgen. Ze ziet het als haar persoonlijke zendingsterrein.'

'Komt ze ooit nog naar huis?'

'Geen idee. Ik heb tijdens de oorlog een paar brieven van haar gehad, en eentje daarna, maar nu al jaren niets meer.'

'En toch gebruik je haar foto nog steeds als bladwijzer?'

Jack keek me met opgetrokken wenkbrauwen aan. 'Wil je echt de uitzichtloosheid van jouw en mijn liefdesleven vergelijken?'

'Geen denken aan. Dit onderwerp laten we nu rusten.'

Ik pijnigde mijn hersens voor een veilig gespreksonderwerp. 'Ik wilde je nog iets vragen. Hoe wist je dat die twee mannen in de auto Russen waren?'

'De FBI heeft dossiers over alle bekende en vermoedelijke geheim agenten die in de stad opereren. Die twee kennen we goed. Maar de twee mannen in Clive en Mary's huis daarentegen – ik weet niet wie dat waren. Ik zal wat speurwerk moeten verrichten voor het antwoord op die vraag.'

'Maar als je weet dat die twee mannen Russische agenten zijn, waarom arresteert de FBI ze dan niet?'

'Bijna alle buitenlandse agenten zijn in dienst van de ambassade van hun vaderland, dus ze hebben diplomatieke onschendbaarheid. Daarom is het veel moeilijker dan men vaak denkt om mensen zoals onze twee Russische vrienden het land uit te krijgen.'

'Ja, dat wil ik wel geloven.' Ik schudde mijn hoofd. 'Wat ik het meest verontrustend vind, nu ik hen in levenden lijve heb ontmoet, is het feit dat ze zo onopvallend zijn. Ze zien eruit en klinken als gewone Amerikanen.'

'Ze krijgen een jarenlange training, zodat ze kunnen doorgaan voor doorsnee burgers.'

Ik onderdrukte een rilling. 'Je hebt geen idee wie die andere twee kerels waren?'

'Dat heb ik niet gezegd. Ik zei dat ik het niet wist. Ik heb een heleboel ideeën. Vanavond op weg naar huis zal ik langs kantoor gaan en een paar dossiers opzoeken. Eens zien of ik die gezichten kan koppelen aan namen en nationaliteiten.' Hij stond op, gooide zijn hoed in de lucht en zette hem vervolgens op. 'Ik kom morgenochtend langs om je te vertellen wat ik gevonden heb.'

Ik onderdrukte een geeuw en knikte. 'Prima. Ik moet morgenochtend eerst wat aan mijn boekhouding doen, maar daarna ben ik vrij, voor zover ik weet.'

Jack liep naar de deur. 'Zorg goed voor die snijwonden, Fortune. En voor de goede orde: ik vind nog steeds dat je naar het ziekenhuis had moeten gaan.'

'Ik heb er nota van genomen.'

Zodra ik Jack de trap af hoorde stommelen, ging ik naar mijn bureau en haalde een potje met aspirine tevoorschijn uit de bovenste la. Ik nam twee tabletten en kauwde ze fijn, in de hoop dat ze zo sneller zouden gaan werken. Ik pakte de deken van de rugleuning van de bank en ging liggen. Omdat ik al een week lang elke nacht maar één of twee uur geslapen had, was ik zo uitgeput dat ik verwachtte vannacht wel goed te kunnen slapen. De gebeurtenissen van deze dag hadden me vermoeid, en ik wilde niets liever dan mijn hoofd een poosje uitschakelen. Misschien zou ik een heel nieuwe kijk op de zaak hebben als ik verfrist wakker werd.

Mijn gezicht en mijn arm bleven kloppen; het was moeilijk een comfortabele houding te vinden. Uiteindelijk lag ik plat op mijn rug naar het plafond te staren en urenlang de watervlekken te tellen, voordat ik eindelijk in slaap viel.

De volgende morgen om ongeveer negen uur bonsde Jack op mijn deur. Ik was al een paar uur op en voelde me voor het eerst sinds dagen uitgerust en productief. Ik had de ochtend gebruikt om mijn kantoor op te ruimen, mijn boekhouding op orde te krijgen, en telefonisch een paar offertes aan te vragen voor het schilderen van mijn kantoor.

Tegen de tijd dat Jack binnen kwam lopen, was ik aan een pauze toe. Hij beende in twee stappen de kamer door en gooide een opgerolde krant op mijn bureau. Zijn gezicht stond op onweer – niet de zorgeloze uitdrukking die ik van hem gewend was.

Met bonzend hart raapte ik de krant op. Dit kon geen goed nieuws zijn. De voorpagina sprak boekdelen:

Conservator vermoord om schat uit oudheid

Snel las ik het artikel door, geschokt dat de journalist over zo veel informatie beschikte. Er werd niet expliciet vermeld om wat voor schat het ging, maar de moord op Robert Follett werd in verband gebracht met 'de zoektocht naar een schat die verscheidene partijen, inclusief enkele regeringen, in handen willen krijgen'.

Ik liet mijn adem sissend ontsnappen. 'Hoe heeft die journalist dit artikel zo snel kunnen samenstellen? Hij moet een ingewijde als bron hebben, om zó dicht bij de waarheid te komen.'

'De FBI is het aan het onderzoeken. Ik kan wel een paar redenen bedenken waarom iemand die op jacht is naar het goud, met de pers zou willen praten. Het is net als bieden bij een spelletje poker. Tot nu toe zaten we allemaal elkaar maar aan te staren; iedereen probeerde te peilen wat de anderen wisten en te bluffen over wat hij zelf had. Maar nu heeft iemand besloten de inzet te verhogen en de boel op te schudden.'

'En wij? Wat betekent dit voor ons?'

Jack haalde zijn schouders op. 'Hetzelfde als voor alle anderen. Het zet alles op losse schroeven. Of dit voor ons gunstig zal uitpakken, kunnen we nu nog niet voorspellen. Het enige wat ik zeker weet, is dat de zaak nu een stuk ingewikkelder is geworden.'

Ik stond op en begon te ijsberen. 'Dan kunnen we deze nieuwe ontwikkeling dus net zo goed negeren, en gewoon met ons onderzoek verdergaan in de ingeslagen richting. Totdat er iets verandert, moeten we gewoon doorwerken, lijkt mij.'

Jack knikte. 'Verder ben ik nog wat wijzer geworden over de twee mannen van gisteravond.'

'Welke twee?'

'De twee in het appartement. Dat waren Oost-Duitse spionnen.'

'Oost-Duitsland?'

'Ja, het deel van Duitsland dat door de Sovjet-Unie wordt bestuurd. Het is nog niet officieel bekendgemaakt, maar binnen afzienbare tijd zal Duitsland worden opgesplitst in Oost en West. De geallieerden zijn de baas in de westelijke helft en de Russen in de oostelijke helft. We hebben nog niet veel informatie over de inlichtingendienst van Oost-Duitsland, maar hij lijkt voor de helft te bestaan uit Duitse nationalisten en voor de andere helft uit Russische wetshandhavers. Ik denk dat het voor de Duitse nationalisten een meesterzet zou zijn om het goud van Helena te bemachtigen. Ik geloof ook niet dat ze met de Russische agenten samenwerken. Hoewel hun vaderlanden officieel bondgenoten zijn, heb ik de indruk dat zij bij deze opdracht elkaars concurrenten zijn.'

'Er is dus nóg een speler op het toneel verschenen. Wie heeft dan volgens jou Robert Follett vermoord?'

'Als ik puur op mijn gevoel afga, zou ik zeggen: de Oost-Duitsers. De Russische agenten zouden waarschijnlijk geaarzeld hebben een man te doden die maar zijdelings bij de zaak betrokken was, maar de Oost-Duitsers staan erom bekend gevoelloos en efficiënt te zijn. Dit is precies hoe zij de zaak zouden aanpakken.'

'Dat voorspelt weinig goeds voor Clive en Mary.'

'Precies. Als de Oost-Duitsers hen eerder vinden dan wij...' Hij haalde diep adem. 'Laten we er maar voor zorgen dat dat niet gebeurt.'

Ik vertelde Jack dat ik ongeveer een half uur nodig had om een paar van de zaken die zich op mijn bureau opstapelden, af te handelen. Hij knikte, vroeg mij om een pen en een schrijfblok – die ik hem gaf – en begon een of ander verslag te schrijven. Bijna een uur lang werkten we in stilte door, en toen ik uiteindelijk achterover leunde om mijn stijve spieren te rekken, voelde ik me stukken beter. Ik liet mijn vinger over de snee in mijn wang gaan en constateerde dat de plek weliswaar nog gevoelig was, maar veel minder pijnlijk dan eerst. Ik haalde diep adem. Al die kleine dingen die bij mijn dagelijkse werk hoorden en waarin ik een achterstand had opgelopen, hadden bijgedragen aan mijn gespannenheid. Het voelde goed dat ik me nu door een paar dingen heen had geworsteld.

Ik stond op het punt mijn bureau op te ruimen, toen de deur van het kantoor opengegooid werd. De deur sloeg met een klap tegen de muur; de ruit rinkelde. Mijn hoofd schoot omhoog en ik zag de enorme Rus van gisteravond binnenstormen, vrijwel meteen gevolgd door zijn partner.

Jack keek op van zijn aantekeningen, blijkbaar niet verbaasd hen te zien. Ik daarentegen was met stomheid geslagen.

De grote Rus beende in twee woedende stappen de kamer door en gooide een handvol zilverkleurig metaal op mijn bureau. Het kabaal dat dat maakte, deed me schrikken. De overblijfselen van Jacks handboeien waren in stukken gehakt. Blijkbaar had iemand een betonschaar gebruikt om de twee Russen uit hun auto los te knippen.

'We wilden jullie dit teruggeven, met de volgende boodschap. Loop ons niet voor de voeten, als je van ademen houdt.' De lange kerel leek de woordvoerder van het tweetal te zijn. De andere man stond er alleen maar grommend bij.

Jack stond op. 'Is dat een dreigement?'

'Het is een voorspelling van jullie toekomst. Jij en je *partner*' – hij wees naar mij en lachte zelfgenoegzaam – 'bemoeien je met zaken die jullie ver boven de pet gaan. Ga terug naar je bureau en houd je met je administratieve rompslomp bezig. Blijf bij je leest. En dat kleine vrouwtje daar kan maar beter teruggaan naar haar naaikransje. Vanaf nu gaat het hard tegen hard.'

Woede laaide in mij op, maar ik onderdrukte het. Ik was gewend aan deze tactiek van intimidatie. Jacks gezichtsuitdrukking veranderde van geërgerd in giftig, maar hij had een ijzeren zelfbeheersing. 'Dat kleine vrouwtje daar liet jou gisteren op de grond kronkelen. Betekent dat dus, dat jij je maar beter kunt gaan bezighouden met mandenvlechten?'

Het gezicht van de Rus liep bijna paars aan. Niets kan woede zo snel aanwakkeren als gekrenkte mannelijke trots. Ik moest denken aan Jacks reactie toen ik hem had gevloerd voor Mary's huis. Hij was nijdig geweest omdat hij verslagen was, maar niet kwaad omdat het een *vrouw* was die hem versloeg. En nu leek hij zelfs trots op mij te zijn.

De Rus deed een stap in Jacks richting, alsof hij hem wilde intimideren, maar Jack gaf geen enkel blijk van angst. Zoals hij daar stond, leek hij bijna lui. Verveeld zelfs.

'Als je weet wat goed voor je is, dan loop je ons niet voor de voeten.' De Rus herhaalde zijn dreigement. 'En zoek niet langer naar het goud. Wij zullen het vinden, en wij zullen het terugsturen naar de Sovjet-Unie, waar het thuishoort.'

'Er zijn veel mensen die vinden dat het ergens anders thuishoort. Je zult je handen nog vol hebben aan die twee Oost-Duitse agenten die wij gisteren in het appartement van de Gordons tegenkwamen.'

Ik keek naar Jack. Hij hield de twee Russen aandachtig in het oog om hun reactie te peilen, en werd niet teleurgesteld.

'Oost-Duitsers? Wat waren zij daar aan het doen?'

'Zo te zien hadden ze een behoorlijk drukke dag. Ik vermoed dat ze begonnen met Robert Follett te vermoorden en zijn kantoor te doorzoeken, en ze eindigden met inbreken in Clive en Mary's huis, vlak voor jullie neus. Aan zo'n dag zou iedereen zijn handen vol hebben. Ik denk dat ook zij achter het goud aan zitten.'

'Je liegt. Er zijn geen Oost-Duitsers op zoek naar het goud. Dan hadden wij ze wel gezien.'

Jack lachte. 'Maak je maar geen zorgen. Het duurt nog wel even voordat de berichten over jullie onbekwaamheid in Moskou aankomen. Maar aan de andere kant, als jullie meerderen er eenmaal achterkomen hoezeer jullie deze opdracht verprutst hebben, dan denk ik dat jullie volgende opdracht zoiets zal zijn als latrines legen in Siberië.'

De zwijgzame Rus was bleek geworden, maar de reus had zijn branie nog niet verloren. 'Maakt niet uit. Wij zullen het goud als eerste vinden. Dat is het enige dat telt voor mijn meerderen.' Naarmate zijn ergernis groeide, begon hij steeds meer met een accent te spreken.

Jack diende nu de genadeslag toe. 'Je zult het goud nooit vinden zolang je Clive en Mary niet opgespoord hebt. Komen jullie daar al een beetje verder mee?' Hij wist dat zij op dit punt waarschijnlijk nog minder informatie hadden dan wij. Hier draaide het hele onderzoek om. Het was het enige dat echt telde: als eersten Clive en Mary bereiken. Jack deed een stap in de richting van de Rus. 'Kon je van z'n broer nog wat bruikbare feiten loskrijgen?' zei hij, doelend op Nigel Gordon.

Geen antwoord.

'Ja, dat dacht ik al. Hij heeft ook geen flauw idee waar hij ze zou kunnen vinden. En nu het hele verhaal vanmorgen breeduit op de voorpagina van de *New York Times* staat, gaan Clive en Mary zó diep onderduiken dat jullie ze nooit zullen vinden. Leg dat maar eens uit aan je meerderen.'

De Rus deed een stap achteruit. 'We kwamen jullie waarschuwen dat je ons niet voor de voeten moet lopen, als je weet wat goed voor je is. Ik zeg het nog één keer, voor alle duidelijkheid. Wij zullen geen middel schuwen om dit goud in handen te krijgen. Geen *enkel* middel.' Met die woorden draaiden de mannen zich om en beenden mijn kantoor uit, de deur achter zich dichtslaand.

Uitgeput zakte ik onderuit in mijn stoel. 'Vandaag of morgen gaat die ruit stuk, en dan word ik héél kwaad.'

Jack lachte en liet zich in zijn stoel vallen.

'Waarom heb je hun dat allemaal verteld?'

'Om twee redenen. Ik wilde hun reactie peilen en zien hoeveel zij weten, en ik wilde ook hun aandacht van ons afleiden en op de Oost-Duitsers vestigen. Als wij de Oost-Duitsers kunnen uitschakelen door de Russen tegen hen op te zetten, dan hebben wij onze handen vrij en van beiden geen last meer.'

Ik knikte. 'Dat dacht ik al. Ik heb ook op hun reactie gelet. Ze wisten van niets.'

Jack raapte zijn schrijfblok weer op. 'Nee. Het was een schok voor hen om te ontdekken dat er nog meer mensen op dit goud zitten te azen. En een heel grote schok om te horen wie dat waren.' Jack pakte zijn pen en maakte een aantekening. 'Maar goed, uiteindelijk maakt het niet uit wie de spelers zijn; het gaat erom wie Clive en Mary als eerste vindt. In deze wedstrijd is er geen zilveren medaille.'

Hoofdstuk 25

Een tijdlang zwegen we allebei. Ik staarde nadenkend naar het plafond; Jack maakte nog meer aantekeningen.

De telefoon rinkelde en ik nam enigszins afwezig op. De beller vroeg naar Jack. Mijn wenkbrauwen schoten omhoog, maar ik gaf hem de hoorn; hij pakte hem aan alsof hij het telefoontje verwachtte. Er volgde wat gegrom en enkele aha's, en toen: 'Over tien minuten. We zullen er zijn.' Hij gaf de hoorn aan mij terug, en ik hing op.

'Mag ik weten waar dat over ging?'

'Weet je nog dat ik de FBI zou vragen om meer informatie over Clive en Mary? Dat dossier is nu klaar. Het wordt ons over tien minuten overhandigd in mijn moeders restaurant. We moeten er dus vandoor.'

'In het restaurant?'

'Dat is een prima plek voor dit soort zaken. Ik ga door de voordeur naar binnen, mijn contactpersoon komt achterom. Mijn moeder is eraan gewend. En we krijgen er een gratis lunch bij.'

Ik greep mijn hoed van de kapstok, zette hem op mijn hoofd en gooide Jack de zijne toe. 'Laten we gaan.'

De wandeling kostte ons de volle tien minuten, ondanks het feit dat ik zo hard liep als ik kon zonder te gaan rennen. Jack kuierde op zijn gemak, en ik kon hem wel schieten omdat hij zo kalm bleef. Zorgeloos en ontspannen zijn was soms een goede zaak, maar bij andere gelegenheden was het uitermate ongepast en heel irritant. Door alle belevenissen van gisteren en alles wat er vanmorgen al gebeurd was, gonsde de verwachting van een doorbraak door mijn lijf.

Elke vezel van mijn bestaan vertelde me dat we er bijna waren; en elke stap dichter bij Clive en Mary was een stap dichter bij het goud. En hoe meer we in de buurt van het goud kwamen, des te dichterbij kwam het antwoord dat ik zocht. Na zo veel jaar geen antwoorden te hebben gehad, kon ik het nu bijna proeven.

Februari 1939

Toen ik wakker werd, lag David nog naast me te slapen. In het licht dat door de ramen naar binnen viel, zag ik dat hij bleek maar rustig was.

Ik stond van de bank op en rekte me uit om mijn verkrampte spieren te ontspannen. Rechtop zittend slapen zorgde niet bepaald voor een goede nachtrust. Ik keek over mijn schouder naar de grootvadersklok in de hoek. Half zes. Gauw ging ik naar David toe en schudde hem zachtjes aan zijn gezonde schouder. 'Hé, je moet wakker worden. Onze huishoudster kan elk moment binnenkomen.'

Langzaam gingen zijn ogen open. Hij probeerde rechtop te gaan zitten, maar kreunde van de pijn door de beweging en zakte terug in de kussens van de sofa. 'Wat zei je?'

'Mevrouw Higgins begint om zes uur. Soms komt ze al eerder. We moeten jou uit het zicht krijgen.'

Zijn ogen gingen nu helemaal open en hij was in één klap wakker. 'Ik kan nog niet weg. Ik kan het me niet permitteren gezien te worden. Kan ik me ergens verbergen? Tot zij vanavond weer naar huis is? Ik beloof je dat ik wegga wanneer het donker is en dat ik je niet meer zal lastigvallen.'

'Het lijkt mij sowieso beter dat je nog niet weggaat. Je ziet er slecht uit, en je hebt echt veel bloed verloren. Wat meer rust zou je goeddoen, denk ik.'

Ik pijnigde mijn hersens om een veilige plaats te bedenken, waar hij zich zou kunnen schuilhouden. Er schoot me slechts één plek te binnen, maar dat ging natuurlijk tegen alle regels van de etiquette in.

Ik zou het niet eens mogen overwegen. Aan de andere kant: hij had al de nacht bij mij in huis doorgebracht zonder dat er een chaperonne bij was. Dan kon hij ook nog wel een paar uur in mijn slaapkamer verblijven.

Ik reikte hem de hand. 'Denk je dat je de trap op kunt komen?'

Hij trok een lelijk gezicht. 'Dat komen we gauw genoeg te weten.' Hij greep mijn hand, en met al mijn kracht trok ik hem overeind. Even wankelde hij, toen hervond hij zijn evenwicht. Ik ging naast hem staan om hem te ondersteunen, maar hij wuifde me weg. 'Het gaat prima. Ik werd alleen een beetje duizelig toen ik ging staan. Ga me maar voor, Alexandra.'

Ik bracht hem naar de voet van de trap, maar toen we daar stonden, kon ik me niet voorstellen dat hij in staat zou zijn de bovenste trede te bereiken. 'Luister, ik denk dat je op mij moet steunen. Als ik een paar stappen achter je loop en jij begint te wankelen, dan kan ik niet meer voorkomen dat je valt.'

Hij lachte als een boer die kiespijn heeft. 'Als jij achter me staat en ik val, dan hoef jij je geen zorgen meer te maken. Dan heb ik je geplet.'

'Een reden te meer om jou de trap op te helpen.'

Hij knikte en glimlachte zwakjes maar warm naar me. Daar ging mijn hart sneller van kloppen, dus ik keek gauw weg. Ik ging naast hem staan en hij legde zijn goede arm om mijn nek. Voetje voor voetje gingen we de trap op. Doordat hij op mij steunde, stootten onze lichamen voortdurend tegen elkaar. Ik hield mijn gezicht een beetje afgewend, zodat hij niet zou zien hoe ik moest blozen van deze onopzettelijke aanrakingen. Zijn huid voelde warm aan, maar was niet gloeiend heet, niet koortsig. Eigenlijk was zijn huid even verhit als de mijne. Ik probeerde er niet aan te denken dat mijn armen om zijn blote armen en rug geslagen waren, maar ik voelde me hoogst opgelaten.

Tegen de tijd dat we mijn kamer bereikten, baadde ik in het zweet. David was groot, sterk en heel zwaar. Ik voelde me alsof ik een uur had hardgelopen, terwijl we in werkelijkheid tien minuten bezig waren geweest om de trap op te klimmen. Met mijn vrije hand duwde ik de deur open en ik hielp mijn gewonde gast naar binnen.

Mijn kamer was groot en beslist luxueus. Ik had een ruim slaapgedeelte, een enorme inloopkast en zelfs een eigen badkamer tot mijn beschikking. Jammer genoeg was de kamer volledig ingericht in roze en wit met gouden randjes. Het was de perfecte slaapkamer voor een meisje van negen. Voor iemand die bijna achttien was, was het vreselijk gênant.

Ik begeleidde David naar mijn bed. Hij leek bang om de stralend witte sprei aan te raken, dus ik gaf hem een zetje.

'Nee, nee. Ik wil niet dat er bloed op de dekens komt.' Blijkbaar vond hij die gedachte zo angstaanjagend dat hij zichzelf overeind probeerde te duwen, waarmee hij de kans juist vergrootte dat zijn wond weer zou opengaan en er overal bloedvlekken zouden komen.

'Blijf liggen. Ik moet terug naar beneden om een paar dingen op te ruimen voordat mevrouw Higgins komt. Ik zal proberen je iets te eten te brengen.'

David lag met zijn gezicht naar mij toe op het bed, steunend op zijn goede elleboog en met zijn gewonde arm tegen zijn borstkas gedrukt. 'Ik vind het heel erg dat ik je zoveel overlast bezorg. Het spijt me meer dan ik kan zeggen.' Zijn ogen weerspiegelden het berouw in zijn stem.

'Jij hebt mij al meer dan eens gered; ik ben blij dat ik jou nu een wederdienst kan bewijzen.' Ik sloot de slaapkamerdeur achter me en ging weer naar beneden.

Met een diepe zucht bekeek ik de bloedvlek op de rugleuning van de sofa. Aangezien mevrouw Higgins elk moment kon binnenkomen, griste ik een deken uit de linnenkast en drapeerde die over de vlek om hem te verbergen. Ik hoorde de achterdeur opengaan en besloot dat ik mevrouw Higgins beter de waarheid kon vertellen – of althans gedeeltelijk.

Ik liep naar de keuken, waar ik iemand hoorde fluiten. 'Goeiemorgen, mevrouw Higgins.' Ik deed geen moeite om mijn stem monter te laten klinken.

'Ach lieve help, meisje toch. Wat doe jij zo vroeg al op?' Ze greep van schrik naar haar hart, maar wachtte niet op mijn antwoord. 'Je had zeker weer een van je slapeloze nachten. Hebben de nachtmerries je wakker gehouden?'

Ze doelde op de steeds terugkerende dromen die ik had sinds ik de schietpartij had meegemaakt. 'Nee, ik ben uiteindelijk op de bank in slaap gevallen en heb daar de halve nacht gelegen.'

Ze knikte afwezig, terwijl ze haar schort van het haakje nam en het om haar omvangrijke middel knoopte.

'Ik wilde even een ontbijtje voor mezelf maken en dan zien of ik niet nog een paar uurtjes kan slapen.'

Ze stopte meteen met wat ze aan het doen was. 'Nee, dat doe ik wel. Jij hoeft mijn taak niet over te nemen. Wacht maar even in de zitkamer, ik heb het in een mum van tijd voor je klaar.'

'Ik heb erg veel honger vanmorgen, dus kunt u alstublieft een heleboel eten klaarmaken? Ik neem het wel mee naar mijn kamer.'

'Natuurlijk.'

Ik ging terug naar de zitkamer en wachtte op de sofa op haar. Ik had niet gelogen: ik was echt uitgeput, dus ik wachtte met gesloten ogen op het ontbijt.

'Alsjeblieft. Ik heb een dubbele portie voor je gemaakt, dus je moet wel enorme trek hebben om dat allemaal op te krijgen.'

'Geweldig, dank u wel. En ik heb nog een verzoek.'

Met haar hand op haar heup wachtte ze op mijn verdere uitleg. 'En dat is?'

'Zou u deze deken hier willen laten liggen? Afgelopen nacht kon ik op deze sofa een poosje slapen, en misschien probeer ik dat vannacht wel weer, als ik de slaap niet kan vatten. Wanneer ik dan midden in de nacht naar beneden kom, is het prettig als alles al klaarligt.'

Ze vond dit blijkbaar geen vreemde vraag, dus ik nam het dienblad uit haar jichtige handen en ging terug naar boven.

Ik aarzelde toen ik bij mijn kamer aankwam. Het was vreemd om zonder aankondiging naar binnen te gaan terwijl er iemand in de kamer was, maar ik moest de schijn ophouden dat er niets aan de hand was.

Op mijn eigen deur kloppen zou beslist eigenaardig overkomen.

Ik deed de deur voorzichtig open. Keurig balancerend met het dienblad liep ik de kamer in alsof ik er de enige persoon was. Ik vermeed het naar het bed te kijken, zette het blad neer op mijn bureau en liep terug om de deur te sluiten. Toen kon ik opgelucht ademhalen, voor het eerst sinds uren – althans, zo voelde het. Ik ging terug naar waar ik het dienblad had neergezet. 'Ik heb hier heel veel eten, dus je zult niet van honger omkomen.' Ik draaide me naar hem toe en trof hem liggend op zijn rug aan, met zijn gewonde arm op zijn borst, diep in slaap. Ik geloof dat hij zelfs een beetje snurkte.

Terwijl ik een lach onderdrukte, trok ik de deken die opgevouwen aan het voeteneinde van het bed lag, over hem heen. Ik stond mezelf toe langdurig naar hem te kijken. Het was meer dan een jaar geleden dat ik hem voor het laatst had gezien, maar in de afgelopen twaalf uur leek al die tijd te zijn verdwenen. Ondanks zijn verwondingen zag hij er sterk en betrouwbaar uit. Een vuurrode blos kleurde mijn wangen toen ik me realiseerde dat ik stond te kijken naar een slapende man zonder bovenkleding.

Ik wendde mijn gezicht af, zoekend naar iets wat mij kon afleiden. Ik kon niet ontkennen dat ik mij tot hem aangetrokken voelde. Vanaf het allereerste begin was ik door hem gefascineerd geweest. Toen al, bij onze eerste ontmoeting, toen ik zestien was, had iets in hem mijn hart sneller doen kloppen. En dat was in de tussenliggende jaren alleen maar sterker geworden.

Ik ging in de gemakkelijke stoel in de hoek van de kamer zitten en pakte een boek dat ik aan het lezen was, in de hoop dat het verhaal mij zou kalmeren. Het duurde niet lang voordat het boek te zwaar werd om vast te houden, en het gleed uit mijn handen toen ik in slaap viel.

We kwamen aan bij het restaurant en ik volgde Jack naar het tafeltje dat het dichtst bij de keuken stond. Zijn moeder zwaaide naar ons. Haar ogen werden groot toen ze mij zag, maar ze gaf geen commentaar en niemand kwam naar ons toe.

'Doe je dit wel vaker? Hier een contactpersoon treffen?'

Met zijn vinger gebaarde hij dat ik even moest wachten. Hij stond op, ging naar de keuken en kwam meteen weer terug met een mandje brood. 'Ja, vrij vaak. Tja, ik moet toch ergens eten, dus waarom niet hier. Mijn familie is eraan gewend dat ik in en uit loop, zij vinden het niets bijzonders.' Hij pakte een stukje brood, maar nam geen hap. 'Het feit echter dat ik hier samen met jou kom, en dan ook nog eens twee keer in één week, dat vinden ze blijkbaar wél bijzonder. In elk geval mijn moeder en zussen.' Hij zuchtte, en ik vroeg me af hoe het zou zijn om een familie te hebben die zich zozeer met jouw leven bemoeide. Waarschijnlijk was het geruststellend en irritant tegelijk.

Uiteindelijk at Jack in zijn eentje driekwart van het mandje brood leeg, aangezien ik te nerveus was om te eten. Even later kwam zijn moeder naar ons tafeltje toe. 'Blijven jullie hier lang genoeg voor een fatsoenlijke lunch?'

Jack schudde zijn hoofd. 'Ik zit op iemand te wachten, en we hebben vandaag heel veel te doen, dus het zal een snelle maaltijd worden.'

Ze maakte een bestraffend gebaar met haar vinger. 'Haast, haast, haast... Je bent altijd maar aan het rennen en vliegen. Je moet eens wat rustiger aan doen, genieten van een goede maaltijd met een leuk meisje...' Haar stem stierf weg terwijl ze mij aankeek.

Als ze me had gedwongen op tafel te gaan staan en een liedje te zingen, had ik me niet half zo opgelaten gevoeld. Hulpeloos wierp ik een blik op Jack, en hij keek geërgerd. 'Ik heb u al gezegd dat Allie en ik partners zijn. Dit is een werkbespreking, geen afspraakje.'

Zijn moeder snoof verongelijkt. 'Nou, zo vaak breng je niet een vrouw mee, dus hoe kan ik dat weten?' Ze liep terug naar de keuken en riep over haar schouder: 'Ik zal jullie je eten brengen – een snelle, zakelijke lunch.' Ze klonk even kwaad als Jack keek.

Mijn maag kromp samen. 'Ik hoop dat ze niet boos is.'

Jack schudde zijn hoofd. 'Nee, dat niet. Ze vindt me een sukkel omdat ik hier geen romantisch etentje van probeer te maken, maar ze is niet boos.'

Nu voelde ik me zo mogelijk nóg ongemakkelijker.

'Zit er niet over in. Het enige dat zij wil, is mij gelukkig getrouwd zien met een stuk of tien kinderen, en dat genoegen schenk ik haar nu niet.'

Ik moest lachen. 'Dat herken ik. Mijn moeder regelt nu al vijf jaar lang afspraakjes voor me. Geen van die mannen heb ik ooit een tweede keer willen ontmoeten, maar ja, hoop doet leven.'

Jack grinnikte. 'Dat is niet waar.'

In verwarring gebracht keek ik hem aan. 'Wat bedoel je?'

'Afgelopen woensdag had je een afspraakje met mij, en sindsdien heb ik je elke dag gezien.' Hij lachte.

'Je hebt gelijk. Vijf jaar lang gaat het uitstekend, en dan kom jij alles in de war schoppen.'

We glimlachten naar elkaar; toen zuchtte Jack. 'Het zou het allemaal wel een stuk makkelijker maken, hè?'

Ik begreep precies wat hij bedoelde en gaf een eerlijk antwoord. 'Ja, waarschijnlijk wel... maar wat makkelijk is, is niet altijd goed. Ik heb er overigens wel over nagedacht.'

Hij lachte, maar dit keer was het een vreugdeloze lach. 'Ik ook. Zo te zien hebben wij allebei onszelf veroordeeld tot het verlangen naar datgene wat we beslist niet kunnen hebben.'

Tegen mijn zin flapte ik mijn vraag eruit. 'Denk je dat wij, als de situatie anders was geweest...' Mijn stem stierf weg; ik wilde de gedachte niet helemaal onder woorden brengen.

'Ik weet het niet. Misschien. Maar misschien lijken we wel te veel op elkaar. Ik weet het gewoon niet.'

Ik wilde wanhopig graag van onderwerp veranderen en zei het eerste dat me te binnen schoot. 'Waar blijft die vent? Hij is nou al een half uur onderweg.'

Jack leek even opgelucht als ik dat het gesprek een andere wending had genomen. 'Maak je geen zorgen. Hij komt wel.'

De moeder van Jack bracht ons even later onze kip piccata. Ze serveerde mij mijn bord met een glimlach; toen zette ze dat van Jack met een klap op tafel, keek hem kwaad aan en trok zich weer terug in de keuken. Ik moest lachen, maar het leek Jack niet te deren. Hij begon gewoon te eten, en ik volgde zijn voorbeeld.

Ik had net de laatste hap van mijn kip genomen toen een man in pak en gleufhoed door de klapdeur uit de keuken stormde, een envelop naast Jack neerlegde en weer wegliep. Verrast door zijn bruuske optreden trok ik mijn wenkbrauwen op, maar Jack leek het nauwelijks te merken. Hij legde gewoon zijn mes en vork neer en scheurde de envelop open.

Ik hield mijn adem in, terwijl hij het dossier vluchtig doorbladerde. 'Nou, wat zit erin?'

Jack negeerde me even, maar schoof toen de papieren over tafel naar mij toe. Ik pakte ze terwijl hij vertelde. 'We hebben gegevens over een vakantiehuisje buiten de stad dat in hun bezit is, hotels waarvan bekend is dat zij die geregeld bezocht hebben, en plaatsen waar ze op vakantie zijn geweest. En we weten dat Clive ruim twee maanden geleden vanuit Groot-Brittannië het land is binnengekomen. Ze hebben nog niet alle feiten boven tafel, maar blijkbaar heeft hij een kort reisje naar Londen gemaakt.'

Ik nam een slok water en legde de papieren weer neer. 'We hebben dus weer wat zaken om uit te pluizen.'

Jack schoof zijn stoel achteruit, stopte de papieren terug in de envelop en ging mij voor naar de uitgang. 'Het was een heerlijke lunch, moeder. Ik kom zondag weer voor het avondeten,' riep hij over zijn schouder. Toen hield hij de deur voor mij open en liet mij voorgaan naar buiten.

Hoofdstuk 26

We liepen terug naar het kantoor, en nu treuzelde Jack niet. Vermoedelijk wilde hij net zo graag weer aan het werk als ik.

We deelden de lijst in tweeën. Aangezien we twee telefoons nodig hadden, vertrok Jack naar het FBI-kantoor. Ik ging meteen aan de slag. Ik begon met de hotels waar de Gordons hadden gelogeerd. Daarmee was ik wel een poosje zoet. Geen van de hotelmedewerkers met wie ik sprak, had iemand gezien die voldeed aan de beschrijving van Clive of Mary. Als we geen andere aanknopingspunten vonden, zou ik al deze hotels moeten bezoeken met hun foto's. Vooralsnog zette ik ze op mijn lijstje met 'nee onder voorbehoud'.

Het vakantiehuisje was moeilijker te controleren. De FBI had geen telefoonnummer opgegeven, en ik zou trouwens toch niet willen bellen. Het had geen zin om Clive en Mary erop attent te maken dat wij wisten van het bestaan van hun huisje. In plaats daarvan belde ik de kruidenier, de benzinepomp en het postkantoor in het dichtstbijzijnde stadje. Als zij daar waren, dan zouden ze vast wel op een van deze drie plekken gesignaleerd zijn door een medewerker.

Bij alle drie kreeg ik nul op het rekest. De eigenaar van de kruidenierswinkel wist over wie ik het had, maar zei dat hij Clive en Mary voor het laatst had gezien in het voorjaar. De beambte van het postkantoor was erg bemoeiziek en weigerde haar klanten met mij te bespreken. Met een gefrustreerde zucht hing ik op. Het pompstation leverde iets meer op, maar ook dat was slechts een klein sprankje hoop. De dienstdoende pompbediende was een nieuwe kracht. Hij kende nog geen klanten bij naam en adviseerde me terug te bellen wanneer de eigenaar er was. Die was al vijftig jaar de baas van het pompstation en wist de naam en het type auto van bijna iedereen die er kwam tanken.

Hierna nam ik een korte pauze, in de hoop dat een briljante ingeving me duidelijk zou maken wie ik nu moest bellen. Ik hoopte dat Jack meer succes had dan ik. Op zijn helft van de lijst stond de douane. Met zijn FBI-papieren zou het voor hem veel gemakkelijker zijn dan voor mij om gegevens over Clives reis te bemachtigen. Waarschijnlijk had ik hem ook de taak moeten geven om van het postkantoor informatie los te krijgen. Misschien zou hij meer resultaat hebben geboekt. Alhoewel, gezien de ruzieachtige toon van de postbeambte was dat nog maar de vraag.

Pas na vijven had ik mijn hele lijst afgewerkt. Ik had de aanknopingspunten die niet zo veelbelovend leken voor het laatst bewaard. Toen ik de lijst terzijde legde, was ik dan ook behoorlijk ontmoedigd. Ik had geen noemenswaardige vorderingen gemaakt, dus ik kon alleen maar hopen dat het Jack beter was vergaan.

Tegen de tijd dat hij bij me aanklopte, zat ik diep in de put. Ik had het hele dossier nog eens doorgelezen, maar er was niets uitgesprongen. Ik probeerde mijn gevoel van hopeloosheid weg te slikken. Aan Jacks donkere, gefrustreerde blik zag ik onmiddellijk dat hij waarschijnlijk nog minder succes had gehad dan ik.

'Iets gevonden?' vroeg hij.

Ik schudde mijn hoofd. 'Jij ook niet?'

Hij nam zijn hoed af en gooide hem op het bureau. 'Bevestiging van wat we al vermoedden, maar helemaal geen nieuwe feiten. Ik ben erachter gekomen dat Clive van New York naar Londen is gereisd, een uitstapje van in totaal zeven dagen. Dat was ruim twee maanden geleden.'

'Dan lijkt het erg aannemelijk dat hij het goud daar heeft opgehaald. De tijdstippen kloppen precies met elkaar. Ik heb me in deze zaak voortdurend afgevraagd waarom ze drie jaar lang hebben gewacht met het verkopen van het goud. Maar dat is logisch als het tot twee maanden geleden niet in hun bezit was.' Ik dacht een ogenblik na en ging toen verder.

'En nu vallen ook een paar andere puzzelstukjes op hun plaats. Bijvoorbeeld de vraag waarom Mary zo hard werkte. Toen ze mijn cliënt was, zag ik dat ze vreselijk lange dagen maakte. Elke dag van zonsopgang tot zonsondergang. Ze hadden klaarblijkelijk geld nodig. Misschien ging Clive dus naar Londen om het goud op te halen, in de hoop dat het genoeg zou opbrengen om hen er weer bovenop te helpen. Als ik kijk naar hun appartement, Mary's kleding en zo nog een paar dingen, dan denk ik dat ze sinds de oorlog erg krap bij kas zaten.'

'Ja, dat klinkt heel logisch. Clive dacht vast dat het goud wel genoeg zou opleveren om een nieuwe start te kunnen maken, maar hij wist niet dat het hen rijker zou maken dan ze ooit hadden durven dromen.'

'Maar zoals het er nu voor staat, zullen ze misschien niet lang genoeg leven om van die rijkdom te genieten.'

We zwegen allebei. Ik moest eraan denken dat een beetje gestolen goud uiteindelijk aan Clive en Mary beiden het leven kon kosten. Als wij hen niet zouden vinden vóór de Russen of de Oost-Duitsers dat deden, dan hadden ze nagenoeg geen kans dit te overleven.

Blijkbaar gingen Jacks gedachten dezelfde kant op. 'We moeten hen vinden. En snel.'

We werden in onze overpeinzingen gestoord door het schrille gerinkel van de telefoon. Ik greep geërgerd de hoorn en blafte: 'Ja?'

'Allie, ik moet je spreken.'

Mijn hart leek stil te staan. 'Met wie spreek ik?' Ik meende het te weten, maar ik moest zekerheid hebben.

'Met Mary Gordon. Ik zit met een probleempje, en misschien heb ik iets te haastig gehandeld toen ik een punt zette achter onze zakelijke overeenkomst.'

Februari 1939

Toen ik wakker werd, voelde ik me zowaar uitgerust. Ik wierp een blik op het bed en schrok omdat het leeg was. Gauw kwam ik overeind uit mijn stoel. Ik keek de kamer rond om te zien waar David was en vroeg me even af of ik alles had gedroomd, maar de verfrommelde dekens op het bed verzekerden mij ervan dat dat niet het geval was.

Op dat moment hoorde ik het geluid van stromend water in de badkamer. Ik zuchtte van opluchting en sloot even mijn ogen terwijl de paniek zakte. Toen ik ze weer opende, realiseerde ik me dat David waarschijnlijk al een poosje wakker was geweest. Het dienblad met het ontbijt was half leeg. Hij had de helft van de toast, de helft van de havermoutpap en de helft van de eieren gegeten en de helft van de melk gedronken. Ik moest lachen om de precisie waarmee hij alles met mij had gedeeld.

Ik pakte een stukje toast van het dienblad en nam een hap. Het geluid van stromend water stierf weg. Mijn adem stokte toen de badkamerdeur openknarste.

David kwam de kamer in, en het eerste dat mij opviel, was dat zijn haar nat was. Mijn onbeholpen verband zat nog altijd om zijn schouder, dus ik vermoedde dat hij niet gedoucht had; waarschijnlijk had hij gewoon zijn hoofd onder de kraan gestoken. Hij zag er beter uit dan gisteren: hij had meer kleur op zijn wangen en leek veel sterker en beheerster. Ik kon me niet voorstellen dat ik déze David de trap op zou helpen. Ik kreeg vlinders in mijn buik en mijn mond werd droog.

David keek me lange tijd aan, zonder een woord te zeggen. 'Ik heb geprobeerd me zo goed mogelijk te fatsoeneren.' Zijn ogen hielden de mijne vast, en zijn woorden drongen maar amper tot me door.

'Hoe lang ben je al wakker?' Het was een onnozele vraag, maar het was tenminste iets, en ik was er allang blij mee.

Met een glimlachje om zijn lippen keek hij naar de stoel waarin ik had liggen slapen. 'Al een poosje.'

Door het verbreken van het oogcontact begonnen mijn hersenen weer te functioneren. Ik deed een stap naar voren. 'Dat verband van mij ziet er nogal belachelijk uit. Ik zou even naar je wond moeten kijken en iets geschikters moeten zoeken om het te verbinden. Ik wil zeker weten dat er geen spoor van infectie is.'

Ik wilde om hem heen lopen naar de badkamer, maar hij stak zijn hand uit om mij tegen te houden. Ik stond stil.

'Ik ben je een verklaring schuldig – ik moet je vertellen wat er gaande is en waarom ik hierheen kwam.'

Er ging een huivering door me heen. Ik wilde niet praten; ik was er nog niet klaar voor het te weten. 'Laten we eerst die wond schoonmaken, dan komt de rest straks wel.'

Hij aarzelde, maar volgde me na een paar tellen naar de badkamer. Ik gebaarde dat hij op de rand van het toilet moest gaan zitten, en hij gehoorzaamde zonder een woord. Ik haalde een paar handdoekjes tevoorschijn. Ik voelde me de situatie de baas, maar tegelijkertijd volslagen stuurloos.

Toen ik mijn hand op zijn schouder legde en de knoop die het verband vasthield, begon los te maken, haalde David hoorbaar adem.

'Doe ik je pijn?' Ik zou niet weten hoe, aangezien ik hem nauwelijks had aangeraakt.

'Nee.' Het woord kwam er ruw en hard uit. 'Ga door.'

Onzeker waarom hij zo bars klonk, friemelde ik aan het touw totdat ik de knoop loskreeg. Voorzichtig maakte ik de handdoek los. Er zat veel bloed op, maar geen vers bloed. Met een zucht van verlichting haalde ik beide doeken er helemaal af. Toen hapte ik naar adem. De wond zag er afschuwelijk uit. Het was een vlezig gat, omgeven door gekneusde huid en geronnen bloed. Overal op zijn borst en schouder zat bloed. Ik hield een handdoekje onder de warme kraan, wrong het uit en wendde me tot David. Ik stond op het punt zijn bebloede huid schoon te maken, toen zijn handen zich om de mijne vouwden om me tegen te houden. Hij hield ze eventjes vast en nam me toen de doek uit handen.

'Dat doe ik zelf wel.' Hij zei het zachtjes, maar beslist. Zonder omhaal maakte hij de huid rondom de wond schoon, waarbij hij in een grote boog om de wond zelf heen ging. Hij was in een mum van tijd klaar.

'Goed, maar ik moet het nog wel voor je verbinden. Het ziet er niet rood uit en het is niet bijzonder warm, dus ik denk dat je geen ontsteking hebt opgelopen.' Ik was me nauwelijks bewust van mijn woorden; mijn gedachten waren warrig en langzaam. Het enige dat tot mij doordrong, was het feit dat ik nog nooit zulke mooie ogen had gezien.

David knikte en legde het handdoekje op de wastafel. Ik verbond de wond opnieuw; dit keer werd het resultaat minder lomp en onbeholpen. Toen ik klaar was, realiseerde ik me dat ik mijn adem had ingehouden. Ook David liet zijn adem ontsnappen, terwijl ik een stap achteruit deed.

Ik keek toe hoe David de spieren in zijn schouder uitprobeerde. Hij stond op en ik deed nog een stap achteruit, maar de badkamer was te klein om afstand te kunnen nemen. Ik was nog altijd slechts centimeters van hem verwijderd. Onze ogen vonden elkaar, en er was niets dan wij tweeën en mijn wild kloppende hart.

David bewoog zich niet, tenminste, ik dacht van niet. Nee, ik was het die dichterbij kwam. Ik werd naar hem toegetrokken en kon mezelf niet tegenhouden. Hij sloot zijn ogen, alsof hij probeerde zich te vermannen; maar toen hij ze weer opende, las ik er niet alleen spijt en zelfbeheersing in.

David overbrugde de afstand tussen ons, sloeg zijn gezonde arm om mij heen en trok mij langzaam tegen zich aan. Zijn adem op mijn wang deed mijn knieën knikken. Op mijn tenen staand wilde ik meer dan wat ook ter wereld dat hij mij zou kussen.

Hij bracht zijn gezicht dichterbij, totdat zijn mond de mijne bijna raakte, en hield toen stil. Met zijn goede hand streelde hij mijn haar; toen vonden zijn lippen eindelijk de mijne. Ik leunde nog dichter tegen hem aan, sloot mijn ogen en voelde hoe zijn vingers door mijn haar gingen. De wereld schudde op haar grondvesten. Even trok hij zich terug. Mijn ogen vlogen open en ik keek in ogen die donkerder waren dan een middernachtelijke storm. Eén eindeloze, wanhopige seconde hield hij mij op afstand, toen boog hij zich weer naar mij toe. Deze kus was abrupter, sterker, veeleisender dan de eerste. Mijn hart was zo vol dat ik nauwelijks kon ademhalen, maar de spanning brak pas toen ik met de rug van mijn hand over zijn wang streelde. Hij ademde uit en liet zijn verhitte wang tegen de mijne rusten.

Ik was blij dat zijn arm mij nog altijd vasthield. Mijn geest was een caleidoscoop van kleuren en gevoelens, maar temidden van dat alles was er één overheersende gedachte: David. Ik maakte me een beetje van hem los om hem aan te kijken. Zijn ogen waren wazig, en een dieprode blos kleurde zijn wangen; hij hield mij nog altijd zo teder vast, zijn vingers strelend door mijn haar. Ik sloot mijn ogen, liet mijn adem ontsnappen, en koesterde het moment.

Hoofdstuk 27

Geschokt staarde ik naar de telefoon. Jack keek op van de aantekeningen die hij aan het herlezen was. Terwijl ik met mijn hand de hoorn afdekte, vormde ik met mijn lippen geluidloos het woord 'Mary'. Zijn ogen werden groot. Ik haalde mijn hand weg.

'Waarmee kan ik je helpen?' Ik besloot rustig te werk te gaan. Ik wilde haar niet verjagen met een heleboel vragen.

'Ik neem aan dat je vanmorgen de krant hebt gelezen?'

'Inderdaad.' Verder liet ik niets los.

'Hoeveel weet je van wat er gaande is?'

Ik dacht even na voordat ik antwoord gaf. Het was een slap koord waarop ik balanceerde. 'Ik denk dat ik het meeste wel weet. In elk geval wie er achter je aan zit en waarom.' Daar liet ik het bij.

Ze lachte, maar het was een wrange lach. 'Nou, dan weet je misschien wel meer dan ik.'

Ik besloot mijn gevoel te volgen. 'Mary, besef je hoe diep Clive en jij in de problemen zitten? Heb je enig idee hoe gevaarlijk het voor je is als iemand ontdekt waar jullie zijn?'

'Dat begint tot me door te dringen, maar ik zou niet weten wat ik eraan kan doen.'

'Ik zal er geen doekjes om winden. Je moet zorgen dat het goud in handen komt van de enige mensen die jullie op dit moment nog kunnen beschermen.'

'En wie zijn dat?'

'De FBI. Ze zijn op zoek naar jullie en naar het goud, maar volgens mij zijn zij de enigen die níet bereid zijn om over lijken te gaan.' Een ongezouten benadering leek me op dit moment de enig juiste koers.

Ik hoorde haar snakken naar adem. 'Kunnen we elkaar ergens ontmoeten? Ik zou graag willen praten met iemand van wie ik weet dat die me niet wil vermoorden. Dan kun je me helpen een plan te bedenken om het goud over te dragen.'

Ik had het gevoel dat mij zojuist een gouden appel in de schoot was geworpen. Tegelijkertijd voelde ik het zweet op mijn voorhoofd prikken, wat mij eraan herinnerde dat ik mijn leven ernstig in gevaar bracht door ook maar in de buurt van Mary te komen.

'Ben je nu op een veilige plaats?'

'Ja, dat denk ik wel.'

'Laat mij dan naar je toekomen.' Ik hield mijn adem in.

'Nee, nee, we treffen elkaar ergens in de stad.'

Ik sloot mijn ogen en knarsetandde van frustratie. 'Mary, als je gesnapt wordt, breng je jezelf vreselijk in gevaar. Robert Follett is dood, en hij had nauwelijks iets te maken met alle narigheid waar jullie in zitten.'

Mary lachte hatelijk. 'Al die narigheid is aan Robert te wijten. Als hij zijn mond maar had gehouden, zou er niets aan de hand zijn geweest.'

Daar had ik geen weerwoord op.

'We ontmoeten elkaar morgenochtend. Ik bel je om zeven uur om je te vertellen waar.'

'Goed. Dan geef ik je mijn privénummer, zodat je me thuis kunt bellen. Vanzelfsprekend moeten we dit zo geheim mogelijk houden.' Ik noemde mijn nummer, en het was even stil.

'Ik bel je morgenvroeg. Zorg dat je niet gevolgd wordt.'

'Doe ik.' Ik aarzelde een moment. 'En Mary, wees voorzichtig.'

Ze maakte een instemmend geluid, en meteen daarna klonk de kiestoon in mijn oor. Ik legde de hoorn met een zachte klik op de haak.

Jack keek me afwachtend aan.

'Ze wil me morgen ontmoeten. We gaan een manier bedenken om het goud over te dragen en Clive en haar in veiligheid te brengen.'

Jack leunde achterover in zijn stoel en liet zijn adem ontsnappen. 'Dat zet de zaak weer helemaal op zijn kop, hè?'

Februari 1939

Als verdoofd bleef ik in Davids omhelzing staan. Gedachten wilden als een zwerm bijen inbreken in dit moment, maar ik duwde ze weg en hield in plaats daarvan vast aan de rust die ik voelde.

De kus had me sprakeloos gemaakt. Nooit eerder had ik tegelijkertijd zo veel emotie, zulke verwarring en zo'n besef van juistheid gevoeld. Ik tilde mijn hoofd, dat op zijn schouder rustte, op om zijn gezicht te bekijken. Ik wilde weten of hij – net als ik – voelde dat dit goed was. Maar toen ik zijn ogen zag, leek de grond onder mijn voeten weg te zinken. Daarin las ik niet de combinatie van blijdschap en verlegenheid die in mij opborrelde, maar een storm van heel andere emoties.

Woede, spijt, pijn.

Hij hield mij nog altijd vast met diezelfde intense tederheid, maar het was in tegenspraak met de hevige spijt die zo duidelijk zichtbaar was in zijn ogen.

'Wat is er?' Ik kon niet voorkomen dat mijn stem beefde. Ik hield mijn blik op hem gericht en probeerde te begrijpen, probeerde Davids reactie op wat er tussen ons was gebeurd, te ontcijferen.

Hij gaf me geen antwoord. Zachtjes nam hij me bij de arm, leidde me naar het bed en liet me gaan zitten. Zodra hij me losliet, deed hij een stap achteruit, en de emoties die alleen in zijn ogen te zien waren geweest, leken nu door zijn hele lichaam te stromen. Hij balde zijn vuisten, klemde zijn kaken op elkaar; elk lichaamsdeel leek te verstrakken.

'Dit was een vergissing. Dit had nooit mogen gebeuren.' Zijn woorden klonken ruw en kil.

Ik wendde mijn gezicht af en probeerde de opkomende tranen te onderdrukken.

'Ik moet gaan.'

'Het is nog licht buiten. Je zei dat je moest wachten tot het donker was.'

'Ik moet het er maar op wagen.' Zijn blik gleed de kamer rond. Hij liep naar de balkondeuren, gooide ze open en stapte op mijn balkon. Het zou een sprong van ruim zes meter naar beneden zijn, maar hij leek wanhopig genoeg om het te proberen.

Ik legde mijn hand op zijn arm om hem tegen te houden, en hij bleef roerloos staan. 'Waarom doe je dit?'

Hij keek me aan en stapte achteruit, zodat hij tegen de ijzeren balustrade leunde. 'Ik had hier nooit moeten komen. Ik heb je in gevaar gebracht, ik heb misbruik gemaakt van je vertrouwen, en nu dit. Je had me meteen moeten wegsturen toen ik voor je deur stond.'

Mijn ergernis klonk duidelijk door in mijn stem; de pijn werd daardoor ternauwernood overstemd. 'En wat dan? Had ik je moeten laten doodbloeden in de sneeuw?'

Vol afkeer deed hij een stap opzij. Blijkbaar was hij nu boos op ons allebei. 'Je bent zo naïef. Je laat een bloedende vreemdeling binnen zonder een redelijke verklaring te eisen voor zijn schotwond. Je neemt een man mee naar je slaapkamer om hem te verbergen voor wie er ook maar achter hem aan zit, en stelt geen enkele vraag. Je kent mij niet; je hebt geen idee wie ik ben en waartoe ik in staat ben. Je bent het schoolvoorbeeld van naïviteit.'

'Nou, dan ben ik maar naïef. Toch had ik wel gelijk. Ik vertrouw jou volledig.' Ik dwong hem mij aan te kijken. 'Ik ben blij dat je naar mij toe gekomen bent. Ik ben blij je weer te zien, en ik heb absoluut geen spijt van wat er de afgelopen twee dagen is gebeurd.'

Zijn ogen verzachtten, en ik las de beschuldiging erin. Hij schudde langzaam zijn hoofd. 'Dat is nou juist het probleem. Je zult er spijt van krijgen.'

Hij had gelijk. Hij zei dat ik de tijd die ik met hem had doorgebracht, zou betreuren; en ondanks het feit dat hij vertrok zonder om te kijken, geloofde ik hem niet echt. Ik dacht dat de uren die we samen hadden doorgebracht een stralende herinnering zouden blijven met een dof einde, maar ik had nooit verwacht dat ik nog eens zover zou komen dat ik wenste dat ik hem nooit had ontmoet.

Niet vanwege de tranen die ik om hem liet. Ook niet vanwege de pijn om zijn plotselinge afwijzing, die ik als een doorn in mijn hart meedroeg. Het was vanwege een krantenkop.

Nadat ik mij een lange, slapeloze nacht had liggen afvragen wat er gebeurd was waardoor alles op zijn kop was komen te staan, ging ik naar beneden voor een kopje thee. Een waterig ochtendzonnetje kwam door de ramen naar binnen, en ik hoorde de bonk waarmee een krant tegen de voordeur werd gegooid. Terwijl een ijzige windvlaag het huis in waaide, raapte ik de krant op uit de sneeuw en bracht ik hem naar binnen. Hij kon mij op zijn minst afleiden van mijn vruchteloze gedachten over David.

Ik vouwde de krant open, en mijn oog viel meteen op de vetgedrukte zwarte kop:

Nog geen verdachten in dubbele moord Central Park

De schrik sloeg me om het hart. Snel nam ik het artikel door. Op de avond dat David bloedend op mijn stoep had gestaan, was er een dubbele moord gepleegd in het park. Een schietpartij bij het reservoir. De politie had geen verdachten, maar veronderstelde dat het te maken had met de georganiseerde misdaad. Een bloedspoor dat van de plaats delict wegleidde, deed vermoeden dat de schutter zelf gewond was geraakt. De politie keek in de plaatselijke ziekenhuizen uit naar iemand met een kogelwond die met de dubbele moord te maken zou kunnen hebben.

Mijn mond werd droog en de krant viel uit mijn verdoofde vingers. Ik deed geen moeite hem op te rapen. Ik liep naar de sofa waar de deken nog altijd de bloedvlek bedekte, sloeg hem terug en staarde naar de roestkleurige kring. Had hier een moordenaar gezeten? Had ik zijn wond schoongemaakt, hem de trap op geholpen, hem voor de politie verborgen gehouden? Een moordenaar die banden had met de georganiseerde misdaad?

Het beeld van de held David en deze nieuwe informatie kon ik niet met elkaar rijmen. Hoe zou de man die mij had gered en me had beschermd in mijn meest kwetsbare momenten, een koelbloedige moordenaar kunnen zijn? Waarom zou hij proberen mij te waarschuwen voor zichzelf, als hij was wie hij volgens de politie was?

Mijn gedachten kolkten, maar ik ging naar de keuken en haalde een emmer warm water, zeep en een borstel. Ruim een uur lang boende ik alle bloedsporen van de sofa. Toen ik klaar was, was er alleen nog een grote vochtige plek te zien. Ik bracht de emmer en de borstel terug naar de keuken. De tranen stroomden me over de wangen. Deze keer kon ik ze niet bedwingen. Ik ging terug naar boven, naar bed. Alle bewijs van Davids aanwezigheid was uitgewist, maar niets kon de afgelopen twee dagen uitwissen.

Hoofdstuk 28

Het stroomde van de regen en het werd al donker tegen de tijd dat ik eindelijk besloot naar huis te gaan. Jack bracht me met de auto thuis en beloofde de volgende morgen om vijf uur terug te komen. Hij was van plan naar het FBI-kantoor te rijden om daar mensen en ideeën te verzamelen voor wat ons de volgende dag ook maar te wachten kon staan.

Mijn zenuwen waren tot het uiterste gespannen. Ik kon niet eten, laat staan slapen. In plaats daarvan dronk ik thee, nestelde ik me in de vensterbank en keek ik naar de auto's die spetterend door de plassen reden in de donkere straten. Ik probeerde met een plan te komen, mogelijke scenario's en mijn reactie daarop te bedenken, maar mijn hoofd tolde van alles wat er gebeurd was en ik kon geen twee zinnige gedachten aaneenrijgen.

Ik was zo van streek dat ik bijna misselijk werd. Ik verliet mijn plekje in het raam en begon door het huis te ijsberen. Behalve de onzekerheid over de volgende dag was er nog iets wat aan me knaagde. Ik kon de rusteloosheid die in mij strijd leverde niet benoemen, maar ook niet bedwingen.

Uiteindelijk ging ik in kleermakerszit midden op mijn bed zitten. Ik haalde diep adem en probeerde alle spanning in mijn lichaam los te laten. Ik verwees elke gedachte aan Mary en Clive en het goud naar later. Er was nog iets wat mij verteerde, en ik moest alle andere dingen opzijzetten om uit te vinden wat dat was. Ik weet niet hoe lang ik nodig had om door alle chaos in mijn geest heen te graven, maar toen ik er uiteindelijk doorheen kwam, besefte ik dat ik boos was.

Woedend. En doodsbang.

Alles wat in mijn leven van belang was, stond vannacht op het spel. Als het morgen niet goed ging, konden er slachtoffers vallen, zouden mijn dromen sterven, en zou ik het allerlaatste beetje hoop dat ik nog had, kwijtraken.

Een stemmetje in mij vertelde me dat ik ongelijk had. Dat hoop nooit kan worden uitgedoofd.

Als er geen hoop meer is dat David nog leeft – of erger nog, als ik nooit zal kunnen weten of hij dood is, dan zal ik geen hoop meer hebben, bracht ik tegen het stemmetje in.

Het beeld van mevrouw Follett die rouwde om haar zoon kwam me voor de geest. Het stemmetje sprak weer. *Mensen sterven. Iedereen sterft, en toch is er nog altijd hoop. Als David dood is, zal er nog steeds hoop zijn, maar het is hoop in iets anders. Hoop in iets wat groter is dan de gebeurtenissen in je leven.*

Ik probeerde me te herinneren wat mevrouw Follett gezegd had; op de een of andere manier leek het belangrijk. Iets over vertrouwen op God in de moeilijke periodes van het leven, niet alleen in goede tijden.

Ging dit over God? Het analytische deel van mijn hersenen kwam tegen het idee in opstand. Het beeld van een bebaarde oude man die de wereld met Zijn vingers bestuurde, had ik jaren geleden al losgelaten. Ik had het altijd onbegrijpelijk gevonden dat een God die een heel universum kon scheppen, niet kon voorkomen dat er vreselijke dingen gebeurden. Die twee denkbeelden leken niet naast elkaar te kunnen bestaan, en dus had ik het geloof achter me gelaten.

Nu leek mijn hele wezen het echter uit te roepen dat er meer kanten aan de zaak zaten. Ik wilde het niet horen. Ik wilde als een kind mijn handen voor mijn oren slaan, maar daarmee legde ik die stem in mij niet het zwijgen op.

Als God wilde dat ik hoop had, waarom stuurde Hij me dan niet een teken dat David nog leefde? Dat zou mij hoop geven.

Dat is geen blijvende hoop, betoogde de stem. Als er dan weer iets ergs gebeurde, zou de hoop dan weer verdwijnen? Werd het leven altijd door de omstandigheden geregeerd, of was er iets groters dat de hoop levend hield?

Ik duwde mezelf van het bed en probeerde aan deze gedachten te ontsnappen. Met een klap zette ik de ketel op het fornuis, op zoek naar iets – wat dan ook – wat me zou afleiden. Maar het lukte niet. Van alle kanten beukte de stem op me in. *Wat is hoop? Waarop heb jij jouw hoop gevestigd?*

Geërgerd en ook een beetje bang ijsbeerde ik door mijn huis, maar niets kon mijn gedachten van de vragen afhouden. Ik pakte de telefoon op om Jack te bellen; misschien kon ik mijn gedachten het zwijgen opleggen door met hem plannen te maken voor morgen. Maar ze klonken alleen maar luider.

Wat als er geen morgen is? Als dit alles is wat er is? Dit moment, hier en nu. Weet je waar je echte hoop kunt vinden?

Ik was geschokt door de antwoorden die kwamen bovendrijven. *Nee. Ik weet het niet. Ik heb geen idee waar ik echte hoop voor mijn leven moet zoeken. Daarom slaap ik al jaren zo slecht; daarom leef ik elke dag zonder werkelijk te leven.*

Het leek alsof de gedachte in mijn oor gefluisterd werd. *Echte hoop is de verzekering dat Iemand anders dan jijzelf de leiding heeft in je leven, Allie.*

Alle chaos in mijn hoofd werd stil. Zacht als een fluistering, maar ondubbelzinnig duidelijk hoorde ik de woorden.

Ik geef jou hoop. Hoop op een liefde die zelfs sterker is dan jouw liefde voor David; en hoop op vergeving, zo ruimhartig dat zij alle spijt die jou kwelt, kan bedekken.

April 1939

Met de lente in aantocht werd de lucht warmer, maar de kilheid week niet uit mijn botten. Op de dag dat ik erachter kwam wat er precies was voorgevallen in het park, bevroor mijn hart. Ik had de politie niet gewaarschuwd; ik had niemand verteld wat er gebeurd was, ik had niets gedaan. Ik deed gewoon alsof alles in orde was, alsof er niets was veranderd. Alsof ik niet verliefd was geworden en mijn hart niet door een moordenaar was gebroken.

Nu ik nog maar een paar maanden school voor de boeg had, moest ik besluiten nemen. Wat wilde ik doen met mijn leven? Mijn moeder probeerde me te stimuleren om familie in Europa op te zoeken, een poosje te gaan reizen en een vrouw van de wereld te worden. Ik wist dat zij zich zorgen om mij maakte, de verandering in mij had opgemerkt, en hoopte dat een andere omgeving me goed zou doen. O, was dat maar waar, dat een bezoek aan de kastelen en kathedralen van Engeland mij kon genezen.

Op een heldere, met sterren bezaaide voorjaarsnacht stond ik op mijn balkon het duister in te staren. Ik kon de slaap weer eens niet vatten, en ik had er een gewoonte van gemaakt naar buiten te gaan en naar de wijde wereld achter de balustrade te staren. Het afgelopen jaar had me laten zien dat de wereld buiten Huize Fortune angstaanjagend en gevaarlijk kon zijn. Ik voelde me opgesloten en beschermd tegelijk, en kon dus niet besluiten of ik weg wilde gaan of veilig binnen de muren van mijn ouderlijk huis wilde blijven. Ik probeerde mijn hoofd leeg te maken en nergens aan te denken. Herinneringen aan David, die nooit ver onder de oppervlakte zaten, staken hun kop op, maar ik duwde ze meteen weer weg. De koude lucht voelde eerst fris en verkwikkend aan, maar na een poosje werd het vochtig en kil. Ik maakte aanstalten om naar binnen te gaan, maar bleef met mijn hand op de deurklink stilstaan toen ik onder mij mijn naam hoorde roepen.

Ik hoefde me niet om te keren en te kijken. Ik kende die stem. Ik hoorde hem in mijn dromen, wanneer het me eindelijk lukte te slapen. Mijn verstand zei me naar binnen te gaan en de deur op slot te doen, maar ik kon mijn lichaam niet laten gehoorzamen. In plaats daarvan draaide ik me om en liep naar de balustrade om hem weer te zien.

'Alexandra, ik moet met je praten.'

Ik sloot mijn ogen bij het horen van mijn naam, maar niet voordat ik een glimp van hem had opgevangen op het gazon.

'Ik wil het graag uitleggen. Ik wil je vertellen wat er die nacht echt gebeurd is.'

Ik trok de koude nachtlucht als een deken om me heen, en toen ik sprak, klonken mijn woorden kil. 'Ik weet wat er is gebeurd. Je hebt twee mannen in koelen bloede vermoord. Wat valt er verder nog te zeggen?' Ik probeerde niet naar zijn gezicht te kijken terwijl ik sprak.

Even was het stil. 'Ik weet wat je in de krant hebt gelezen, maar ik wil je graag mijn kant van het verhaal vertellen.'

'Ik wil het niet horen. Je zei dat ik spijt zou krijgen van wat er tussen ons is voorgevallen, en je had gelijk. Ik heb er spijt van. Elke dag.'

De woorden hingen tussen ons in als een ijzige mistbank. 'Ik weet dat ik je alles had moeten vertellen voordat ik vertrok, maar ik moest weg. Het werd allemaal te ingewikkeld. Kun je dat begrijpen? Geef me alsjeblieft een kans het uit te leggen.'

'David, ga alsjeblieft weg. Anders bel ik de politie.' Verdriet en verraad vormden een knoop in mijn maag. Hoe had ik me zo in hem kunnen vergissen? 'Het kan me niet schelen wat je wilt zeggen. Je hebt twee mannen vermoord en je hebt misbruik van mijn vertrouwen gemaakt.' Mijn handen begonnen te trillen, dus ik sloeg mijn armen over elkaar.

'Het spijt me, voor alles wat er gebeurd is. Meer dan je ooit kunt geloven. Het was nooit mijn bedoeling jou pijn te doen.' Zijn gezicht, verlicht door de maan, leek oprecht.

Opeens kwam een verstikkende woede opzetten. Ik had altijd gezien wat ik wilde zien als ik naar hem keek, maar dit keer zou ik me niet door hem in de luren laten leggen. Ditmaal was ik geen naïef jong meisje. Het verlangen om hem te geloven, het brandende verlangen om hem te vertrouwen, maakte me woedend op mezelf en op hem. De woorden die ik op hem afvuurde, waren bedoeld om te kwetsen. 'Zal ik je eens wat vertellen, David? Ik wou dat jij die nacht gestorven was. Ik wou dat ik je gewoon in de sneeuw had laten doodbloeden.'

Met moeite maakte ik mijn blik van hem los en keek recht voor me uit de duisternis in. De vrieslucht had mij volledig ingepakt, zodat ik door en door verkleumd was. Desondanks kon ik de hete traan voelen die over mijn wang gleed, om op mijn ijskoude hand te eindigen.

Ik draaide me om en opende de balkondeur. Binnen was het warm en aangenaam, maar even wenste ik dat de koude gevoelloosheid nooit zou verdwijnen.

Als ik één moment zou kunnen overdoen, één ding zou kunnen terugnemen, dan zou dat het moment zijn waarop ik David had veroordeeld. Dat was het moment dat mij nu al meer dan vijf jaar achtervolgde.

Stel dat hij dood is, wat dan? Wat als je nooit een kans krijgt om het goed te maken? Wat als er nooit een gelegenheid komt om te zeggen dat het je spijt? Mijn gedachten beschuldigden mij. Dit was de angst die mij – voorbij alle rede en alle verstand – ertoe dreef David te zoeken. Maar wat als ik hem niet zou kunnen vinden? Hoe kon je ooit vergeving krijgen, als er niemand meer was om te vergeven?

Ik plofte op de bank neer en verborg mijn gezicht in mijn handen. Ik had het gevoel dat ik stond te wankelen op het randje van een steile rots, alsof God Zelf tot mijn ziel sprak. *Alle dingen doe Ik medewerken ten goede. Davids verdwijning, jouw leven, dat alles is verweven om jou te brengen waar je nu bent. De keus is aan jou. Wil je in Mij geloven? Wil je je hoop en vertrouwen stellen op een eeuwige God die van jou houdt? Of blijf je alleen op jezelf vertrouwen? Ik bied vergeving aan wie erom vraagt, en Ik geef hoop aan iedereen die het wil ontvangen.*

Mijn handen begonnen te trillen. 'Er is niets wat ik zó hard nodig heb als hoop en vergeving.' Ik sprak de woorden hardop, en het leek of mijn hart openbrak. Voor het eerst sinds jaren boog ik mijn hoofd en begon ik te bidden.

Na mijn roerige nacht werd ik wakker bij de frisse geur van straten na een hevige bui. Door de stortregens van gisteravond zag de wereld buiten mijn raam er sprankelend uit, en dat weerspiegelde hoe ik me voelde. Al mijn verdriet en angst en spijt waren weg. In plaats daarvan voelde ik een rust die ik niet kon verklaren. Ik wist dat vandaag mijn hele leven kon veranderen, maar eindelijk voelde ik me sterk genoeg om te aanvaarden wat er ook zou gebeuren.

Het was even na vieren toen ik opstond, maar ik was uitgerust en helder. Om vijf over vijf werd er op de deur geklopt; daar stond Jack, die er weer uitzag alsof hij niet had geslapen.

'We hebben een team samengesteld. Zodra jij weet wat de ontmoetingsplaats wordt, gaan mijn mensen daar hun posities innemen. Dan kunnen we haar inrekenen en in veiligheid brengen en het goud in beslag nemen met zo min mogelijk gedoe.'

Ik schudde mijn hoofd. 'Mary is niet gek. Ik heb zo'n vermoeden dat zij zich niet aan de FBI gaat overgeven. Mij dunkt dat ze andere plannen heeft.'

Jack leek niet te luisteren. 'Ja, maar we geven haar geen keus.'

Mijn voorgevoel zei me dat het niet precies zo zou verlopen als Jack voor ogen had, maar ik wilde er niet over doorzeuren. De tijd zou het leren.

Jack ging de woonkamer binnen. Zijn oog viel op de bank; hij liet zich erop vallen en zakte ineen. Met zijn handen wreef hij over zijn gezicht.

'Wil je koffie?'

'Ik wil niets liever. Heel graag.' Hij steunde op de armleuning en zag er zo uitgeput uit dat ik moest glimlachen. 'Ik heb een pot staan. Momentje.'

Hij ging rechtop zitten en keek naar mij. Ik liep naar de keuken, schonk een kopje voor hem in en bracht het naar de kamer.

'Wat ben jij wakker vanmorgen.' Hij wierp me een onderzoekende blik toe en nam een slok koffie. 'Ik wou dat ik dat ook was.'

Ik ging terug naar de keuken om mijn eigen kopje te halen.

We praatten wat, maar zaten vooral in onze eigen gedachten verzonken. Toen de telefoon eindelijk overging, schrokken we allebei op. Met ingehouden adem liep ik ernaartoe, aarzelde even en nam toen op. 'Mary?'

'Wie zou het anders moeten zijn? Ik zal je vertellen waar we elkaar kunnen ontmoeten.'

'Weet je zeker dat het een veilige plaats is?'

'Ik kon niets beters bedenken. Op dit moment is geen enkele plaats echt veilig voor Clive of mij, maar dit lijkt me de beste optie.'

Ik schudde mijn hoofd. 'Waar en wanneer?'

Toen ze mij haar idee uitlegde, kreeg ik een wee gevoel in mijn maag. Ik keek Jack aan en schudde mijn hoofd. Hij zou hier niet blij mee zijn.

'Weet je het zeker?' Ik kon er niet veel tegenin brengen, aangezien het een goed plan was. Voor haar althans. 'Goed dan. Ik zal er zijn. Over een half uur. Ja, ik wacht tot jij me vindt.' Ik legde de hoorn op de haak en zuchtte.

'Wat is er?' Jack zag er gespannen en geërgerd uit.

'Ze wil dat ik haar in de metro ontmoet. De expresstrein van de Seventh Avenue-lijn, station Central Park North. Ik moet gewoon instappen, dan zoekt zij me op.'

Jack kneep zijn ogen tot spleetjes. 'Dat is het slechtst denkbare scenario. Het lukt me nooit om onze mannen binnen een half uur in positie te brengen in een metrowagon.'

'Ze heeft er duidelijk goed over nagedacht. Voor haar is dit een slim plan. Zij kan mij opzoeken en zich vrij bewegen, en ze heeft voortdurend mensen om zich heen. Ze is niet het type vrouw dat opvalt in een menigte. Zo maakt ze een heel goede kans niet te worden opgemerkt.'

Jack knarsetandde gefrustreerd. 'Hier zitten we niet op te wachten. We moeten haar inrekenen, het goud pakken, en Clive en haar in veiligheid brengen.'

'Ik ben bang dat ik je niet kan helpen dit op te lossen. Als ik op tijd wil zijn, moet ik nu gaan. Ik kan maar beter een taxi nemen, anders haal ik het nooit.'

'Ik moet even je telefoon gebruiken om mijn mensen te vertellen over de veranderde situatie.'

Ik knikte. 'Ga je gang.'

'Ik zorg dat ik ook in die trein zit. Ik zal een paar stations eerder instappen en dan net zo lang door de trein heen en weer lopen tot ik je zie. Dan kan ik je in elk geval in de gaten houden en je helpen als er iets misgaat.'

Ik probeerde niet te veel na te denken over alles wat er vandaag zou kunnen mislopen. Het was niet bepaald veilig om naast de waarschijnlijk meest gezochte vrouw in de stad te staan. Maar er stond zo veel op het spel dat ik eigenlijk geen keus had.

Ik griste mijn hoed van de kapstok en mijn handtas van de tafel. 'Tot ziens dan maar. Ik moet ervandoor als ik die trein wil halen.'

Jack knikte, maar antwoordde niet, aangezien hij al verwoed zat te telefoneren om alles te regelen.

Ik liet Jack achter in mijn huis, sloot de deur achter me en haastte me de trap af. Hoewel het nog vroeg was, liep ik buiten tegen een muur van hitte op. Het was op straat al aardig druk met mensen die aan hun nieuwe werkdag begonnen. Snel hield ik een taxi aan. Binnen enkele minuten was ik onderweg naar metrostation Central Park North. Dat was bekend terrein voor me, aangezien het een van de dichtstbijzijnde stations bij Huize Fortune was. Ik maakte al jaren gebruik van die metrolijn. Ik vroeg me even af of Mary dat had kunnen weten, maar verwierp die gedachte als onmogelijk.

Met gierende remmen kwam de taxi tot stilstand. Ik sprong eruit, bedankte de chauffeur en gooide zijn geld door het raampje naar binnen. Ik had nog maar een paar minuten om de juiste trein te halen. Ik móest op tijd komen; daar hing alles van af. Ik kocht een kaartje en baande me een weg door het draaihek, hijgend van de inspanning en de zenuwen van vanmorgen.

Pas toen ik op het perron stond en op mijn horloge keek, durfde ik te ontspannen. Ik had het gehaald en had zelfs nog vier minuten over. Ik haalde diep adem en probeerde iets van de spanning die op mijn borst drukte, kwijt te raken.

Nu hoefde ik alleen nog maar te wachten. Ik besefte dat het voor Jack vrijwel onmogelijk zou zijn om vóór mij in de trein te stappen. Hoogstwaarschijnlijk stond ik er alleen voor. Die gedachte maakte me niet zo nerveus als ik zou hebben verwacht. Ik had al vaker met Mary te maken gehad en was altijd tegen haar opgewassen geweest; meer hoefde ik vanmorgen niet te doen, als alles goed ging. Ik hoefde alleen maar Mary en Clive ervan te overtuigen dat ze het goud moesten afdragen en zich moesten overgeven aan de FBI, voor hun eigen veiligheid.

Piepend reed de metro het station binnen. Binnen enkele seconden veranderde de menigte ontspannen mensen op het perron in een opdringerige meute; iedereen probeerde als eerste in te stappen, alsof ze daardoor sneller op hun bestemming zouden aankomen. Met een wee gevoel in mijn maag bestudeerde ik de gezichten om mij heen, op zoek naar de Russen of de Oost-Duitsers. Toen ik hen niet zag, liet ik me door de mensenmassa meevoeren, de metro in.

De wagon was vol, maar ik had de opdracht gekregen niet rond te lopen; Mary zou mij opzoeken. Ik bekeek mijn medereizigers in de verwachting haar te zien, maar ik zag geen bekend gezicht.

Langzaam werd de wagon iets leger, toen mensen doorliepen naar andere wagons en zich verspreidden, op zoek naar meer ruimte. Er kwamen een paar stoelen vrij, maar ik besloot niet te gaan zitten, omdat ik niet in een zwakke positie wilde verkeren wanneer ik Mary ontmoette. Daarom bleef ik staan, met mijn hand aan de stang boven mijn hoofd.

De metro kwam in beweging; ik hield me goed vast. Al snel had hij zijn topsnelheid bereikt en denderde ik naar een situatie waarop ik geen grip had. Zo onopvallend mogelijk keek ik om me heen en bestudeerde ik de mensen die in- en uitliepen, maar Mary was er niet bij. Ik probeerde mijn ongeduld te bedwingen en tuurde uit het raam. Er was niets te zien, maar het werkte kalmerend om mijn blik op oneindig en mijn verstand op nul te zetten.

De metro stopte weer; nog meer mensen stapten in, maar geen spoor van de vrouw die ik hier zou ontmoeten. Nu werd ik een beetje zenuwachtig. Met mijn vingers op mijn been tikkend vroeg ik me af of ik wel in de juiste trein was gestapt. Wat moest ik doen als ik het eindpunt van de lijn bereikte en Mary nog steeds niet was opgedoken?

Toen de trein weer verder reed, stootte ik met mijn heup iemand aan. Ik draaide me om, om mijn verontschuldigingen aan te bieden aan degene tegen wie ik was opgebotst. Het was een kleine, slonzige vrouw met gebogen hoofd, die geen aandacht schonk aan haar omgeving. Ik stond op het punt haar uit mijn gedachten te zetten en verder te gaan met wachten, toen mijn hersenen wakker werden en ik besefte dat de vrouw, die nu een paar meter bij mij vandaan stond en op weg ging naar het achterste deel van de metro, de vrouw was op wie ik stond te wachten.

Hoofdstuk 29

Mary hoefde niet bang te zijn dat ze herkend zou worden. Wat ik eerder die dag tegen Jack had gezegd, dat ze een vrouw was die niet in het oog sprong, klopte precies. Ze leek het zelfs te beseffen en te benadrukken. Zij droeg een grijsbruine jurk die haar niet flatteerde, maar die ook niemand aanleiding gaf een tweede blik op haar te werpen. Haar hoed had een brede rand en ze liep met gebogen hoofd, dus het was zelfs moeilijk om iets herkenbaars in haar gezicht te zien. Ze had een goede kledingkeuze gemaakt en ging vrijwel op in de mensenmenigte om ons heen.

Ik keek haar na terwijl ze doorliep naar het achterstuk van de trein. Ze keek niet achterom, gaf mij geen aanwijzing dat ik haar moest volgen – niets. Ik wachtte totdat ze de deuren naar de volgende wagon was doorgegaan, voordat ik achter haar aanging.

Ze doorkruiste vijf wagons zonder te stoppen. Als ik deze vrouw niet drie dagen lang had geschaduwd, zou ik me misschien hebben afgevraagd of zij het wel echt was. Maar in de begindagen van dit onderzoek had ik haar manier van lopen goed genoeg leren kennen om zeker te weten dat ik nu de juiste vrouw volgde.

Uiteindelijk bereikten wij een bijna lege wagon; daar hield ze halt. Ze draaide zich niet om, maar bleef met haar rug naar mij toe staan. Ik liep haar voorbij en keerde me toen naar haar toe. 'Dat is lang geleden, Mary.' Ik sprak op gedempte toon.

Ze hief haar gezicht iets op, en eindelijk kon ik voorbij de rand van haar hoed kijken. Ze zag er slecht uit – alsof ze een paar dagen niet had geslapen of gegeten. Haar huid was grauw en haar gewoonlijk zo heldere ogen stonden dof. 'Inderdaad. We zijn een poosje de stad uit geweest.' Ze keek me een moment indringend aan. 'Wat is er met je gezicht gebeurd?'

Ik streelde met mijn vinger langs de rand van de snee. 'Ik liep een paar van jouw vrienden tegen het lijf. Die waren niet zo aardig. Maar genoeg gepraat over mij – laten we het over jou hebben. Wat zijn je plannen, nu je weer in de stad terug bent?' Het leek me verstandig om in algemene bewoordingen te praten, hoewel er niemand was die ons ook maar de geringste aandacht schonk.

'Die kunnen nog alle kanten op gaan.'

Met een snelle blik achter haar verzekerde ik me ervan dat er niemand naar ons keek. 'En hoe zit het met Helena? Ga je Helena's eigendommen terugbrengen?'

Mary trok haar wenkbrauwen op. 'Ik ben er op dit moment nog niet van overtuigd dat dat de beste stap is. Vertel me eens wat er allemaal gebeurd is sinds mijn vertrek.'

Ik besloot dat het tijd werd voor meer openheid. 'Ik heb een paar dagen geleden Clives broer gesproken. Hij vroeg zich af waar jullie waren. Hij deed veel moeite om daar achter te komen.' Ik moest haar duidelijk maken dat Nigel Gordon niet naar hen op zoek was omwille van de familiebanden. 'Hij had ook belangstelling voor Helena's spulletjes. Hij leek erop gebrand die in handen te krijgen.'

Van Mary's gezicht was af te lezen hoe ze over Nigel dacht, en dat was niet positief. 'Nigel en ik hebben nooit een hechte band gehad. Ik denk dat ik hem maar beter kan mijden, zolang ik in de stad ben.'

Boodschap verzonden en ontvangen. Tot nu toe ging het niet slecht. 'Je moet ook weten dat je neefjes uit Rusland en die uit Duitsland geprobeerd hebben met jullie in contact te komen. Ik vond hen nogal onbeleefd, dus misschien is het een goed idee om ook hen uit de weg te gaan.' Goed. Ik had Mary verteld wie er allemaal achter Clive en haar aan zaten. Nu was het tijd om te krijgen waarvoor ik gekomen was.

'Feitelijk zijn er zo veel mensen die jullie willen spreken, dat je waarschijnlijk geen tijd zult hebben om Helena's eigendommen terug te brengen. Waarom geef je ze niet aan mij? Dan zorg ik dat ze komen waar ze wezen moeten.'

Mary keek langs me heen en ontweek mijn ogen. 'Zo gemakkelijk is het niet. Ik moet wel zeker weten dat als ik die dingen uit handen geef, Clive en ik veilig zullen zijn. Die spullen van Helena zijn op dit moment het enige dat we hebben om mee te onderhandelen.'

Ik moest me inhouden om niet te gaan grommen van frustratie. Mary had nog steeds niet begrepen dat ze veel meer gevaar liep met het goud dan zonder. Maar ik moest het blijven proberen. Even wenste ik dat Jack hier was om mij te helpen, maar wensen veranderde niets aan de situatie. Ik stond er alleen voor. 'Weet je wat, ga met mij en een paar vrienden mee lunchen. We kunnen afspreken waar je maar wilt, en misschien kunnen we jou helpen te bepalen wat je moet doen.'

Zodra ik deze woorden had gezegd, besefte ik dat ik een fout had gemaakt. Ik had me versproken door mijn 'vrienden' te noemen. Tot nu toe wist ze niet dat ik met de FBI samenwerkte, maar met deze flater had ik dat feit zo ongeveer uitgebazuind.

'Ik heb geen belangstelling voor een ontmoeting met jouw vrienden.'

Het werd tijd voor harde maatregelen. 'Mijn vrienden zijn waarschijnlijk de enige partij in de hele stad die jullie foto níet gebruiken als schietschijf. Mijn vrienden zijn de enigen die jullie hier uit kunnen helpen. Alle andere betrokkenen willen jullie doden.' Ik ging nog zachter praten, zodat Mary haar best moest doen om mij te verstaan. 'Je hebt geen alternatieven meer, Mary. Elke andere keuze dan je overgeven aan de FBI staat gelijk aan zelfmoord.'

Mary's ogen werden hard en ik realiseerde me dat ik te veel druk had uitgeoefend. Ze rechtte haar rug. 'Dank je wel voor je advies. Je hoort nog van mij.' Met die woorden liep ze om me heen naar het achterste deel van de wagon. Ze stak door naar de volgende wagon, en juist toen ze daar binnenstapte, kwam de metro tot stilstand. Voordat ik iets kon doen, dook ze weg door de geopende deur en verdween in de menigte op het perron. Ik probeerde ook uit te stappen, maar mijn pad werd versperd door een dichte drom mensen die de metro in wilden.

Ik sloeg met mijn hand op de ruit toen de deuren zich sloten en de trein in beweging kwam, waardoor mijn kans om haar in te halen, verkeken was.

Bij het volgende station stapte ik uit en nam ik een andere metro terug naar huis. Met een zucht ging ik naar binnen. Ik had het deprimerende gevoel gefaald te hebben. Ik vroeg me af hoe het Jack vergaan was, maar ik vermoedde dat de onverwachte ontmoetingsplek en de korte voorbereidingstijd ons allemaal overrompeld had.

Zittend op de bank verborg ik mijn gezicht in mijn handen. Ik had het helemaal verprutst. Een betere onderhandelaar zou in staat zijn geweest Mary voorzichtig te overtuigen, haar zover te krijgen dat ze het goud overhandigde, en Clive en haar in hechtenis te nemen voor hun eigen veiligheid. Maar zoals gewoonlijk had ik het onderhandelingstalent van een olifant in een porseleinkast gehad. 'Doe wat ik wil of je gaat dood.' Ik sprak de woorden hardop en schudde mijn hoofd over de slechte keuzes die ik tot nu toe had gemaakt. Mary was naar mij toe gekomen omdat ze mij vertrouwde, en ik had deze gouden kans verknoeid.

Iemand rammelde aan de klink en klopte op de voordeur. Met grote passen beende ik naar de hal, terwijl mijn frustratie over mijn eigen onvermogen veranderde in ziedende woede. Ik gooide de deur open. Daar stond Jack; hij keek al even gefrustreerd als ik me voelde.

Ik deed een stap opzij, zodat hij binnen kon komen. 'Waar was je?' Mijn woorden kwamen er veel scherper uit dan nodig.

'Ik heb de trein gemist. Het scheelde maar een haartje. Ik kon hem alleen nog maar nakijken,' beet hij me toe, terwijl zijn ogen vonkten van een gevaarlijk soort woede.

Mijn verstand raadde me aan voorzichtig te zijn, maar mijn

mond sloeg de waarschuwing in de wind. 'Nou, dat helpt. Ik ben Mary kwijtgeraakt, en jij bent niet eens komen opdagen. We zijn wel een geweldig goed team, hè?'

'Jij bent Mary kwijtgeraakt?'

Ik wierp hem een boze blik toe. 'Zie je haar hier ergens in huis?' Ik flapte de woorden eruit, ook al deed mijn brein wanhopig zijn best om mij het zwijgen op te leggen.

Hij kneep zijn ogen tot spleetjes en zijn gezicht werd hard. 'Hoe kon je haar kwijtraken? Ze was bereid zichzelf aan te geven, en nu is ze weg?' Zijn wenkbrauwen verdwenen bijna in zijn haar; hij zag eruit alsof hij op het punt stond te ontploffen. Op zijn gezicht kon ik zijn innerlijke strijd duidelijk zien. Meerdere keren deed hij zijn mond open alsof hij iets ging zeggen, om hem vervolgens abrupt weer te sluiten. Ten slotte ademde hij scherp in en liep naar de deur. 'Waar heb je haar voor het laatst gezien? Ik ga haar zoeken.'

Mijn laatste restje woede doofde uit. Ik wenste dat ik de afgelopen twee minuten kon overdoen. 'Jack...'

'Waar heb je haar voor het laatst gezien, Allie?' Hij keek me niet aan; zijn blik was gericht op een punt achter mijn linkerschouder, en zijn hand bleef op de deurklink rusten.

'Ze stapte uit op station Lincoln Center. Meer weet ik niet.'

'Goed. Jij blijft hier, voor het geval ze belt en jou nog een keer wil zien. Ik ga eropuit en hoop dat ik haar kan vinden voordat het slecht met haar afloopt.'

Hoofdstuk 30

Ik werd gekweld door schuldgevoel en bezorgdheid, maar Jack liep de deur al uit voordat ik de moed bijeengeraapt had om mijn excuses aan te bieden.

In mijn huidige gemoedstoestand was rondhangen, nietsdoen en alleen maar afwachten niet goed voor mij. Steeds zag ik Mary voor me in haar vormeloze grijze jurk, liggend op de grond in een plas van haar eigen bloed. Dan veranderde het beeld in dat van een ander lichaam, maar nu met Davids gezicht.

Ik maakte mijn huis schoon en staarde naar de telefoon, alsof ik hem kon dwingen te gaan rinkelen. Toen ik klaar was met het huishouden, ging ik voor het raam staan turen naar de straat onder mij. Ik bestudeerde elk gezicht, zoekend naar dat van Mary. Het was onzinnig te hopen dat ze hierheen zou komen, maar aangezien ik niets anders had om me bezig te houden, wilde ik zelfs onzinnige ideeën wel koesteren.

Na een uur van vergeefs wachten, besloot ik te controleren of de telefoon het wel deed. Uit mijn ooghoek zag ik iets flitsen. Het was niet meer dan dat – een flits – maar het was genoeg om mij met een schok te doen stilstaan. Ik probeerde te achterhalen waar het vandaan kwam. De zon kwam weer achter de wolken vandaan en opnieuw flitste er iets. Alsof het licht werd gereflecteerd door glas. Ik volgde de schittering en toen ik de bron ervan zag, stokte de adem in mijn keel. De flits kwam uit een portiek schuin tegenover het gebouw waar ik woonde. De portiek bood uitstekend zicht op de buitendeur van het gebouw, maar was vanuit mijn appartement nauwelijks te zien. De schittering werd veroorzaakt door zonlicht dat weerkaatste in de bril van een man – een man die ik herkende.

Hij was een van de Oost-Duitse agenten, en hij stond naar mijn raam te turen. Ik was er vrij zeker van dat hij me niet echt kon zien, maar voor alle zekerheid zorgde ik dat ik buiten zijn blikveld bleef.

Met kloppend hart dacht ik over deze nieuwe ontwikkeling na. Ik wierp nog een blik door het raam, en nu ik wist waar ik moest kijken, zag ik de man duidelijk staan. Hij was alleen en had zich nauwelijks bewogen. Hij tuurde nog altijd naar mijn raam.

Ik deed een stap achteruit. Als hij alleen was, waar was zijn partner dan? Ik kon maar twee mogelijkheden bedenken. Ofwel hij had mij vanmorgen gevolgd naar mijn ontmoeting met Mary, ofwel hij had Jack gevolgd toen die enkele uren geleden was vertrokken. Beide scenario's waren niet goed.

Ik kon Jack onmogelijk bereiken. Als hij wonder boven wonder Mary zou vinden, dan zou hij de Oost-Duitse agenten rechtstreeks naar haar toe leiden. Mijn maag kromp ineen van angst. Ik kon het huis niet uit omdat ik bij de telefoon moest blijven voor het geval Mary of Jack zou bellen, maar ondertussen hadden zij beiden geen flauw benul dat Jack of ik misschien de Oost-Duitsers op Mary's spoor hadden gebracht.

Ik liep naar de deur en legde mijn hand op de klink, in dubio of ik het risico moest nemen om hen zelf te gaan zoeken. Het plotselinge schelle gerinkel van de telefoon hield mij tegen. Ik rende de kamer door en griste de hoorn van de haak. 'Hallo?'

Een onbekende mannenstem gaf antwoord. 'Is dit privédetective miss Fortune?'

Ik zuchtte geërgerd. Ik wist niet hoe een cliënt of potentiële cliënt aan mijn privénummer gekomen kon zijn, maar dit was het slechtst denkbare moment voor zijn telefoontje. Vastbesloten om de lijn niet nodeloos bezet te houden, zei ik: 'Ja, dat ben ik, maar u belt nu niet gelegen. Mag ik u morgen of overmorgen terugbellen?'

'U spreekt met Clive Gordon. Ik vroeg me af of mijn vrouw bij u is.'

Ik liet mezelf in mijn stoel vallen. *Clive Gordon*. Ik had de man nooit ontmoet, nooit met hem gesproken; ik wist alleen dat zijn aandeel in dit debacle minstens even groot was als dat van Mary. Misschien wel groter. 'Nee. Ik heb haar vanmorgen in de metro ontmoet; daarna is ze weggerend en kon ik haar niet meer inhalen.'

Clives stem werd schril. 'En hoe lang geleden hebt u haar voor het laatst gezien?'

Ik keek op mijn horloge. 'Het is nu bijna elf uur, en zij stapte om ongeveer acht uur uit. Dus een uur of drie.' De schrik sloeg me om het hart. 'Hoe laat had ze terug moeten zijn? Ik neem aan dat jullie iets hadden afgesproken?'

'Onze plannen waren redelijk vaag, maar ik had haar wel om een uur of negen terug verwacht. Toen het tien uur geweest was en ze nog steeds nergens te bekennen was, begon ik me ernstig zorgen te maken.'

'En terecht, meneer Gordon. Uw vrouw is in gevaar. Er zijn veel mensen naar haar op zoek. Op dit moment staat een van hen zelfs mijn huis te observeren.'

'Weet u wie het is?'

'Een Oost-Duitse spion, een bekende van de FBI. Wat mij werkelijk zorgen baart, is dat zijn partner er niet bij is. Als hij op de een of andere manier Mary op het spoor is gekomen, loopt ze groot gevaar. Wij denken dat deze twee heren de moordenaars van Robert Follett zijn.'

Clive hapte naar adem, en ik betreurde opnieuw mijn neiging tot botte openhartigheid.

'Het spijt me, maar ik moet eerlijk tegen u zijn. Er zijn mensen de stad aan het uitkammen, op zoek naar haar – en ze zullen haar doden om het goud in handen te krijgen. Dat ze nu al drie uur weg is, is geen goed teken. Kijk, meneer Gordon, zoals het er nu voorstaat, zijn Mary en u in groot gevaar. Op dit moment hebt u maar één optie, en dat is het goud aan de FBI overdragen en uzelf aan hen overgeven om beschermd te worden. Uw eigen broer werkt samen met de Russen om u te vinden. Ik stel voor dat u het goud bij mij brengt, dan kunnen we de hele FBI en de New Yorkse politie eropuit sturen om Mary te zoeken. We kunnen nu alleen maar hopen dat het nog niet te laat is.'

Aan de andere kant van de lijn bleef het stil. 'Ondanks mijn... ietwat twijfelachtige verleden en mijn jarenlange afkeer van de FBI, moet ik toegeven dat u de situatie goed inschat. Waarschijnlijk hebt u gelijk en is er geen andere oplossing.'

Misschien kreeg ik nu de kans om mijn blunder van vanmorgen goed te maken. Ik moest er goed over nadenken hoe ik dit zou aanpakken. 'Eens zien... Ik kan het huis uit sluipen zonder dat die Oost-Duitser me ziet, dus ik stel voor dat we weer afspreken bij metrostation Central Park North. Ik ben er over twintig minuten. Kunt u me daar op het perron treffen?'

'Ik denk dat ik daar wel op tijd kan komen. Hoe herkennen we elkaar?'

Ik dacht even na. 'Ik zal een gele roos op mijn revers dragen. Is dat goed?'

Clive gromde zijn instemming.

'Mooi. Ik heb een paar minuten nodig om hier ongezien weg te komen, dus ik zie u om half twaalf.'

'Ik zal er zijn, miss Fortune.'

Ik hing op en dacht even goed na over wat me te doen stond. Ik moest het huis uit gaan, maar ik kon wel een briefje voor Jack achterlaten om hem te vertellen over de veranderde situatie. Ik krabbelde een kattebelletje, pakte mijn tas en hoed, en vertrok na de deur op slot te hebben gedraaid.

In het souterrain, naast de stookruimte, woonde de huismeesteres. Ik stoof de trappen af en klopte bij haar aan. Mevrouw Grogenski deed de deur open en keek me door haar dikke brillenglazen vragend aan. 'O, miss Fortune. Kan ik u ergens mee helpen?' Ze knipperde met haar ogen; ik was er vrij zeker van dat ik haar in haar dutje had gestoord.

'Het spijt me vreselijk, mevrouw Grogenski, maar zou ik misschien uw tuindeur mogen gebruiken? Het is een noodgeval, en ik zou het heel erg op prijs stellen.'

Ze keek beduusd, maar knikte en liet me binnen. Ik liep haar kamer door naar het raam. Buiten zag ik de Oost-Duitser, die nog altijd naar mijn raam stond te kijken. Eén van de voordelen van de woning van de huismeester was een privé-ingang aan de achterzijde. Mevrouw Grogenski had daar een klein tuintje, maar wat belangrijker was: deze deur kwam uit op het steegje achter het gebouw, volledig uit het zicht van de man die mij schaduwde. Ik kon gemakkelijk doorsteken naar de volgende straat, een taxi nemen en naar het station gaan, terwijl hij niet eens wist dat ik weg was.

Ik liep naar de achterdeur toe. Een betonnen trap omhoog bracht me op straatniveau, en toen ik naar buiten kwam in de zonneschijn, slaakte ik een diepe zucht. Ik plukte een gele roos van een van de rozenstruiken, stak hem in mijn revers en ging op weg naar het station.

Hoofdstuk 31

Ik kwam vijf minuten te vroeg bij het station aan. Nog steeds twijfelde ik eraan of ik mijn huis wel had moeten verlaten, maar ik redeneerde dat als Clive meewerkte, we snel genoeg weer terug zouden kunnen zijn. De kans dat ik een telefoontje van Jack of Mary zou missen, was niet zo groot. En dat risico moest ik nemen.

Op dit tijdstip was het veel minder druk op het perron. Toen ik aankwam, zag ik niemand die op mij leek te wachten. Ik slaakte een zucht van verlichting. Voor de zoveelste keer keek ik over mijn schouder. Onderweg had ik voortdurend gecontroleerd of niemand me volgde, en ik had de taxichauffeur gevraagd een omweg te maken. Toch was ik nog altijd bang dat ik de vijand rechtstreeks naar Clive zou leiden. Het was wel vreemd om nu dezelfde handelingen te doen om Clive te ontmoeten, als ik vanmorgen had gedaan voor Mary.

Een metro reed het station binnen; om me heen kolkte het van de mensen die in- en uitstapten. Ik leunde half tegen de muur en tuurde naar de ingang van het station, kijkend of Clive er al aankwam. Toen zag ik hem uit de metro stappen. Ik herkende hem meteen: ofwel Nigel en hij waren een tweeling, ofwel ze leken erg op elkaar. Onwillekeurig deed ik een stap achteruit. Mijn ervaringen met Nigel waren niet aangenaam geweest, en instinctief vertrouwde ik Clive evenmin.

Hij glimlachte niet toen hij me zag, maar knikte alleen naar me. Ik deed geen moeite iets te zeggen; ik ging terug naar buiten en hield een taxi aan. Clive volgde me en bleef achter me staan. Hij zag er lusteloos en verslagen uit. Ik probeerde me in te denken onder hoeveel spanning hij de afgelopen week had gestaan. Hoewel hij een crimineel en een oplichter was, had ik toch medelijden met hem.

Ik gaf de taxichauffeur mijn adres en we gingen op weg. Alsof we het hadden afgesproken, zeiden we geen van beiden een woord, totdat we uit de taxi waren.

'We gaan toch zeker wel naar binnen? Of blijven we hier achter rondhangen?'

Ik wees naar de ingang naar het souterrain. 'Het zou geen goed idee zijn om door de voordeur naar binnen te gaan. De man die daar op wacht staat, zou verbaasd zijn dat hij mij niet heeft zien vertrekken. En we willen zeker niet dat hij weet dat u hier bent.'

'U hebt gelijk. Ik moet bekennen dat ik niet zo bedreven ben in dit soort intriges. U bent wel een heel moderne vrouw, nietwaar, miss Fortune?'

Ik antwoordde niet, maar ging hem voor naar mijn appartement. Ik deed de deur open en was teleurgesteld dat mijn briefje nog op dezelfde plek lag waar ik het had achtergelaten. Blijkbaar was Jack niet teruggekomen. Of Mary gebeld had, wist ik natuurlijk niet, maar meer had ik niet kunnen doen.

'Maak het uzelf gemakkelijk in de woonkamer. Ik kom zo bij u.'

Ik liep door naar de keuken en rammelde met wat potten en pannen, alsof ik koffie aan het zetten was. Uit mijn bestekla haalde ik het pistool tevoorschijn dat ik van de Rus had afgepakt. Ik ging terug naar de woonkamer en richtte het wapen op Clive. Mijn argwaan jegens hem bleek terecht, want zijn pistool was op mij gericht.

'Ach, miss Fortune. Je kwetst me. Wat heeft mij verraden?'

'Waarschijnlijk was je ooit een uitstekende oplichter, maar volgens mij heb je het verleerd.'

Hij leek diep beledigd. 'Leg dat eens uit.'

'Je legde het er te dik bovenop. "Ik ben niet zo bedreven in dit soort intriges..." Dat was ongeloofwaardig. Je was vergeten dat ik weet wat je beroep is. Ik voelde dat ik werd bedrogen.'

Hij keek teleurgesteld, maar hield mij nog altijd onder schot. 'Je weet wel hoe je een man zijn zelfvertrouwen moet ontnemen, zeg. Ik geef toe dat ik sinds het einde van de oorlog niet helemaal in vorm ben. Mensen hebben gewoon niet genoeg geld om er slordig mee om te springen, en het gaat slecht met de oplichterijbranche. Dus je werd achterdochtig en trok meteen maar je wapen? Dat is wel erg drastisch.'

Ik zette grote ogen op. 'Na alles wat ik deze week heb meegemaakt, leek me dat wel verstandig. En blijkbaar had ik gelijk.'

Hij knikte. 'Dan zitten we nu in een impasse. Jij hebt je pistool op mij gericht, het mijne mikt op jouw hart. Wie van ons laat als eerste zijn aandacht verslappen?'

'Ik moet je waarschuwen: wanneer ik met de dood bedreigd word, kan ik mijn aandacht er bijzonder goed bijhouden. Maar als je je wapen laat zakken, dan geldt nog steeds mijn eerdere aanbod. Bescherming van de FBI en niet de gevangenis in.' Het was heel vervelend dat hij mij doorhad. Allebei waren we duidelijk aan het bluffen: ik was niet van plan Clive neer te schieten, en als hij mij wilde doden, dan had hij het allang gedaan. Maar nu we onze wapens getrokken hadden, waren we in een patstelling beland.

'Een zeer royaal aanbod. Maar weet je, lieve kind, dan houd ik er nog steeds niets aan over. En dat is de kern van het probleem. Ik heb er een grote hekel aan om… hoe zal ik het zeggen? … platzak te zijn. Ik geef er verreweg de voorkeur aan een beetje gewicht in mijn zakken mee te dragen. Geld maakt het leven zo'n stuk leuker. En dus wacht ik op een beter aanbod.'

Ik richtte mijn pistool een beetje hoger. 'Je denkt toch hopelijk niet dat de Russen te vertrouwen zijn? Waarom zouden zij jou betalen voor het goud, als ze jou net zo gemakkelijk kunnen neerschieten en het van je kunnen afpakken?'

'Die mogelijkheid heb ik overwogen. En ik heb maatregelen getroffen om ervoor te zorgen dat ik degene ben die alle touwtjes in handen heeft.'

'Nee maar… Ik hoop voor jou dat je een goed plan hebt bedacht, aangezien dat het enige is wat kan voorkomen dat jij doodbloedt uit ontelbare schotwonden, zodra zij het goud in handen hebben.'

Hij sloeg zijn hand voor zijn mond en deed alsof hij geschokt naar adem hapte. 'Je hebt werkelijk een buitengewoon levendige fantasie, Allie. Mag ik je Allie noemen? Onze situatie vereist een wat informelere verstandhouding.'

'Ik heb altijd beweerd dat als je iemand onder schot houdt, je hem op zijn minst bij de voornaam moet kunnen noemen, Clive.'

Hij knikte naar me, alsof hij 'touché' wilde zeggen. 'Ik heb een plan, waarbij het goud naar iemand gaat die het wanhopig graag wil hebben, in ruil voor meer geld dan ik in mijn hele leven zou kunnen uitgeven. En dat is veel geld, aangezien ik van zins ben een dure smaak te ontwikkelen.'

'Wil je me ook de details van je geweldige plan uit de doeken doen? Zo te zien hoeven we geen van beiden ergens heen op dit moment. En nu we het er toch over hebben, waarom belde je mij op? Waarom ben je eigenlijk hier?'

'We hebben inderdaad wat tijd te overbruggen, dus waarom niet. Ik belde je omdat Mary me gevraagd had jou te bellen als ze om tien uur nog niet terug was. En wat het plan betreft, ik heb contact gezocht met de Russen en hun verteld dat ik het goud aan hen zal verkopen. Dan hoeven zij mijn broer geen vindersloon te betalen, en hun regering zal blij zijn. Ondertussen heeft Mary de Oost-Duitsers gesproken en heeft hun het goud beloofd. Beide partijen denken nu dat zij het goud zullen krijgen.'

'Aha... Ik begin nu de lekken te zien in je waterdichte plan. Vertel me eens wat meer over de maatregelen die ervoor gaan zorgen dat jouw hart blijft kloppen.'

'Ach, lieve kind, ik dacht dat je dat intussen zelf wel had uitgedokterd. Er is nog een derde geïnteresseerde koper! De Oost-Duitsers zullen ons geen kwaad doen totdat we het goud aan hen hebben gegeven. Ook de Russen zullen zich inhouden. We zullen met beide partijen een tijd en een plaats afspreken voor de overdracht, en terwijl zij daar op ons en het goud zitten te wachten, hebben wij ons al van de schat ontdaan voor een bedrag dat groot is genoeg is om jou te choqueren, en zijn wij op weg naar een plek waar niemand ons ooit zal vinden.'

Ik schudde mijn hoofd. 'Ik hoop voor je dat je gelijk hebt, want zij zullen hun zoektocht nooit opgeven. Nooit.' Even vroeg ik me af waar Jack was. Als hij nu terugkwam, zouden de kansen keren. Op dit moment zag het er niet best voor me uit.

'Je maakt je te veel zorgen. Zodra we het goud hebben afgestaan, trekken we ons terug uit het verhaal en zullen we nauwelijks gemist worden. Het is natuurlijk goed mogelijk dat we een manier vinden om de Russen en de Oost-Duitsers erop te wijzen wie de nieuwe eigenaar van het goud is. Vanaf dat moment is het niet langer ons probleem en is de aandacht niet meer op ons gevestigd.'

'Wie is die arme stakker die de fout heeft begaan met slangen zoals jullie zaken te doen?'

Hij lachte. 'Dat is nog het mooiste van alles. Hij is de enige persoon die mij goed kent en mij desondanks voortdurend onderschat.'

Het begon me te dagen. 'Nigel.' Ik haalde diep adem. 'Dat zou jij je eigen broer aandoen?'

Zijn ogen versmalden tot spleetjes en voor het eerst tijdens ons gesprek leek hij echt boos. 'Wees niet zo naïef. Hij heeft al geprobeerd mij aan de Russen te verraden, en ik weet zeker dat in zijn scenario dit spel ook eindigt met mijn dood. Jammer genoeg voor hem weet hij niet dat ik me van alle kanten heb ingedekt.'

Ik zuchtte, verbijsterd dat er zulk verraad tussen broers mogelijk was. 'Hij heeft toch zeker niet genoeg geld om zoiets te kopen?'

'O nee, natuurlijk niet. Hij zou het eenvoudigweg namens iemand anders kopen. Als tussenpersoon. Maar dat maakt de Russen en de Oost-Duitsers niets uit.'

'Waarom zou hij het dan riskeren? Uiteindelijk komen ze allemaal achter hem aan.'

Clive schudde zijn hoofd, alsof hij teleurgesteld was dat ik het niet begreep. 'Aan elk voorstel kleven risico's. Hij vindt dat in dit geval het geldelijke gewin opweegt tegen het gevaar.'

Ik schudde mijn hoofd. Mensen deden de gekste dingen voor geld. 'En wat nu?'

'We wachten totdat een van ons het wapen laat vallen. Of we wachten totdat Mary hier komt en jouw geluk je in de steek laat.'

'Mary?'

'Ze moest nog een paar laatste zaken regelen en daarna zou ze hierheen komen. Dus in feite heb je deze strijd al verloren; het is slechts een kwestie van tijd.'

'Ze was dus nooit van plan zichzelf aan te geven vanmorgen; dat was gewoon een soort lokkertje?'

'Precies. Kijk, daar zijn wij nou goed in. Het is onze gave: kansen berekenen, voorspellen hoe mensen in bepaalde omstandigheden zullen reageren, een uitgebreide zwendel opzetten...'

'Nu we toch in een mededeelzame bui zijn, vertel me eens hoe je het goud te pakken hebt gekregen. Ik heb al aardig wat onderzoek gedaan, maar dat is één ding waar ik zonder jouw hulp niet achterkom.'

Hij glimlachte fijntjes, alsof hij zich een bijzonder aangename droom herinnerde. 'Het moest gewoon zo zijn. Ik heb er geen andere verklaring voor. Door een wonderlijke samenloop van omstandigheden zat ik met een groep Britse soldaten in Berlijn, toen de oorlog ten einde liep.'

Ik viel hem in de rede. 'Wat bedoel je met "wonderlijk"?'

'Ik raakte mijn eenheid kwijt toen die hevig onder vuur lag, en op de een of andere manier kwam ik in Berlijn terecht. Maar dat is voor het verhaal niet van belang.'

'Waarschijnlijk bedoel je te zeggen dat je deserteerde toen jouw eenheid moest vechten,' mompelde ik.

Clive wierp me een kwade blik toe, maar ging verder met zijn verhaal. 'Hoe dan ook, ik zat in Berlijn en de Duitsers hadden zich eindelijk overgegeven. Op straat heerste wetteloosheid. Ik kon gemakkelijk rondlopen zonder op te vallen. Het leek wel oogsttijd in een boomgaard: ik hoefde alleen maar de kersen van de laaghangende takken te plukken. Niemand wist wat er gaande was, overal lagen waardevolle spullen, en er was zogezegd niemand die op de winkel paste. Dus heb ik mezelf bediend. Een beetje geld hier, wat juwelen daar – alles wat maar waardevol was en in mijn zakken paste. Ik nam vooral dingen mee die men voorlopig niet zou missen.

Toen lachte het geluk mij toe. Ik kwam toevallig langs de dierentuin en zag een heleboel Russische soldaten die kisten en dozen uit een bunker tevoorschijn haalden en op een vrachtwagen laadden. Nu had ik tijdens mijn verblijf in Berlijn één ding geleerd: waar Russische soldaten zijn, zijn ook kostbaarheden. Ze hadden rechtstreekse bevelen van hun commandanten om alles wat waardevol was in beslag te nemen, in te laden en naar de Sovjet-Unie te sturen. Dus ik concludeerde dat als de Russen daar waren, er ongetwijfeld iets buit viel te maken.'

Hij wachtte even. 'Sommige mannen brachten de kisten uit de bunker naar boven, en anderen stapelden ze op de vrachtwagens. Er moeten meer mannen bezig zijn geweest met de boel naar buiten brengen dan met opladen, want er stond een grote stapel kisten te wachten om in de vrachtwagens gehesen te worden. Ik koos gewoon een kleinere, handzame kist uit en liep ermee weg. Niemand heeft er iets van gemerkt. Pas toen ik heel ver weg was, maakte ik hem open, en ik moet bekennen dat ik in eerste instantie nogal teleurgesteld was. Er zaten een stuk of tien gouden sieraden in. Ze waren niet bijzonder mooi, en eerlijk gezegd heb ik lange tijd gedacht dat ik met deze kist een slechte keus had gemaakt. Desalniettemin ben ik iemand die graag op de toekomst is voorbereid, dus ik zei tegen mezelf dat het goud goed van pas zou komen als ik weer thuis was. Ik borg de voorwerpen op in mijn plunjezak en droeg ze bij me totdat ik terug was in Engeland.

Je moet weten dat Amerikaanse soldaten zulke zaken niet naar huis mochten meenemen, dus ik bedacht een plan. Ik besloot een kluisje te huren bij een bank in Londen, daarin het goud op te slaan en er later in m'n eentje voor terug te komen, zodra ik de kans zou krijgen. Zo gezegd, zo gedaan. Ik had werkelijk geen idee hoeveel die dingen waard waren, totdat onze dierbare overleden Robert bijna flauwviel toen hij ze zag.'

Ik schudde ongelovig mijn hoofd. Het hele verhaal was bijna te mooi om waar te zijn. 'Nog één laatste vraag.'

'Zeg het eens, kind. Wij hebben nu geen geheimen meer voor elkaar.'

'Waarom heb je zo lang gewacht om het goud terug te halen? Dat vraag ik me de hele tijd al af. Waarom nu?'

'Goede vraag. Zie je, we zaten een beetje krap bij kas sinds ik van het front was thuisgekomen, en we hadden eigenlijk geen geld voor een reisje naar Europa. Maar ongeveer twee maanden geleden kreeg ik bericht dat de huurtermijn van mijn kluisje bijna verlopen was. Toen realiseerde ik me dat het tijd werd om mijn kleine oorlogssouvenirs op te halen.'

Ik zuchtte, en richtte mijn pistool een beetje hoger. Mijn arm begon zeer te doen, maar ik deed mijn best het te negeren.

De moed zonk me in de schoenen toen er op de voordeur werd geklopt, gevolgd door het geluid van de deur die openging. Clive lachte triomfantelijk. 'Hoe boeiend dit gesprek ook was, ik ben bang dat er nu toch een einde aan komt. Mijn lieve Mary is gekomen, en nu is het twee wapens tegen een. Maar ik beloof je, uit respect voor jou, dat ik je dood zo pijnloos mogelijk zal maken.'

Terwijl ik zorgde dat mijn pistool goed gericht bleef, draaide ik mijn hoofd een beetje om, net ver genoeg om te zien dat de deur op een kiertje openging.

Hoofdstuk 32

31 december 1939

Oudejaarsavond. De overgang naar een nieuw decennium; een decennium waarin ons oorlog en ellende te wachten stond, dankzij de inval van Duitsland in Polen. Ik probeerde de deprimerende gedachten uit mijn hoofd te zetten en me te vermaken. Twee schoolvriendinnen hadden me meegesleept naar een feest, omdat ze vonden dat ik deze avond niet in mijn eentje thuis mocht zitten. Ik had helemaal geen zin om de jaarwisseling door te brengen in een enorme zaal vol harde muziek, dronken gelach en sigarettenrook, maar ik wilde ook niet de hele nacht alleen thuis zijn. Dus deed ik voor mijn vriendinnen mijn best om vrolijk te lijken.

Een paar maanden eerder had ik een appartement gevonden en was ik op mezelf gaan wonen, ook al vond mijn moeder dat hoogst ongepast. Ik woonde boven het kantoor van een privédetective en kreeg een baan als zijn secretaresse en rechterhand. Mijn administratieve taken waren vreselijk saai, maar de zaken waar hij aan werkte, fascineerden me.

Ik zat in mijn eentje aan onze tafel met mijn rug tegen de muur. Ik had iedereen afgewimpeld die me ten dans vroeg, en vermaakte me met de capriolen van de andere feestgangers. Ik wierp een blik op de klok en zag tot mijn opluchting dat het al bijna half twaalf was. Wanneer het aftellen naar het nieuwe jaar eenmaal achter de rug was, wilde ik er ongemerkt tussenuit knijpen en een taxi naar huis nemen. Blij met dat vooruitzicht keek ik de zaal rond, speurend naar mijn vriendinnen. Opeens zag ik een bekende gedaante in de schaduw staan en mijn hart sloeg over. Ik wendde mijn ogen af en riep mezelf tot de orde. Dit was al een poos niet meer gebeurd. Maandenlang meende ik hem overal waar ik kwam te zien, maar uiteindelijk had ik mij ervan overtuigd dat David voorgoed uit mijn leven verdwenen was. Ik zocht nogmaals naar de gedaante die ik had zien staan, vastbesloten om mezelf te bewijzen dat ik het me slechts verbeeld had, maar hij was verdwenen. Ik haalde diep adem en besloot een luchtje te scheppen.

Ik baande me een weg naar de voorzijde van het gebouw, alle tafeltjes en dansende mensen omzeilend. Hoe dichter ik bij de ingang kwam, hoe meer ik de buitenlucht als het ware al kon voelen. Zodra ik de deur geopend had, zoog ik mijn longen vol met de tintelend frisse lucht. Ik had me de hele avond nog niet zo voldaan gevoeld.

Ik keek uit op de straat en vroeg me af of ik niet beter nu al een taxi kon aanhouden, voor de middernachtelijke drukte. Vanuit mijn ooghoek zag ik iets bewegen. Ik draaide me om en hapte naar adem toen ik zag wie daar stond.

David. Ik had het me niet verbeeld.

Hij stond ongeveer drie meter bij mij vandaan en keek me aan met een ondoorgrondelijke uitdrukking op zijn gezicht. We zwegen allebei. Zijn haar was iets langer dan de vorige keer dat ik hem had gezien; het viel over zijn voorhoofd. Hij zag er ook veel gezonder uit. Hij was gekleed in het zwart en zijn ogen lachten niet. 'Ik zag je binnen zitten. Ik dacht dat ik maar beter kon vertrekken, voordat je mij zou zien.'

Ik was de schok van ons weerzien nog niet te boven en voelde me niet op mijn gemak; ook hij was duidelijk met de situatie verlegen. 'Je hoeft niet weg te gaan. Ik was toch al van plan een taxi naar huis te nemen.'

Hij trok verbaasd zijn wenkbrauwen op. 'Wil je al voor middernacht naar huis?'

'Ik ben niet zo dol op feestjes. Eigenlijk wilde ik hier helemaal niet naartoe. Ik was vanavond liever thuisgebleven.'

'Maar je vriend wilde naar dit feest?' Zijn toon verried niets.

Ik kon nauwelijks bevatten dat ik zo met hem stond te praten. Alsof we toevallige kennissen waren. 'Nee, ik ben met een paar vriendinnen gekomen. En jij? Ben jij hier met een meisje?' Even sloot ik mijn ogen. Niet te geloven dat ik dat had gevraagd. Het was ook zo onwerkelijk om samen met hem hier te staan, buiten voor de deur van de feestzaal.

'Nee. Ik ben hier in mijn eentje. Morgenochtend ga ik op reis, en ik wilde mijn laatste avond in de Verenigde Staten niet alleen doorbrengen.'

Ik wilde het niet vragen. Ik hoefde niet te weten waar hij heen ging, ik wilde niets weten over zijn leven. Dus staarde ik naar de straat en de voorbijkomende auto's.

Lange tijd was het stil.

'Waar ga je morgen naartoe?' Ik kon er niets aan doen. De vraag bleef net zo lang op mijn tong branden tot ik hem stelde. Vanuit mijn ooghoek keek ik naar hem.

'Frankrijk.'

De schrik sloeg me om het hart. Heel Europa hield de adem in vanwege Duitsland met zijn wapengekletter en dreiging naar alle kanten. Ondanks alles wat ik van David wist, wilde ik niet dat hij daar zou zijn, midden in die onrust. Op de een of andere manier wist ik dat hij er middenin zou zitten.

Vanuit het gebouw klonk gejuich. Ik realiseerde me dat het waarschijnlijk nog maar enkele minuten voor het begin van het nieuwe jaar was.

'Alexandra, ik zou dit niet eens moeten vragen, maar wil je met mij dansen?'

Ik aarzelde.

'Het spijt me. Ik weet dat het niet goed is. Ik hoopte alleen dat we het verleden heel even konden laten rusten.'

Er woedde een hevige strijd in mij. Ik wilde niets liever dan de schijn ophouden dat alles normaal was. Ik draaide me naar hem toe. 'Laten we doen alsof we elkaar net hebben ontmoet. Twee onbekenden op een feestje. Waarschijnlijk zien we elkaar na vanavond nooit meer.' Ik had mijn antwoord er spontaan uitgeflapt, en het speet me niet.

We gingen terug naar binnen. Ditmaal leek de muziek niet zo hard, de rook niet zo dik. Ditmaal wilde ik nergens ter wereld liever zijn dan op deze plek. Hier en nu. Hij leidde me de overvolle dansvloer op. De band speelde een langzaam nummer; overal om ons heen bewogen dansparen op de maat van de muziek. Hij reikte mij zijn hand en wachtte op mijn beslissing. Ik legde mijn hand in de zijne, en hij trok me naar zich toe. Ik hield mijn adem in. Dansen met David Rubeneski. Ook al had ik het zelf voorgesteld, ik kon niet doen alsof ik hem net had ontmoet. Integendeel, ik was er mij sterk van bewust dat ik werd vastgehouden door de eerste en enige man die ik ooit had liefgehad. Hij hield me voorzichtig vast, één hand verstrengeld met de mijne en één hand rustend op mijn zij. Mijn andere hand lag op zijn schouder.

Een ander paar botste tegen mij op, waardoor ik dichter tegen hem aan werd geduwd. Ik zag hoe hij zijn ogen sloot. Hij boog zijn hoofd en fluisterde mijn naam in mijn oor. Ik weet niet eens hoe ik hem kon verstaan, boven alle muziek en gelach rondom ons uit.

Mijn adem stokte, en even wilde ik hem ontvluchten. Hij leek te voelen dat ik opeens gespannen werd. 'Ga alsjeblieft nog niet weg. Laten we gewoon deze dans afmaken.' Het was niet meer dan een fluistering, maar zijn stem bij mijn oor nam al mijn weerstand weg.

Hij ging verder, alsof hij tegen zichzelf sprak. 'Je moest eens weten hoe graag ik zou willen dat alles anders was gelopen, dat ik het je had kunnen uitleggen. Ik heb echt geprobeerd om bij je weg te blijven, maar ik kon het niet. En toen heb ik precies datgene gedaan waarvan ik mezelf had beloofd dat ik het nooit zou doen. Ik deed je pijn.'

De band was aan een ander nummer begonnen, maar ik kon mezelf niet van hem losmaken.

'In gedachten heb ik elke minuut die ik ooit met jou heb doorgebracht, al wel duizend keer opnieuw beleefd. Sinds ik je voor het laatst heb gezien, is er geen nacht voorbijgegaan waarin ik niet over jou heb gedroomd. En in elke droom pak ik het anders aan, probeer ik de afloop te veranderen, probeer ik het goed te maken – maar het helpt allemaal niets. Elke keer raak ik je kwijt. En wanneer ik dan wakker word, houd ik nog steeds van jou.'

Mijn hart bonkte zo hard dat het een gat in mijn borstkas leek te slaan. Ik dwong mezelf diep adem te halen. 'Het doet er niet toe hoe jij je voelt, of hoe ik me voel. Ik kan niet vergeten wat er gebeurd is en wie jij werkelijk bent.'

Hij snakte naar adem, alsof ik hem een stomp in de maag had gegeven. Hij boog zijn hoofd, zodat onze voorhoofden elkaar raakten. 'Ik wou dat ik je het kon laten begrijpen. Kon je mij maar vertrouwen – dat zou me alles waard zijn.'

Ik kreeg geen kans om te antwoorden, omdat om ons heen een gejuich losbarstte. Terwijl de menigte feestvierders begon af te tellen, voelde ik me verward.

Tien.

Ik probeerde mijn hand los te trekken uit die van David, maar hij hield mijn vingers nog steviger vast.

Negen.

Acht.

De tranen brandden in mijn ogen. Ik nam mijn hand van zijn schouder om ze weg te vegen.

Zeven.

Zes.

Vijf.

Ik gaf het op en plaatste mijn hand weer op zijn schouder, genietend van zijn kracht en warmte.

Vier.

Drie.

Twee.

Dit was het moment, dat ene moment waarop alles anders kon zijn. Ik legde mijn hand in zijn nek en fluisterde in zijn oor: 'Ik ben jou ook nooit vergeten.'

Eén.

Overal om ons heen barstte men uit in een uitzinnig gejuich van 'Gelukkig Nieuwjaar!', maar ik merkte het nauwelijks. Het enige dat ik zag, was de glans in Davids ogen toen hij zich naar mij toe boog om me te kussen.

Ik haalde diep adem en bereidde me voor op het onvermijdelijke. De deur ging open. Toen kwam tot mijn grote verrassing Jack het appartement binnen. Hij zag mij en schrok, maar vrijwel meteen ging zijn hand naar zijn holster. Hij trok zijn pistool en richtte het op Clive. Ik keek de man die mij bijna een uur lang onder schot had gehouden weer aan en moest bijna lachen om de geschokte uitdrukking op zijn gezicht.

'Wat is hier aan de hand?' Jack keek me niet aan, maar hield zijn ogen strak op Clive gericht.

'Jack, mag ik je voorstellen aan Clive Gordon. Clive, dit is Jack O'Connor, de FBI-agent die het onderzoek naar het goud van Helena leidt. Volgens mij ben ik nu in het voordeel.' Ik liet mijn pistool zakken om mijn arm te ontlasten; toen nam ik het wapen in mijn andere hand en richtte het weer op Clives hart.

'Aha. Een onfortuinlijke wending, nietwaar?'

'Niet voor mij.' Ik klonk bijna vrolijk.

'Nee, wellicht niet. Maar helaas ben ik nog niet bereid mezelf aan de FBI over te geven, dus tenzij jullie van plan zijn me neer te schieten, is de situatie nog niet werkelijk veranderd, vrees ik.'

Jack kneep zijn ogen tot spleetjes. 'Vertel me eens wat er hier gaande is, Allie.'

Ik zocht naar een manier om het hele verhaal samen te vatten. 'Het was nooit de bedoeling van Clive en Mary om het goud aan de FBI over te dragen. Ze hebben mij vanmorgen gebruikt om erachter te komen wat de FBI weet en hoe dicht zij hen op de hielen zitten. Ze hebben het goud toegezegd aan zowel de Russen als de Oost-Duitsers, en het idee is om het aan geen van beide partijen te geven. Clive belde me op en vertelde me dat hij gebruik wilde maken van de bescherming van de FBI, dus ben ik naar hem toe gegaan, maar zoals je ziet, ben ik er inmiddels achtergekomen dat hij geen goede bedoelingen had. Hij verwachtte Mary te zien binnenkomen in plaats van jou, en hij was van plan mij te doden zodra zij in de meerderheid zouden zijn.' Ik keek Clive aan. 'Hoe heb ik het er vanaf gebracht?'

'Je hebt een ingewikkelde situatie voortreffelijk samengevat, meissie.'

Jack keek van mij naar Clive en schudde vol afschuw zijn hoofd. 'Dit zal ik later nog wel eens ontcijferen. Nu ga ik jou eerst in hechtenis nemen, voor je eigen veiligheid.' Hij graaide in zijn jas, vermoedelijk om zijn handboeien te pakken, maar zijn hand kwam leeg weer tevoorschijn.

Ik zuchtte. 'Die heb je bij de Russen gebruikt. Laat me raden: je hebt nog geen kans gezien ze te vervangen?'

'Inderdaad.'

'Nou, er ligt een rol dik touw in de gangkast, als je daar iets aan hebt.'

Jack knikte. 'Houd jij hem even onder schot?'

Ik antwoordde niet, maar richtte mijn pistool een paar centimeter hoger zodat het iets essentieels zou raken als het afging.

Jack ging de kamer uit en ik hoorde de kastdeur opengaan. Ik meende een ander geluid achter mij te horen, maar toen het verder stil bleef, zette ik het uit mijn hoofd. Jack was met veel gestommel in de kast op zoek naar het beloofde touw. Ik probeerde me de kast voor de geest te halen. 'Derde plank, links, achter de naaidoos.'

Even was het stil. 'Derde van boven of derde van onderen?'

Ik zuchtte – en hapte naar adem toen ik koud staal tegen mijn nek voelde.

'Het spijt me dat ik deze schatgraverij moet onderbreken, maar het is hoog tijd dat Clive en ik ervandoor gaan.' Het was Mary's stem die ik achter me hoorde; ik durfde me niet om te draaien om haar aan te kijken.

'Jack!' Het was mijn bedoeling hem luidkeels te roepen, maar het kwam eruit als een schor gefluister. Desondanks kwam hij direct aangerend. Toen hij de situatie zag, stond hij onmiddellijk stil. Mary greep mijn haar met haar vrije hand en trok me dichter tegen zich aan. 'Leg je pistool neer, anders schiet ik.'

Jack liet zijn arm niet zakken; zijn wapen bleef naar Mary's hoofd wijzen. Helaas had Clive nu zijn pistool op Jack gericht, en ik was het mijne van schrik kwijtgeraakt toen Mary ten tonele verscheen.

'Tjonge, de kansen kunnen hier wel snel keren, hè?' constateerde Clive, joviaal als altijd.

Achter mij trok Mary hard aan mijn haar, waardoor de tranen mij in de ogen sprongen. 'Ik zei: laat je wapen vallen. Ik heb deze jongedame nooit zo gemogen, en ik heb er echt geen moeite mee om een gat in haar te boren. De keus is aan jou. Maar houd jezelf niet voor de gek door te denken dat ik toch niet zal schieten.'

Een paar tellen lang bewoog Jack zijn pistool niet; toen stak hij zijn handen in de lucht, als teken van overgave.

'Leg je pistool neer en schop het naar mij toe,' beval Mary, terwijl Clive toekeek alsof hij van een heel goede voorstelling aan het genieten was. Jack deed wat ze vroeg, en ik probeerde zo min mogelijk te bewegen. Zodra Mary Jacks pistool in handen had, trok ze weer aan mijn haar. 'Jij gaat met ons mee. Met een gijzelaar verloopt alles een stuk soepeler. Zo kunnen we op z'n minst voorkomen dat Jack ons in de rug schiet.'

Clive haastte zich naar zijn vrouw toe. 'Zoals altijd kwam je precies op het juiste moment, lieverd.'

'Ach, houd toch je mond, Clive.'

Hij leek niet bepaald beledigd door het bitse antwoord. Hij ging haar gewoon voor naar de deur. Mary volgde hem, achteruitlopend met mij als een schild voor zich. Jack keek machteloos toe, een storm van frustratie in zijn ogen.

Zwijgend manoeuvreerde Mary ons naar de voordeur. Ze duwde me naar buiten en sloeg de deur met een klap achter zich dicht. Toen richtte ze haar pistool op mijn hoofd. 'Als je in leven wilt blijven, dan zorg je dat je mij niet voor de voeten loopt, niet ophoudt en niet ergert.' Vervolgens gaf ze me een harde zet tegen mijn rug. Ik wankelde de trap af en moest moeite doen om niet naar beneden te vallen. Op de begane grond aangekomen, drukte ze haar pistool tegen mijn ruggengraat en dreef me naar buiten, naar de auto die met stationair lopende motor klaarstond.

Hoofdstuk 33

Mary duwde me de auto in, dwong me door te schuiven, en kwam naast me zitten. Zodra ze het portier gesloten had, trapte Clive op het gaspedaal en de auto scheurde weg.

'Ik wil natuurlijk geen kritiek leveren op deze goede afloop, maar waar blééf je toch, lieverd? Het begon daarbinnen een beetje ongemakkelijk te worden. Ik vroeg me al af of ik de nacht niet in de gevangenis zou moeten doorbrengen.'

'Het zat me onderweg een beetje tegen. Dat doet er verder niet toe; we moeten nu zorgen dat we bij het schip komen.'

Clive richtte zijn aandacht op het verkeer. Niemand zei iets. Mary hield me goed in de gaten; het was dus geen optie haar te overmeesteren en het pistool afhandig te maken. In plaats daarvan dacht ik over mijn situatie na. 'Schip' betekende waarschijnlijk dat we op weg waren naar de haven van New York. Ik wist niet hoe dat gegeven me zou kunnen helpen; toch kon ik maar beter overal op voorbereid zijn. Ik wist dat Jack zo gauw mogelijk een team van FBI-agenten eropuit zou sturen om mij op te sporen, maar de stad was groot en hij had geen idee waar hij met zoeken moest beginnen. Desalniettemin was hij naar mij op zoek, en die gedachte gaf me hoop.

Achter het stuur zat Clive een vrolijk deuntje te fluiten. Die man was werkelijk ongelofelijk. In zijn wereld scheen elke dag de zon.

Ik leunde achterover en sloot mijn ogen. Omdat ik niet goed wist wat ik moest bidden, hield ik het bij een eenvoudig *God, help me alstublieft*. Ik liet de verdere uitwerking aan Hem over. Hij zou hoe dan ook een beter plan hebben dan ik.

Zigzaggend reden we de stad door; de auto baande zich een weg door het verkeer. Opeens schoot me iets te binnen en ik moest me inhouden om niet rechtop te gaan zitten en achterom te kijken. De Oost-Duitsers – of ten minste één van hen – hadden bij mijn huis op de uitkijk gestaan. Het lag dus voor de hand dat zij Mary naar binnen hadden zien gaan en ons even later gedrieën naar buiten hadden zien komen. Waarschijnlijk bevonden ze zich nu ergens achter ons en volgden ze ons op onze route door de stad. Ik wist niet of dat voor mij persoonlijk goed of slecht was, maar het was in elk geval slecht nieuws voor Clive en Mary, die met deze mogelijkheid geen rekening hadden gehouden. Als Mary met de Oost-Duitsers afspraken had gemaakt en had verteld dat ze hun het goud zou verkopen, dan waren zij blijkbaar niet bereid haar op haar woord te geloven.

'Wel, lieve schat, wat zijn onze plannen?' Clive hield op met fluiten, maar minderde geen vaart; hij bleef in oostelijke richting rijden.

Mary rolde met haar ogen. Blijkbaar had ook zij schoon genoeg van Clives niet-aflatende goede humeur. 'Jij hebt vanavond om negen uur een afspraak met de Russen, ik heb om negen uur een afspraak met de Oost-Duitsers. Vanmiddag om drie uur geven we Nigel het goud en vangen we ons geld. Om half drie beginnen ze op ons schip met inschepen en we varen om vier uur uit. We zijn al lang en breed vertrokken voordat ook maar iemand in de gaten heeft dat we weg zijn. Ik heb geregeld dat er een briefje wordt bezorgd bij de Russen en de Oost-Duitsers, om ze erop te wijzen wie het goud heeft. Ik denk dat we dan wel voorgoed verlost zijn van het probleem dat er mensen achter ons aan zitten.'

Clive lachte. 'Perfect. Konden we het maar zien gebeuren. Dat zou nog mooier zijn. Ach ja, je kunt nu eenmaal niet alles hebben.'

We naderden ons doel; ik rook de zeelucht. 'Waar hebben jullie mij dan voor nodig? Waarom laat je me niet gaan? Voordat ik iets kan doen om jullie tegen te houden, zijn jullie al verdwenen.'

Mary schudde haar hoofd. 'Je doet er verstandig aan je mond te houden. Vergeet niet wat ik heb gezegd over mij ergeren.' Ze zwaaide met het pistool, en ik liet de kwestie rusten.

'Lieverd, je zult me even de weg moeten wijzen. Er liggen veel bootjes in de haven van New York.'

'*Schepen*. Het zijn *schepen*. Het onze heet de *Cassiopeia*. Je moet na deze bocht de eerste weg links nemen, en dan helemaal tot het eind doorrijden. Daarvandaan moeten we lopen.'

Clive vond een plekje om te parkeren en zette de motor uit. Mary trok me aan mijn elleboog de auto uit. Er waren hier niet veel mensen; en de paar zielen die er rondliepen, waren zo ver weg dat ze me waarschijnlijk toch niet konden horen als ik zou schreeuwen. Ingeklemd tussen Clive en Mary werd ik gedwongen door te lopen. Ik voelde me alsof ik door piraten geshanghaaid werd.

'Glimlach en doe alsof je hier graag wilt zijn. We zijn lekker een dagje uit aan het water. Geef me geen reden om je neer te schieten.' Mary's barse dreigementen kende ik zo langzamerhand wel, maar aangezien ik nog geen vastomlijnd plan had, sputterde ik niet tegen.

De *Cassiopeia* was een vrij klein schip, vergeleken bij de enorme passagiersschepen die ik ook had gezien. Vermoedelijk was het een vrachtschip dat een aantal passagiers meenam om wat bij te verdienen. De loopplank lag uit; Clive en Mary dwongen me het schip in te gaan. Mary leek te weten waar we heen moesten. Ze bracht ons bij een doorgang die naar beneden, naar het ruim van het schip, voerde. Toen haalde ze haar pistool weer tevoorschijn, liet ze Clive als eerste naar beneden klimmen, en gebaarde mij dat ik haar moest voorgaan. 'Zorg dat ze geen stap te veel zet, Clive.'

Mary volgde me op de hielen. Beneden aangekomen kon ik met geen mogelijkheid ontsnappen. Ik onderdrukte een zucht van teleurstelling en herinnerde mezelf eraan dat er zich vanzelf een kans zou voordoen. Ik moest gewoon zorgen dat ik er klaar voor was.

Mary leidde ons door een lange gang. Ze hield halt voor een deur die er precies zo uitzag als alle andere deuren; ik had geen idee hoe ze kon weten dat dit de juiste was. Maar de sleutel in haar hand paste in het slot, dus het moest wel kloppen.

De deur zwaaide open en we zagen een benauwde hut, die even sober als lelijk was ingericht. Er was een bed, een wastafel onder een vlekkerige spiegel zonder lijst, en een kleine patrijspoort. Het enige voorwerp in de ruimte dat er niet in thuis leek, was een donkerblauwe hutkoffer met een koperen slot die aan het voeteneinde van het bed stond.

'Ga op het bed zitten en verroer je niet.' Mary keek me niet aan en schonk me verder geen aandacht. Ze wendde zich tot Clive en begon met hem te praten. 'Ik heb onze koffer vast hierheen gebracht. Ik moest een van de matrozen omkopen om al op het schip te mogen komen, maar het scheelt ons straks veel tijd. We komen hier pas terug vlak voordat het schip afvaart, en dan willen we niet meer hoeven worstelen met onze spullen om alles op tijd aan boord te krijgen.'

Clive lachte naar haar. 'Jij bent een briljante vrouw die alles tot in detail in de gaten houdt. Ik zou me geen betere echtgenote kunnen wensen.' Hij gaf haar een kus. Ik wilde opspringen en hem toeroepen dat ze iemand gegijzeld had, dat ze haar zwager wilde belazeren en laten vermoorden, en dat ze een berucht crimineel was; maar ik vermoedde dat Clive daarover zijn schouders zou ophalen.

Hij hield zijn arm nog even om haar heen geslagen. 'Eerlijk gezegd zou ik het goud nog graag een keertje willen zien, voordat we het uit handen geven. Waar heb je het opgeborgen?'

Eén ogenblik reageerde Mary niet op zijn vraag; toen wees ze naar de hutkoffer.

'Ah... nog één keer kijken, en dan komt er een eind aan deze interessante, zij het enigszins paniekerige periode in ons leven.' Hij maakte het slot open en tilde het deksel op. Boven in de hutkoffer lagen stapels kleren; meer kon ik vanaf mijn plekje op het bed niet zien. Clive begon te graven. 'Je kunt je zeker niet meer herinneren wáár ze precies zitten?'

'Helemaal onderin.' Mary kwam een stap dichterbij en keek over zijn schouder.

'Ach, natuurlijk. Dat zul je altijd zien.' Clive bleef schuiven en graven. Ik realiseerde me dat geen van beiden op mij lette; Mary leek vooral geïnteresseerd in Clives zoektocht. Ik ging alvast wat verzitten en bereidde me erop voor om in actie te komen. De kans dat ik uit deze kamer zou kunnen ontsnappen was niet zo groot, maar de gelegenheid zou zich zeker voordoen – en dan zou ik er klaar voor zijn.

'Ik kan het nog niet vinden. Wil jij eens kijken, Mary?' Clive porde nog één keer in de hutkoffer en kwam toen overeind. Mary deed een stap achteruit, hief haar pistool omhoog en haalde ermee uit, met veel meer kracht dan ik ooit had verwacht van zo'n kleine vrouw. Het metaal sloeg tegen zijn schedel met een doffe dreun die mij ineen deed krimpen. Eén ogenblik sperde Clive zijn ogen wijd open; toen gingen ze langzaam dicht, terwijl hij voorover op de grond viel. Mary stapte achteruit, keek even naar hem en toen naar mij.

Ik zat verlamd van schrik op het bed. Zelfs als de deur wagenwijd open was gegaan en er een routekaart naar de vrijheid in mijn handen was geduwd, had ik me nog met geen mogelijkheid kunnen verroeren.

'De plannen zijn veranderd. We gaan ervandoor.'

'Wat ben je toch aan het doen? Mens, ben je dan aan helemaal *niemand* trouw? En ik dacht nog wel dat Nigel de overloper met grootheidswaanzin was.' Opeens viel me iets in. 'Je speelt toch niet onder één hoedje met Nigel, hè?'

Mary's gezicht vertrok van afkeer. 'Natuurlijk niet...' Haar stem stierf weg. 'Doet er ook niet toe. Jij bent alleen maar de gijzelaar, ik hoef mezelf tegenover jou niet te verantwoorden.'

'Nou, ik hoop maar dat je weet wat je doet, want die man zal laaiend zijn als hij straks wakker wordt.'

Mary schudde haar hoofd. 'Maakt niet uit. Tegen de tijd dat hij wakker wordt, is hij al onderweg naar Afrika. En als ik vervolgens in Afrika aankom met handenvol geld, zal hij het me heus wel vergeven.' Ze boog zich over Clives uitgestrekte lichaam en haalde iets uit zijn zak. De autosleutels. 'Goed, we gaan. Jouw leven is bijzonder weinig waard, dus houd je gedeisd, praat niet met me en doe geen domme dingen.'

Ik was met stomheid geslagen. Verbijsterd dat echtgenoten en familieleden elkaar zó konden verraden, liep ik de hut uit. Mary volgde me en sloot de deur achter ons. We verlieten het schip over de loopplank en gingen naar de auto. Ditmaal gebaarde Mary dat ik moest rijden. Ze wierp me de sleutels toe; automatisch stapte ik in en startte ik de motor.

'Rij terug naar de stad. Als we dichterbij zijn, zal ik je zeggen waar ik naartoe wil.' Ik antwoordde niet, maar zette de auto in z'n achteruit en keerde terug naar de hoofdweg.

Ik probeerde mijn uiteindelijke doel voor ogen te houden. Ontsnappen aan Mary was niet het streven; nee, ik moest haar volgen naar het goud en een manier vinden om dat aan de FBI over te dragen. Alleen dan zou deze zaak voor mij een goede afloop hebben. Dat moest ik mezelf goed inprenten. Inmiddels betwijfelde ik of Mary me wel echt zou neerschieten, en dat zou ze zeker niet doen terwijl ik aan het rijden was. Daarom haalde ik diep adem en dwong mezelf te ontspannen. Mary mocht dan het pistool in handen hebben, ik zat aan het stuur van dit brok staal van negenhonderd kilo waarin we ons allebei bevonden.

'Denk je nou werkelijk dat je dit spelletje kunt winnen? Je verraadt iedereen, bedriegt iedereen, en gaat er met het goud vandoor. Je bent toch niet zo naïef om te denken dat het zó eenvoudig is?'

Ze kneep haar vlammende ogen tot spleetjes. 'Je weet niet waar je het over hebt. Ik probeer alleen maar te overleven. Clive is de man van de grootse ondernemingen. Hij wilde iedereen verslaan met zijn tactieken en intriges en ideeën. Ik denk dat hij in dit hele complot vooral genoot van het feit dat hij het uiteindelijk van zijn broer zou winnen. Clive is degene die naïef is. Hij liet zich zo meeslepen door z'n plannetjes dat hij ervan overtuigd raakte dat er niets kon misgaan. Zo gaat het nu altijd. Hij zet een zwendel op en bedenkt allerlei wilde plannen, maar hij ziet niet in dat mensen niet altijd reageren op de manier die hij verwacht. En dan ben ik elke keer degene die de rommel achter hem moet opruimen. Ik zou niet weten hoe vaak ik die man al uit de gevangenis en in leven gehouden heb.'

'Je wilt dus eigenlijk zeggen dat je Clive bewusteloos hebt geslagen en hem hebt achtergelaten op een schip richting Afrika, om hem te beschermen?' Het ongeloof klonk luid en duidelijk door in mijn stem.

'Dat kun jij natuurlijk niet begrijpen, maar ik doe dit inderdaad voor zijn eigen bestwil. Hij zal het me vergeven als ik in Afrika bij hem kom met het geld dat we van de Russen gaan krijgen.'

'De Russen?' vroeg ik.

'Ik zou het goud nooit aan de Amerikanen verkopen, wat ze me ook boden; en de Oost-Duitsers zouden mij een kogel door de kop jagen en het gewoon meenemen. Ik verkoop het aan de Russen, incasseer het geld en ga vanavond nog aan boord van een schip dat naar Afrika vaart. Clive is er dus hooguit één dag zonder mij.' In tegenstelling tot Clive, die zijn plannen met een vrolijk gezicht uiteengezet had, zag Mary er gedeprimeerd uit.

Ik hield rechts aan, klaar voor de afslag die ons weer naar de binnenstad zou brengen. Na een blik over mijn schouder geworpen te hebben, sloeg ik af.

Mary was gespannen. Ze zat met haar voet te tikken, en toen ik goed keek, zag ik dat haar hand trilde. Weliswaar niet erg, maar toch.

Als ik de plannen goed had begrepen, zouden de Oost-Duitsers en de Russen vanavond even na negen uur beseffen dat ze bedrogen waren. Op z'n laatst. De vraag was, wanneer dat besef ook tot Nigel zou doordringen. Zou hij dan de Russen waarschuwen dat Mary van gedachten veranderd was, alsof hij de hele tijd aan hun kant had gestaan en nooit met de Gordons had onderhandeld ten behoeve van een andere partij?

Loyaliteit bleek een rekbaar begrip in deze zaak. Er werden toezeggingen gedaan, beloften gebroken, nieuwe bondgenootschappen gesmeed. Ik kreeg er hoofdpijn van om het allemaal bij te houden. Er was geen greintje trouw te vinden bij deze mensen.

Ik keek nog een keer in de achteruitkijkspiegel en glimlachte besmuikt.

1 januari 1940

Mijn geluksgevoel hield slechts de eerste paar minuten van het nieuwe jaar aan. Ik klemde me aan hem vast en probeerde de werkelijkheid die me in alle hevigheid weer overspoelde, buiten te sluiten. *Hij is een moordenaar. Hij heeft twee mannen gedood*, zei het stemmetje in mijn hoofd honend.

Waarschijnlijk kon David de verandering in mij voelen, want hij trok zich ver genoeg terug om naar me te kunnen kijken. Hij bestudeerde mijn gezicht; ik zag op welk moment hij getuige was van mijn twijfels. Hij sloot zijn ogen. Toen hij ze weer opende, waren ze zorgvuldig uitdrukkingsloos. 'Ik weet dat het moeilijk is om mij te vertrouwen. Dat begrijp ik wel.'

Ik wilde ruzie met hem maken, hem zeggen dat ik hem niet wantrouwde, of juist ter verdediging aanvoeren dat mijn twijfels heel terecht waren – het maakte niet uit, als het mijn verwarring maar zou wegnemen.

Hij haalde een notitieboekje uit zijn zak en zocht naar een pen. Hij krabbelde iets op papier, scheurde het blaadje los en duwde het mij in handen. 'Als je wilt weten wat er echt gebeurd is, ga dan naar dit adres en vraag of je Andrew McDowell kunt spreken. Vraag hem naar mij, en hij zal je alles vertellen wat je moet of wilt weten.'

Hij deed een stap bij mij vandaan. 'Morgen vaar ik om twaalf uur 's middags uit met een schip dat de *Aurelia* heet. Als jij niet komt om me uit te zwaaien, neem ik aan dat je een definitief besluit over mij hebt genomen.' Toen draaide hij zich om en baande zich een weg door de mensenmassa, en binnen enkele seconden was hij uit het zicht verdwenen. Ik bleef alleen achter tussen de feestvierders, verbijsterd, met slechts een verfrommeld briefje in mijn hand.

Hoofdstuk 34

Ik hield me keurig aan de snelheidslimiet. Ik had geen haast om te komen waar Mary wilde zijn. Ik schatte dat de rit van mijn huis naar de haven minstens een uur had gekost. Elke minuut vertraging die ik kon creëren, gaf mij weer een klein beetje voordeel boven Mary. Ik dacht even aan Jack. De gedachte dat Clive en Mary mij gevangen hielden, zou hem ongetwijfeld razend maken. Maar als er iemand was die er daadwerkelijk iets aan zou kunnen doen, dan was het Jack. Ik moest er gewoon op vertrouwen dat hij deed wat hij kon.

Vanwege een plotselinge ingeving veranderde ik van rijstrook en nam ik de eerstvolgende afrit. Mary ging rechtop zitten en duwde mij haar pistool onder de neus. Ik gromde; ik had mijn buik vol van dat wapen.

'Waar ga je heen? Waarom ben je van richting veranderd?'

'Ik ben niet van richting veranderd. Verderop is de weg afgezet, en ik ging ervan uit dat je niet een omleiding wilde volgen die ons vijftig kilometer de verkeerde kant uit stuurt.'

Ze keek me argwanend aan; toen gaf ze toe. 'Zorg dat je ons zo snel mogelijk in de binnenstad krijgt.'

'Ik doe mijn best.' Ik onderdrukte een glimlach. Ik had het goed geraden: Mary had geen idee waar we waren. Aangezien ze meestal te voet, met de metro of per taxi reisde, lag het voor de hand dat ze in de buitenwijken van de stad de weg niet wist. Jammer genoeg voor haar was ik er nu van overtuigd dat ik theoretisch nog kon doorrijden naar Canada; en afgezien van de tijd die dat zou kosten, zou ze het pas doorhebben als ze de Niagarawatervallen zag. Weer een puntje voor Allie. Ondanks Mary's pistool begonnen haar kansen te keren, en ze had het niet eens in de gaten.

Natuurlijk was er nog een factor – eentje waar Mary geen flauw benul van had – die de balans in beide richtingen kon laten doorslaan, of zelfs de hele situatie op zijn kop kon zetten. Ik probeerde er niet aan te denken en me alleen te concentreren op wat ik nu moest doen. Ik probeerde via achterafweggetjes het centrum te bereiken en bij het FBI-kantoor uit te komen. Als ik door onbekende wijken reed en uit de buurt bleef van duidelijk herkenbare gebouwen, dan moest het mogelijk zijn mijn bedoeling lange tijd voor Mary verborgen te houden. Toen ik echter weer een blik over mijn schouder wierp, besefte ik dat mijn slimme plannetje in duigen ging vallen.

Sinds ons plotselinge vertrek uit mijn huis hadden de Oost-Duitsers ons gevolgd. Ik ging ervan uit dat ze het niet hadden opgegeven en niet naar huis waren gegaan terwijl wij op het schip waren. Ik had dus naar hen uitgekeken toen we weer richting stad reden, en ze ook al snel gezien. Zij konden mijn plannen in de war sturen. Als ze ons op een afstandje zouden blijven volgen, kon mijn plan nog altijd slagen; maar als ze het tijd vonden om Clive en Mary te dwingen kleur te bekennen, dan kon het alle kanten uit gaan.

Tot dusver hadden ze keurig afstand gehouden, maar nu begonnen ze op ons in te lopen en ze deden geen moeite dat te verbergen. Mary zag dat ik achterom keek en deed hetzelfde. 'Wie zijn dat?'

Een grote zwarte auto die ons inhaalde op een voor de rest uitgestorven weg: dat kon zelfs haar niet ontgaan. 'Dat zijn de twee Oost-Duitse agenten die ons al volgen sinds jij me in mijn huis hebt gegijzeld.'

Mary werd bleek, en het lichte trillen van haar hand veranderde in een duidelijk zichtbaar schudden. 'Wat willen ze van ons?'

Ik rolde met mijn ogen. 'Nou, Mary, het zou kunnen dat ze gewoon behoefte hebben aan gezelschap. Of ze willen een wedstrijdje met ons houden. Of heel misschien willen ze het goud dat je hun beloofd hebt. En waarschijnlijk vinden ze dit een uitgelezen kans om het te pakken te krijgen zonder jou ervoor te hoeven betalen. Voor hen is dit een situatie met alleen maar voordelen. Zij krijgen het goud én ze schieten jou neer.'

'Ik ben niet de enige die ze zullen neerschieten.'

Ik antwoordde niet; ik was me er terdege van bewust dat ze met hetzelfde gemak twee mensen zouden doden in plaats van één. *Of eigenlijk drie mensen*, verbeterde ik mezelf. Ze hadden Robert Follett immers al vermoord in hun jacht op het goud.

'Wat moeten we doen?'

Verbaasd keek ik Mary aan. Sinds wanneer waren wij bondgenoten? Toegegeven, we konden maar beter samenwerken dan elkaar tegenwerken als we niet doodgeschoten wilden worden. 'Volgens mij kunnen we maar één ding doen: proberen hen af te schudden. We zijn maar een paar kilometer van de drukkere wegen vandaan, en daar maken we meer kans.'

'Waar wacht je nog op? Trap dat gaspedaal in!'

1 januari 1940

Ik moest tot de volgende ochtend wachten voordat ik Andrew McDowell kon opzoeken. Het adres – nauwelijks leesbaar gekrabbeld op het papiertje dat David me had gegeven – zei me niets, maar de taxichauffeur wist het wel te vinden. Toen hij stopte voor een politiebureau, was ik ervan overtuigd dat hij me naar de verkeerde plek had gebracht. Ik vergeleek het adres op mijn briefje met het nummer op de gevel, en mijn hart maakte een vreemd sprongetje toen die twee bleken overeen te komen.

Waarom zou David mij naar een politiebureau sturen?

De taxichauffeur schraapte zijn keel, en met een schok keerde ik terug in de werkelijkheid. Ik betaalde de rit, stapte uit en sloot het portier. Toen staarde ik naar het gebouw met een knoop in mijn maag van de spanning.

De chauffeur draaide zijn raampje open. 'Alles in orde, juffie?'

'Daar zullen we gauw genoeg achter komen,' zei ik, meer tegen mezelf dan tegen hem.

Bij de balie vroeg ik of ik Andrew McDowell kon spreken, en ik werd verwezen naar een bureau midden in een grote ruimte vol mensen. Daar wachtte ik tot McDowell zou komen. Ik probeerde niet te staren naar de mensen om me heen. Politieagenten in uniform liepen langs me heen; achter de andere bureaus zaten mannen in pak met een potlood op hun typemachines te tikken en in de hoorn van hun telefoon te schreeuwen.

Ik moest een half uur wachten voordat een lange man van een jaar of veertig naar me toekwam en zich aan mij voorstelde. 'Ik ben McDowell. Wat kan ik voor u doen?'

'Ik heb uw naam gekregen van een vriend. David Rubeneski. Hij zei dat u mijn vragen zou kunnen beantwoorden.' Ik voelde me niet op mijn gemak.

McDowell keek verbaasd. 'En u bent?'

'Alexandra Fortune.'

Met een peinzende blik leunde hij tegen de hoek van zijn bureau. 'Weet u wat – hier om de hoek zit een restaurantje. Als we elkaar daar nu eens troffen over... laten we zeggen, vijftien minuten. Dan vertel ik u alles wat u wilt weten. Ik denk dat u dat gesprek niet hier in deze ruimte wilt voeren.'

Ik zuchtte en legde me erbij neer dat ik nog iets langer op uitsluitsel moest wachten. 'Uitstekend. Ik zie u daar over een kwartier.'

Hij knikte. Ik hoopte maar dat ik na dit gesprek eindelijk de antwoorden zou hebben die ik nodig had.

Hoofdstuk 35

Ik trapte het gaspedaal diep in. De motor brulde luid, en na een paar seconden stoof de auto vooruit, waardoor Mary en ik met een schok tegen de rugleuning van onze stoelen werden geduwd. We reden op een grindweg; ik hoorde de harde tikken van steentjes die tegen de onderkant van de auto opspatten. In de achteruitkijkspiegel zag ik dat we nu ongeveer even hard reden als onze achtervolgers, want ze liepen niet langer op ons in. Ik kende deze weg niet, maar ik wist dat als ik in westelijke richting bleef rijden, ik vanzelf in de binnenstad zou uitkomen.

Ik probeerde de auto over te halen nog meer vaart te maken, en de wijzer van de snelheidsmeter kroop trillend naar de honderd kilometer per uur. De achterwielen begonnen een beetje te slippen – niet erg, maar genoeg reden om wat gas terug te nemen.

'Wat doe je nu? Je moet sneller gaan, niet langzamer!' Mary's stem was schril geworden – een duidelijk teken dat ze bang was.

'We schieten er niets mee op als we een ongeluk krijgen. Iets om te onthouden bij het autorijden: controle over het voertuig is altijd belangrijker dan snelheid.'

'Ja hoor, daar zat ik op te wachten: een betweterige, bang aangelegde privédetective. Waarom moest ik die avond toch uitgerekend jóuw kantoor binnenlopen?'

'Aangezien we toch op het punt staan om te komen in een vurig auto-ongeluk of te sterven door een kogel van Oost-Duitse geheim agenten, vertel me nou eens eerlijk: was dat inderdaad toeval, of had je het speciaal op mij gemunt?'

Vanuit mijn ooghoek zag ik dat ze me aanstaarde. 'Geen woord van gelogen. Het was stom toeval. Ik klopte op de eerste de beste deur waarachter licht brandde.'

Ik schudde mijn hoofd – niet te veel, want ik moest al mijn aandacht bij de weg vóór me houden. Met ingehouden adem nam ik een paar bochten zonder vaart te minderen. Mijn handen begonnen zeer te doen doordat ik het stuur zo stevig omknelde, maar een blik in de achteruitkijkspiegel leerde me dat ik meer snelheid nodig had, omdat de Oost-Duitse auto ons langzaam inhaalde.

'Goed, nu we toch zo krankzinnig en nieuwsgierig bezig zijn, heb ik ook een vraag voor jou,' zei Mary. 'Waarom stond je zo te popelen om je met deze zaak te blijven bemoeien en mij te helpen? Ik heb je ruim een week geleden al ontslagen. Ik kan me niet voorstellen dat jij jezelf voor ál je ex-cliënten in het gevaar stort.'

Ik trok een gezicht. *Goeie vraag.* 'Nadat jij me had ontslagen, heb ik met de FBI onderhandeld. Zij geven mij iets wat ik graag wil hebben, in ruil voor het goud. Zij dachten dat ik het dichtst bij jou en Clive stond en dus de beste kans maakte om het te bemachtigen. We hebben een pact gesloten.'

Mary lachte. 'Dus het draait ook voor jou om geld, net als voor ons allemaal.' Ze zuchtte. Haar afkeer van mij was duidelijk.

Ik deed mijn mond open om het uit te leggen, maar besloot het niet te doen.

'Nee, je hoeft geen verontschuldigingen aan te voeren. Ik ben gewoon verbaasd. Ik had van iemand als jou niet verwacht dat je bereid zou zijn een cliënt te verraden voor geld.'

Ondanks onze angstaanjagende snelheid, de vreselijke mannen die ons achtervolgden, en het feit dat ik absoluut geen respect voor Mary meer had, voelde ik me toch gekwetst door haar oordeel. 'Het ging mij niet om geld, maar goed, dat maakt niet uit. Ja, ik heb je verraden – nadat jij mij ontslagen had. Maar ik probeerde je ook te beschermen.'

Ze keek sceptisch. 'Dat kan wel zo wezen, maar het blijft een feit dat je mij verlinkt hebt.'

Ik kon het niet ontkennen. Alle gedachten hierover waren echter spoorslags verdwenen toen ik de weg vóór ons zag. Of beter gezegd: het gebrek aan weg voor ons. Er had een waarschuwingsbord moeten staan, maar dat stond er niet; en dus werden de automobilisten slechts erop geattendeerd dat het wegdek eindigde door het zien van een brede en diepe greppel waar ons pad had moeten lopen.

'Hou je vast!' Mijn woorden kwamen te laat. Ik trapte op de rem en wist meteen dat ik dat niet had moeten doen. De auto begon onbeheersbaar te slingeren. Ik haalde mijn voet van de rem en deed mijn best de wagen stabiel te houden, maar ik was de macht over het stuur kwijt. Toen ik voelde dat de achterwielen geen grip meer hadden, wist ik dat het voorbij was. Met mijn hoofd in mijn armen zette ik mezelf schrap en ik riep tegen Mary dat zij hetzelfde moest doen. Het laatste dat ik hoorde, was haar gegil, dat ophield toen ze met haar hoofd tegen de voorruit sloeg, luttele seconden voordat de auto van de weg af vloog.

Het eerste dat ik zag toen ik mijn ogen opendeed, was het gezicht van een man die mij ondersteboven aankeek. Ik probeerde mijn gedachten te ordenen en te begrijpen waar ik was. Pas toen mijn lichaam de pijn begon te voelen, werd mijn geest weer een beetje helder. Ik hing ondersteboven in de auto; mijn nek en een van mijn schouders zaten in een vreemde hoek tegen het dak van de auto geklemd. Ik kon nooit lang buiten westen zijn geweest, aangezien ik de wielen nog vergeefs hoorde ronddraaien in de lucht. Ik keek naar het gezicht voor me en constateerde dat het inderdaad de bebrilde Oost-Duitse agent was. Ik sloot mijn ogen en zuchtte gefrustreerd.

'Deze leeft nog.' Hij had een zwaar en scherp accent, en hij bleef me aankijken alsof ik een insect was dat hij probeerde te determineren.

'Deze is nog niet wakker, maar ik geloof dat ze het wel haalt.' De stem was veel zachter en leek van verder weg te komen. Ik nam aan dat de man het over Mary had. Ik kon me niet omdraaien om zelf naar haar te kijken; daarvoor was mijn hoofd te pijnlijk.

1 januari 1940

Het restaurant was zo goed als leeg. Er zaten maar een paar mensen koffie te drinken aan een aantal tafeltjes. Ik koos achterin een zitje uit en hield de deur in de gaten, in afwachting van McDowell en mijn antwoorden.

Hij kwam een paar minuten later en liep meteen naar mij toe. Hij gebaarde de serveerster dat hij koffie wilde, en wurmde zich toen tegenover mij in het zitje.

'Dus u bent miss Fortune.' Hij nam een slok uit zijn mok en keek me over de rand aan. 'Ik heb veel over u gehoord. U bent de afgelopen jaren meer dan eens midden in onze operaties beland.'

Ik keek hem niet-begrijpend aan.

'U was toch getuige van een schietpartij in het park?'

Ik knikte. 'Hoe weet u dat?'

'Dat was de tweede keer dat u verstrikt was geraakt in een lopend onderzoek en David u moest bevrijden.'

'Ik begrijp het niet.'

'David is mijn partner. De afgelopen twee jaar hebben wij als infiltranten in de georganiseerde misdaad een geheime operatie uitgevoerd. De moord waarvan u getuige was, had met de maffia te maken, net als Davids schietpartij vorig jaar. De twee mannen die dood werden gevonden in het park, hadden David naar het reservoir gebracht om hem te vermoorden. Ze waren erachter gekomen wie hij was. Hij moest beide mannen neerschieten en rennen voor zijn leven. Ik heb begrepen dat hij u om hulp heeft gevraagd toen hij gewond was. Ik heb nooit de kans gehad u daarvoor te bedanken, maar dat doe ik nu. U hebt die avond mijn partner het leven gered.'

Ik leunde achterover en probeerde te bevatten wat ik zojuist had gehoord, maar McDowell was nog niet uitgesproken. 'Ik weet niet precies wat er dat weekend is gebeurd; David wilde er nooit over praten. Ik weet alleen dat hij geen kans kreeg om u de waarheid te vertellen. Volgens mij zat hem dat behoorlijk dwars – dat hij niet kon voorkomen dat u slecht over hem dacht.'

Snel stond ik op; ik wist genoeg. Nu wilde ik alleen nog maar David bereiken, mijn verontschuldigingen aanbieden, en hem laten weten wat ik voor hem voelde. 'Hoe laat is het?'

Verbaasd keek McDowell op zijn horloge. 'Twintig over elf.'

De schrik sloeg me om het hart. 'Het spijt me, ik moet gaan. Dank u wel dat u me te woord wilde staan en alles hebt opgehelderd.'

Hij kwam ook overeind; even keek hij niet-begrijpend, maar toen klaarde zijn gezicht op. 'Hij vertrekt om twaalf uur. Als u hem nog gedag wilt zeggen, moet u voortmaken.'

Ik glimlachte naar hem, greep mijn handtas en haastte me naar de uitgang. Als de taxi doorreed, kon ik in een half uur in de haven zijn, dus dan bleef er precies genoeg tijd over om David te vertellen dat ik op hem zou staan te wachten wanneer hij weer thuiskwam.

Ik hield meteen een taxi aan. 'Ik moet zo snel mogelijk naar de haven. Als u me daar binnen twintig minuten kunt afzetten, krijgt u een extra grote fooi.'

De ogen van de chauffeur glommen bij de gedachte aan de fooi, of aan het scheuren door de stad. Ik zakte een beetje onderuit en repeteerde in gedachten wat ik wilde zeggen als ik David zag.

De Oost-Duitser trok het portier aan mijn kant open, greep me bij mijn armen vast en sleurde me de auto uit. Ik had geen kracht en geen adem om me te verzetten. Hij liet me in het gras vallen. Verdoofd lag ik me af te vragen wat er nu zou gebeuren. Mary had het goud ergens opgeborgen; zij zouden het bemachtigen en ons dan naar alle waarschijnlijkheid doodschieten. Dat we in de handen van de Oost-Duitsers gevallen waren, was het slechtst denkbare scenario. Er was niet alleen een gerede kans dat ze ons zouden vermoorden, maar het was ook vrijwel onmogelijk voor Jack om ons te vinden. Zeker na de fantasievolle route die ik had gereden. Ik wist zelf ook niet meer precies waar we waren.

Uit Mary's richting klonk een gil, en daarna een gefluisterde conversatie. Ik overwoog een poging te wagen om overeind te komen en te vluchten, maar ik was er vrij zeker van dat dat overeind komen al niet zou lukken – laat staan het vluchten. Ik haalde diep adem en probeerde mezelf met behulp van mijn gezonde arm omhoog te duwen naar een zittende positie. Door de inspanning begon mijn hoofd te draaien en werd het zwart voor mijn ogen.

'Verroer je niet!' Het bevel werd van een paar meter afstand geroepen. Ik zakte terug in het gras. Eén van de mannen kwam naar me toe en boog zich over me heen. Tegen het licht van de ondergaande zon in keek ik naar hem op; om het silhouet van zijn hoed zat een krans van licht, en hij zag eruit als een vleesgeworden nachtmerrie.

'Sta op.' Zijn woorden klonken vlak, zonder gevoel; de toon ervan deed me duizelen. Intuïtief wist ik dat deze man er helemaal geen moeite mee zou hebben om op mij te schieten. Ik werd koud van de gedachte.

Met één hand onder mij duwde ik mezelf weer omhoog. Ik probeerde niet te laten merken hoe zwak ik me voelde; desondanks ontglipte me een gesmoorde kreet. Onmiddellijk greep hij mijn bovenarm vast en hees me overeind. Nu kreunde elk deel van mijn lichaam, en mijn schouder – die hij zojuist uit de kom had getrokken – kon wel huilen. Toch gunde ik hem niet het genoegen mij zwak te zien. Ik draaide me naar hem toe en keek hem woedend aan. 'Laat me ogenblikkelijk los.'

Hij keek langs me heen alsof ik onzichtbaar was, maar zijn hand kneep mijn bovenarm nog meedogenlozer vast. Ik had al mijn wilskracht nodig om niet te kronkelen van de pijn. Eindelijk verslapte zijn greep enigszins.

'Instappen,' blafte hij, en hij leidde me direct naar hun auto, die stationair draaiend langs de kant van de weg stond. Hij opende het achterportier en duwde me naar binnen. Ik had mijn benen nog maar nauwelijks ingetrokken toen hij het portier dichtsloeg.

Ik probeerde mijn ademhaling onder controle te krijgen. Elke vezel van mijn lichaam deed zeer, maar mijn schouder was zo pijnlijk dat alle andere ongemakken daarbij in het niet vielen. Even wreef ik erover met mijn andere hand, maar het gewricht bewoog op zo'n onnatuurlijke manier dat ik naar adem hapte en mijn hand gauw terugtrok. Ik probeerde mijn aandacht op iets anders – wat dan ook – te richten.

Ik keek uit het raampje en zag hoe Mary op dezelfde ruwe manier overeind werd geholpen. Zij zag er niet best uit. Uit een hoofdwond sijpelde bloed langs haar gezicht; het druppelde van haar kaak. Ze leek versuft en in de war. Een van de Oost-Duitsers leidde haar naar de auto alsof ze aan een hondenlijn liep. Ze verzette zich niet. Toen ze struikelde en op een knie viel, trok hij haar zonder vaart te minderen overeind tot ze hinkelend haar evenwicht hervond.

Ondanks de pijn in mijn hele lichaam en met name in mijn schouder, was mijn geest tenminste helder. Ik betwijfelde of dat ook voor Mary gold. Zij was met haar hoofd tegen de voorruit gesmakt. Ik vermoedde dat het wel even zou duren voordat zij me weer kon helpen met plannen smeden.

Het portier ging piepend open en Mary werd naast me in de auto geduwd. De Oost-Duitsers stapten voorin in. De rechter van de twee, de man met de bril, draaide zich naar ons om en richtte zijn pistool op mij vanaf de rugleuning van de voorbank. Ik onderdrukte een zucht. Er hadden vandaag al zó veel mensen een pistool op mij gericht dat het een beetje voorspelbaar werd. In elk geval begon ik het al te verwachten.

De man keek me even doordringend aan en wendde zich toen tot Mary. 'Jij geeft ons nu het goud.'

Mary bewoog haar hoofd niet eens in de richting van zijn stem. Ze staarde in het niets, alsof ze hem niet gehoord had.

'Waar is het goud?' Zijn stem werd harder, en ditmaal leek hij tot Mary's nevelige brein door te dringen.

'Ik heb het niet.'

De moed zonk me in de schoenen bij haar antwoord. Ik twijfelde er niet aan dat ze de waarheid sprak. Op dit moment leek ze niet tot liegen in staat. Ze deelde gewoon een feit mee.

'Waar is het?' Hij sprak vervaarlijk langzaam, en de angst die ik probeerde te onderdrukken, spoelde in alle hevigheid over me heen.

Mary antwoordde niet. Ze leek zich weer in haar verdoofde staat te hebben teruggetrokken. Het pistool draaide mijn kant op. 'Jij brengt ons naar het goud.'

Ik stak mijn gezonde hand in de lucht, als teken van overgave. 'Zij is de enige die weet waar het is.'

Hij keek me met half dichtgeknepen ogen aan, alsof hij zich afvroeg of ik de waarheid sprak, en ik zag zijn vinger op en neer langs de trekker van het pistool glijden. Ik hield mijn adem in. Na vijf eindeloze seconden richtte hij het wapen weer op Mary. 'Waar is het goud?'

Mary's blik gleed naar mij. 'Haar kantoor. Het ligt in haar kantoor.'

Ik had geen idee wat haar bedoeling was. Had ze een plan bedacht, of was ze gewoon aan het ijlen? Hoe dan ook, ik wist dat ik het spel maar beter kon meespelen als ik het komende uur wilde overleven. En in elk geval zou het gemakkelijker zijn om in leven te blijven en hulp te zoeken als we eenmaal in de stad terug waren.

Hoofdstuk 36

De hele rit de stad in lag Mary afwisselend te suffen en te kreunen. We deden er een vol uur over, en al die tijd hield de Oost-Duitser met de bril zijn oog en zijn pistool op ons gericht. De twee mannen spraken niet met elkaar, en die stilte maakte mij nog banger. Het was precies zoals Jack gezegd had: dit waren beroeps, in de ergste betekenis van het woord. Het was voor hen niets bijzonders om ons te gijzelen, want het hoorde gewoon bij hun werk – net zoals het doden van Robert Follett bij hun werk hoorde.

Ik had een flinke hoofdpijn en het kostte me moeite om logisch na te denken. Desondanks bleef ik broeden op de vraag, waarom Mary hen naar mijn kantoor had gedirigeerd. Ze zou toch zeker wel beseffen dat die mannen bepaald niet blij zouden zijn, wanneer ze erachter kwamen dat ze gelogen had? Misschien was het een wanhoopsdaad geweest, ontsproten uit een brein dat onlangs een opdoffer van een voorruit had gekregen. Ik probeerde te bedenken wat ik in mijn kantoor in mijn voordeel zou kunnen gebruiken, maar ik wist dat dat niet veel was. Zelfs onder ideale omstandigheden waren dit mannen om bang voor te zijn – en mijn omstandigheden waren verre van ideaal.

De auto minderde vaart toen we mijn kantoorgebouw naderden. 'Geef me je sleutels, zodat je geen nutteloze poging tot ontsnappen onderneemt wanneer we uitstappen.'

Met een sissend geluid ademde ik uit. Teleurgesteld probeerde ik mijn gedachten weer te ordenen. Dat ik mijn sleutels moest afstaan, betekende vooral dat ik een mogelijk wapen kwijtraakte. Elk hard en scherp voorwerp kon dienen als steekwapen als je er maar voldoende kracht achter zette. Ik was niet teergevoelig: als het op leven en dood aankwam, zou ik er geen enkele moeite mee hebben om een van die mannen met een paar sleutels neer te steken. Helaas zou dat wapen nu in beslag genomen worden. Ik voelde in de zak van mijn jasje naar mijn sleutelbos, die ik daar had opgeborgen toen ik met Clive naar mijn huis was gegaan. Dat leek nu lichtjaren geleden. Ik pakte de bos en overhandigde hem aan de Oost-Duitser. Hij nam ze met zijn ene hand aan, terwijl hij met zijn andere hand het pistool op mij gericht hield. Ik zuchtte gefrustreerd, omdat ik geen enkele kans zag om onze situatie te veranderen.

De bestuurder parkeerde de auto en draaide zich om. 'We zijn er. Waar is nu het goud?'

Mary schrok wakker. Ze leek meer alert te zijn, maar nog wel beduusd. Ze keek me aan en zag toen de twee pistoollopen die op ons gericht waren. Haar ogen gingen wijd open; ik kon van haar gezicht aflezen dat ze zich onze hachelijke situatie weer herinnerde.

'Waar is het goud? Dit is de laatste keer dat ik het vriendelijk vraag.'

Haar gezicht vertrok van angst. Ze bevochtigde haar lippen. 'Ik heb het verstopt in miss Fortunes kantoor.' Ze deed haar mond open alsof ze nog meer wilde zeggen, maar veranderde van gedachten. Ik hoopte maar dat ze iets van plan was en niet de waarheid sprak.

Vrijwel onmiddellijk stapten de twee agenten uit, trokken de achterportieren open en sleurden ons uit de auto naar de stoep voor mijn kantoorgebouw. De bestuurder drukte zijn pistool tegen mijn keel, dus ik kreeg geen kans om te roepen. Hij hield me op zo'n manier vast dat een voorbijganger niet zou kunnen zien dat ik tegen mijn wil werd meegevoerd. Met elke echoënde voetstap die ik zette, kwam ik dichter bij het angstaanjagende scenario vast te zitten in mijn eigen kantoor, zonder het goud en met twee laaiende Oost-Duitse geheim agenten.

1 januari 1940

De taxichauffeur verdiende een flinke fooi door mij om kwart voor twaalf in de haven af te zetten. Ik stapte uit en keek de auto na toen hij wegreed; vervolgens liep ik de lange rij loopplanken af, speurend naar de namen op de voorstevens, op zoek naar de *Aurelia*. Ik zag geen schip met die naam, en ook geen enkel ander schip waarop passagiers ingescheept werden. Ik begon te rennen. Beide kanten van de haven zocht ik af, maar geen van de schepen was de *Aurelia*.

Mijn maag kromp ineen van angst. Ik keek om me heen of er iemand was die me zou kunnen vertellen waar het schip lag, waar David was, maar diep in mijn hart wist ik het antwoord al. Ik schoot een voorbijganger aan. 'Ik ben op zoek naar een passagiersschip genaamd *Aurelia*, dat vandaag om twaalf uur zou vertrekken.'

De man schudde zijn hoofd. 'Dit zijn allemaal vrachtschepen. Het schip dat u zoekt, zal wel in de haven voor passagiersschepen liggen, een paar kilometer hier vandaan.' Hij keek op zijn horloge. 'Maar dat haalt u nooit. Het is al vijf voor twaalf.'

Ik geloof dat ik hem nog wel bedankt heb. Ik ging zitten op de dichtstbijzijnde loopplank, sloeg mijn armen om me heen en begon te huilen. Ik had nog één kans gekregen om het goed te maken met David, en ik had die kans gemist. Ik was niet komen opdagen om hem uit te zwaaien, en dat zou hij interpreteren als een definitief afscheid. Hij zou denken dat zijn beweegredenen er voor mij niet toe deden, dat ik hem nooit meer wilde zien.

Alle hoop vloeide uit mij weg toen ik besefte wat ik zojuist was kwijtgeraakt.

Ze dwongen ons de trap op te lopen.Vertwijfeld probeerde ik oogcontact te maken met Mary, tegen beter weten in hopend dat ze mij met een of ander gebaar zou laten weten dat ze iets van plan was, dat ze gelogen had over de plek waar ze het goud had verborgen. Helaas keek ze geen enkele keer mijn kant op, en met elke trede die we beklommen, groeide mijn angst.

De trap was te kort; eerder dan me lief was, bevonden we ons voor de deur van mijn kantoor. Op het ruitje stond in zwarte drukletters *A. Fortune* geschreven – een fortuin. Voor het eerst wenste ik dat ik mezelf wel *miss Fortune* – ongeluk – had genoemd. Dat leek me wel toepasselijk als samenvatting van mijn leven. Ik schudde mijn hoofd en haalde diep adem.

De bebrilde Oost-Duitser stak mijn sleutel in het slot en deed de deur open. Het was even na zonsondergang, en het kantoor was in schaduwen gehuld, waardoor het iets spelonkachtigs kreeg. Ik liet een van de geheim agenten zoeken naar het lichtknopje, om het moment van de waarheid nog een paar seconden uit te stellen.

Het duurde niet lang genoeg. Opeens ging de lamp aan en baadde de kale kamer in het licht. Er was niets te zien dan een houten vloer en lege ruimte. Alle meubels waren weg.

Mary hapte naar adem. Eén van de Oost-Duitsers draaide zich naar haar om en duwde zijn pistool tegen haar slaap. 'Waar is het goud? Er is hier helemaal niets.'

'Ik begrijp er niets van. Ik was hier een paar dagen geleden nog. Hoe kan alles opeens verdwenen zijn?' Alle drie keken ze mij aan.

'Het kantoor wordt geschilderd. Mijn meubels zijn opgeslagen.' De uitleg leek me nogal overbodig vanwege de potten verf, ladders en vodden midden in het voor de rest lege vertrek; maar aan de ongelovige blik op hun gezichten te zien, begrepen ze het nog steeds niet.

'Waar?'

Ondanks de omstandigheden begon ik mijn geduld te verliezen. 'Geen flauw idee. Het schildersbedrijf zorgt overal voor. Ze halen de meubels weg, verven de kamer en maken alles in orde, en dan brengen ze de spullen weer terug. Het is allemaal bij de service inbegrepen.'

'Hoe kon je dit nu doen?' Mary gilde bijna.

Ik keek haar woedend aan. 'Eigenlijk is het jouw schuld. Van jou en Jack. Jullie kwamen hier binnen en keken om je heen met een blik alsof dit kantoor een bouwval was, en dus begon ik te denken dat het wel een opknapbeurtje kon gebruiken. Toen zei Jack dat het kantoor uitstraalde dat ik niet succesvol was. Ik was beledigd en besloot er iets aan te doen. Als die Duitsers je nu vermoorden, is dat dus je eigen schuld. Misschien moet je een volgende keer, als je weer eens een privédetective inhuurt, niet zo arrogant en onbeleefd zijn.' Ik realiseerde me dat mijn woorden absurd klonken, maar het kon me niet meer schelen.

Mary haalde naar me uit. Aan haar gezicht te zien kon ze mijn bloed wel drinken. De Oost-Duitser die haar arm vasthield, trok haar achteruit. 'Als het goud niet hier is, dan hebben we jou niet langer nodig. We moeten uitzoeken waar dat schildersbedrijf de meubels naartoe heeft gebracht.' Hij spande de hamer van zijn pistool.

Opeens klonk er een harde knal, links van mij. We keken allemaal in de richting van het geluid. De deur vloog open en stuiterde tegen de muur, waarbij de ruit aan gruzelementen werd geslagen. Ik knarsetandde van woede. Ik had het altijd al gevreesd, dat iemand die ruit nog eens zou breken.

In de deuropening stonden twee oude bekenden: de twee Russische geheim agenten. Ze wezen met hun pistolen globaal onze kant op, maar hun aandacht werd afgeleid door de leegheid van het kantoor.

'Waar is het goud?' riep een van de Russen. Hij richtte zijn wapen op het hoofd van een Oost-Duitse agent. 'We weten dat jullie hier zijn om het te bemachtigen. Waar is het?'

'Vraag dat maar aan de schilders. Zij blijken het nu te hebben.' Mary had beter haar mond kunnen houden. Iedereen keek haar kwaad aan.

'De schilders?'

'Toen ik die avond in Allies kantoor kwam, besefte ik dat dat de ideale plek was om het goud te verbergen. Niemand zou ooit op het idee komen daar te zoeken, ook Allie zelf niet. Dus heb ik het in haar bank verstopt. Sindsdien wacht ik mijn kans af om het weer op te halen.' Mary keek me minachtend aan. 'Geweldige privédetective ben jij.'

Ik wierp haar een woeste blik toe.

'En nu is de bank verdwenen, wie weet waarheen, en is een miljoen dollars aan goud in het bezit van een stelletje schilders.'

Een bijna kinderachtig gevoel van voldoening kwam bij me op. Per ongeluk had ik het goud uit handen gehouden van alle smerige oplichters en gemene spionnen die het wilden hebben. Misschien zou een van deze mensen Mary en mij nu doden, maar het deed me toch veel genoegen dat ik hen allemaal had gedwarsboomd.

Hoofdstuk 37

Daar stonden we dan in het kleine, kale kantoor: twee Russische en twee Oost-Duitse geheim agenten, een oplichtster en een privédetective. Ten minste twee van ons zagen eruit alsof we zojuist een partijtje hadden geknokt met een beroepsbokser.

Mary's ogen zochten de mijne, en ik knikte vrijwel onmerkbaar. Ik wist wat ze dacht. Tot nu toe hadden we geen echte mogelijkheid gehad voor een ontsnappingspoging; maar nu de Russen waren binnengekomen, was de aandacht van beide partijen niet langer op ons gevestigd. In plaats daarvan keken ze elkaar kwaad aan en richtten ze hun wapens op elkaar.

Helaas zou het nog steeds moeilijk zijn om weg te komen zonder doorzeefd te worden met kogels, ook al werden we niet meer zo streng bewaakt. Het was vier pistolen tegen nul, en Mary en ik waren allebei gewond. We zouden een werkelijk ongelofelijk briljante strategie moeten bedenken. Desondanks hadden we nu meer kans op succes dan vijf minuten geleden.

Ik stond een meter of vijf van de deur af. Zelfs met mijn verwondingen zou ik in een paar tellen bij de deur en op de gang kunnen zijn. Ik nam maar aan dat dat ook voor Mary gold, en hoopte dat de klap tegen haar hoofd haar niet had beroofd van haar vermogen te rennen. Naast mij waren de vier mannen in een impasse beland. De Duitsers hadden hun wapens op de Russen gericht, en de Russen mikten met hun glanzend zwarte pistolen op de Duitsers. Ze loerden naar elkaar met onverholen antipathie. Klaarblijkelijk koesterden ze onder de oppervlakte een grote wederzijdse afkeer, ondanks het feit dat ze geacht werden bondgenoten te zijn.

Mary en ik stonden ongeveer in het midden van de kamer, met

onze rug naar het raam en ons gezicht naar de deur. Ik had in grote lijnen een strategie uitgezet en ving Mary's blik. Mijn plan was niet zo briljant als ik had gehoopt, maar ik schatte dat we ongeveer dertig procent kans hadden. Dat was nog altijd beter dan de honderd procent kans om neergeschoten te worden als we niets deden.

Zachtjes deed ik een stap achteruit, waardoor de ladder van de schilder binnen handbereik kwam. Ik haalde diep adem; toen duwde ik het ding omver. Het viel met een heleboel kabaal dwars door het raam van mijn kantoor. De explosie van brekend glas deed iedereen, behalve Mary en mij, opschrikken. De Russen keken niet eens; ze vuurden meteen in de richting van het geluid. De Duitsers dachten dat er op hen geschoten werd en vuurden op de Russen. Ik zag het allemaal gebeuren vanuit mijn ooghoeken, terwijl ik samen met Mary naar de deur rende. Achter ons klonken schoten. Ik stopte niet om te kijken en draaide me niet om; ik hield mijn ogen op het doel gericht. Als ik maar door die deur heen was, zou ik vrij zijn. Dat was het enige dat ertoe deed.

In vier stappen was ik bij de deur, op de hielen gevolgd door Mary. Ik trok de deur open en Mary duwde me erdoorheen. Ik wilde de trap afrennen, naar de relatieve veiligheid van de straat.

Maar onze weg werd versperd.

De hele trap stond vol mensen. Nog meer mensen met pistolen. De moed zonk me in de schoenen. De adrenaline die mij de kracht had gegeven te ontsnappen, was op slag weg. Ik voelde alleen maar wanhoop. Ik had het geprobeerd, en ik had gefaald.

Iemand greep me bij de schouder en ik schreeuwde het uit van de pijn die door mijn lichaam golfde. Verblind door tranen struikelde ik bijna van de trap. Onbekenden duwden mij naar beneden en gaven mij van hand tot hand door, totdat ik aan de voet van de trap belandde. Mijn versufte brein kon niet begrijpen waarom ik nog altijd niet doodgeschoten was. Mary werd net als ik de trap af geduwd. Ze botste tegen mijn rug op; ik schokte naar voren.

Ik had geen kracht meer om te rennen. Toch haalde ik diep adem en probeerde nog een beetje moed te verzamelen. Ik draaide me om naar Mary, om haar hand te grijpen en haar het pand uit te slepen. Op straat zouden we om hulp kunnen roepen; we moesten dus zorgen dat we de voordeur van het gebouw bereikten. Mary zag er slechter uit dan ik me voelde. Haar gezicht zat onder opgedroogd bloed, met daaroverheen verse rode sporen. Ik trok aan haar hand om haar in beweging te krijgen. Toen viel mijn oog op de mannen op de trap. Deze gewapende mannen droegen een uniform.

En het waren uniformen die ik herkende. Ik stond aan de grond genageld en keek stomverwonderd naar boven. De mannen holden nu de trap op. Sommige droegen het uniform van de New Yorkse politie; andere niet, maar dat maakte niet uit. Van belang was het feit dat de hulptroepen gearriveerd waren. Ik wist zeker dat Jack daarvoor verantwoordelijk was, en van opluchting begonnen mijn knieën te knikken. Ik was zo mateloos moe dat ik bijna niet in de gaten had hoe Mary reageerde op het zien van onze redders. Uit mijn ooghoek zag ik haar lichaam verstrakken, alsof ze nog altijd wilde proberen te ontsnappen. Zij beschouwde ook de FBI en de politie als haar vijanden. En terecht. Die zouden haar arresteren en naar de gevangenis sturen. Ik draaide me om en zag hoe ze zich klaarmaakte om ervandoor te gaan. Ik had vrijwel geen kracht meer, maar nog net genoeg om mijn voet uit te steken en haar te laten struikelen toen ze het op een lopen wilde zetten.

Mary, die waarschijnlijk even uitgeput en gewond was als ik, stortte op de vloer neer en bewoog zich niet. Met mijn laatste restje energie ging ik boven op haar rug zitten. 'Maak je geen zorgen, ze komen je zó halen.'

'Ik ben je cliënt. Je moet me laten gaan.' Haar woorden waren nauwelijks verstaanbaar, waarschijnlijk omdat ik haar longen platdrukte.

'Tja, Mary, je hebt regel één en twee overtreden, en met name ook regel nummer drie, dus vergeet het maar. Als ik je een advies mag geven: probeer nooit een privédetective voor de gek te houden. We vatten zoiets nogal persoonlijk op.'

Hoofdstuk 38

Jack bracht me hoogstpersoonlijk naar het ziekenhuis. Er kwam een ambulance voor de twee Russen en een Oost-Duitser; de andere had alleen nog maar een laken en een lijkzak nodig. Mary werd gearresteerd en toen ook naar het ziekenhuis vervoerd. Jack droeg me zo ongeveer naar zijn auto en reed me naar de dichtstbijzijnde eerstehulppost. Onderweg vertelde ik hem in het kort wat er allemaal gebeurd was sinds ik gegijzeld werd.

Bij de eerstehulpafdeling werd ik meteen geholpen. Ik kreeg te horen dat mijn schouder ontwricht was. Gelukkig werd ik in slaap gebracht voordat hij weer werd gezet. Uren later werd ik wakker en voelde hij zo goed als nieuw. De rest van mijn lijf was gehavend, gekneusd en pijnlijk; desondanks voelde ik me goed genoeg om naar huis te willen.

'De dokter zei dat je gewoon wat rust moet nemen.' Jack had geprobeerd me over te halen een nachtje in het ziekenhuis te blijven, maar hij leek niet erg verbaasd toen ik toch weg wilde. Dankzij zijn FBI-papieren had hij toestemming gekregen om mij daar te bezoeken, maar ik had hem meteen weer de kamer uitgestuurd totdat ik mijn nachthemd had verruild voor fatsoenlijke kleding. Mijn grijze mantelpakje was dan wel vuil, gekreukeld en vol bloedvlekken, het was nog altijd stukken beter dan het alternatief dat het ziekenhuis me aanbood. Vier uur nadat ik er was binnengebracht, liep ik het ziekenhuis weer uit. Ik kon de hele wereld weer aan en was bijna in een jubelstemming.

Jack reed de auto voor en ik stapte in. Ik voelde nog steeds pijn; niet meer zo hevig, maar genoeg om me de gebeurtenissen van de afgelopen vierentwintig uur te herinneren.

'Zal ik je meteen naar huis brengen? Een nacht goed slapen doet wonderen voor al je kwalen.' Hij had vast gezien hoe mijn gezicht vertrok toen ik de auto inklom.

'Ik heb net drie uur geslapen.'

'Algehele verdoving telt niet. En het laten zetten van je schouder zou ik niet bepaald een ontspannende activiteit noemen.' Zijn stem klonk gespannen. Hij hield zijn ogen op de weg gericht en vermeed mijn blik.

'Jack, ik kan nu echt niet slapen. We moeten deze zaak eerst tot een goed einde brengen en helemaal afronden. We moeten het goud vinden. Daarna zal ik uitrusten, dat beloof ik je.'

Hij zei geen woord, maar zijn handen op het stuur leken een beetje te ontspannen.

'Ik ben heel benieuwd hoe je ons hebt gevonden.'

'Toen Clive en Mary jou meenamen uit jouw huis, heb ik een opsporingsbevel uitgevaardigd voor jullie drieën. Jullie hadden de hoogste prioriteit voor zowel de FBI als de New Yorkse politie. Ik wilde niet werkeloos afwachten tot ik iets zou horen, en ik wist dat het geen zin had om de stad rond te rijden om je te zoeken, dus ben ik op jacht gegaan en heb onze grote vriend Nigel Gordon gevonden.'

'Waar zat hij?'

'Vlak bij het hotel waar jij hem hebt ontmoet, in een ander hotel. Ik heb hem uitgehoord, en hij vertelde dat de Russen hun zoektocht voorlopig hadden opgegeven en nu gewoon de Oost-Duitse agenten in de gaten hielden. Ik wist dat de Duitsers jou volgden, dus als de Russen hén volgden, zouden ze mij rechtstreeks naar jou leiden.'

'Alsjeblieft zeg, het lijkt wel een carnavalsoptocht. Hoe heb je de Russen gevonden?'

'Met een beetje geluk. Ik had hun signalement verspreid en ze werden in de buurt van jouw kantoor gezien. Mijn gevoel zei me dat er iets stond te gebeuren, dus regelde ik versterking. We stonden net op het punt binnen te vallen, toen het schieten begon.'

Ik moest lachen. 'Dat was een wanhoopspoging van mij, om de boel in beweging te krijgen. Het zag er slecht voor ons uit toen ze erachter kwamen dat het goud verplaatst was. Maar als ik nog even had gewacht, was de schietpartij misschien niet nodig geweest.'

'Dat kon jij niet weten. Ik ben trots op je. Jij creëerde de gelegenheid die jullie nodig hadden. Als ik niet was komen opdagen, zou dat je enige kans zijn geweest. Je hebt het goed gedaan, meid.'

'Waar gaan we eigenlijk heen?' Daar had ik nog niet eerder bij stilgestaan. Jack leek een bepaalde bestemming in gedachten te hebben, zoals hij zich een weg baande naar een voor mij onbekend deel van de stad. Bij het schijnsel van de straatlantaarns kon ik zien dat veel gebouwen enigszins vervallen waren, en sommige leeg leken te staan.

'Ik heb jouw schilder gebeld, en die gaf me het adres van hun opslagruimte. Jouw meubels moeten in één van deze gebouwen staan. Als het goed is, staat er een medewerker op ons te wachten om ons binnen te laten.'

Ik keek op mijn horloge. 'Er komt iemand om elf uur 's avonds hierheen, speciaal voor ons?'

'Dat is een van de voordelen van werken bij de FBI. Bijna niemand durft te weigeren als ik ze vraag mij ergens te ontmoeten. Ongeacht het tijdstip.'

Ik schudde mijn hoofd en lachte.

'Kijk, daar is het gebouw, en er staat al een auto voor de deur.' Jack parkeerde langs de stoeprand. Zodra de wagen tot stilstand was gekomen, stond ik er al naast. Ergens in dit gebouw lag het goud. Ik moest moeite doen om rustig te blijven ademhalen.

Twee dagen geleden zou dit moment – het moment dat datgene wat het goud mij opleveren zou, onder handbereik was – alles voor mij hebben betekend. Maar nu had het niet langer hetzelfde gewicht. Nog altijd kwamen al mijn dromen en al mijn diepste angsten in dit moment samen, maar het was niet langer de bron van mijn hoop. Ik had eindelijk beseft dat hoop niet afhing van de omstandigheden, maar van de eeuwigheid. Van een God die van mij hield, ondanks mijn tekortkomingen, en die diep bewogen was met mijn verdriet.

We liepen naar het gebouw toe en troffen daar een jongeman van een jaar of twintig. Zonder een woord te zeggen, ontgrendelde hij de deur en opende die voor ons. Toen gaf hij Jack de sleutel. 'Wilt u het pand weer afsluiten als u weggaat en de sleutels door de brievenbus doen? Dan vind ik ze morgen wel.' Hij haastte zich naar zijn auto en verdween.

Jack schudde zijn hoofd. 'Vind je het ook geen geruststellend idee dat je al jouw meubels, dossiers, boeken, en een miljoen dollar aan goud aan dit bedrijf hebt toevertrouwd? Het is duidelijk dat ze beveiliging hoog in het vaandel hebben.'

Ik antwoordde niet, maar ging Jack voor het pakhuis in. Ik moest hem wel gelijk geven: ook ik was niet bepaald onder de indruk van de manier waarop ze op mijn bezittingen pasten. Ik schudde mijn hoofd en richtte me op wat echt belangrijk was. Het goud vinden.

Hoofdstuk 39

Mijn meubels stonden opgestapeld tegen de achterste muur, duidelijk aangegeven met een stuk karton waarop *A. Fortune* gekrabbeld stond. Mijn hart begon drie keer zo snel te kloppen toen ik een hoekje van de wijnrode leren bank van achter mijn dossierkasten uit zag steken.

We liepen erheen en Jack begon meteen de meubels die in de weg stonden, opzij te schuiven. Ik had hem graag willen helpen, al was het maar omwille van de snelheid, maar vanwege mijn geblesseerde schouder kon ik alleen van een afstandje toekijken. Jack schoof alles aan de kant, totdat er niets meer tussen ons en de bank stond.

Nu kon ik eindelijk helpen. Ik trok de kussens eraf, maar vond niets ongewoons. Jack ging met zijn hand langs alle naden en voelde aan zijn kant tussen de zitting en de rug- en armleuningen. Ik deed hetzelfde aan mijn kant.

Niets.

Mijn hart klopte in mijn keel. Ik durfde niet te denken aan de gevolgen, als zou blijken dat Mary al die tijd gelogen had over de plek waar ze het goud had gelaten.

Jack keek me aan. 'Wat nu?'

'Laat me even nadenken. Ik geloof niet dat ze gelogen heeft. Dat zou een domme zet zijn geweest, want de Oost-Duitsers waren er uiteindelijk toch achter gekomen. Zij kon beslist niet weten dat het kantoor leeg was.'

'Kan Mary het ergens anders in je kantoor hebben verstopt? In een ander meubelstuk, bijvoorbeeld in je dossierkasten?' Jack nam zijn hoed af en veegde zijn voorhoofd af.

'Ze zei heel duidelijk dat ze het goud in de bank had verstopt.'

'In de bank?'

Ik trok mijn wenkbrauwen op, verbaasd over de intonatie van zijn stem.

'Als het nu eens *in* de bank zit?' Ik keek nog altijd niet-begrijpend, dus hij legde uit wat hij bedoelde. 'Er binnenin. Ergens waar het niet opgemerkt kan worden. Het zou niet slim zijn om het goud onder de kussens te verstoppen, want dan zou jij het per ongeluk kunnen vinden en alle plannen van Clive en haar in de war schoppen. Ze moest het dus ergens verstoppen waar het niet gevonden zou worden.'

'En waar zou dat kunnen zijn?'

Hij antwoordde niet, maar hurkte voor de bank neer. Ik stond aan de andere kant, en hij gebaarde dat ik uit de weg moest gaan. Toen kantelde hij de bank op de rugleuning. Ik kromp ineen bij deze ruwe behandeling van mijn tweede bed. Nieuwsgierig en hoopvol kwam ik naast hem staan en bekeek de onderkant van het meubelstuk.

De bodem was gemaakt van latten, met een dik gaas er overheen gespannen. Ik zag dat één hoek van het gaas losgescheurd was en wees het Jack aan. Hij duwde meteen zijn vingers in de kleine opening en trok het verder open. Het geluid van scheurende stof deed een rilling over mijn rug lopen, maar Jack trok de hele zijkant los. Ik knielde naast Jack op de vloer neer en tuurde in de spelonkachtige binnenkant van mijn meubelstuk. Het was te donker om iets te kunnen zien en dus zochten Jack en ik naast elkaar op de tast naar iets ongewoons.

Mijn hand stootte tegen iets hards. Ik hapte naar adem. Jack hoorde het en keek me aan; onze ogen ontmoetten elkaar. Een paar tellen lang bewogen we geen van beiden. Toen liet ik mijn hand over het voorwerp gaan, en ik besefte dat het tegen de korte kant van de houten bodem aan geklemd zat. Ik greep het vast, trok het van zijn plek en bracht het uit de bank in het schemerlicht van het pakhuis.

In mijn handen hield ik een stoffen zak, die bovenaan stevig was dichtgeknoopt met een trekkoord. Met mijn nagels probeerde ik de knopen los te peuteren. Toen hoorde ik een klik; Jack stak een mes onder mijn handen door en sneed in één beweging de knopen door. Ik knikte naar hem en maakte de zak open. Er zat een zwart kistje in met een scharnierend deksel, aan de voorkant gesloten met koperen sluitingen. Ik ging op mijn hurken zitten. 'Dit zou het kunnen zijn.'

Jack knikte, maar zei geen woord. Ik haalde diep adem, draaide het kistje naar me toe en opende de sluitingen.

Hoofdstuk 40

Met ingehouden adem klapte ik het deksel open. Ik leunde een beetje achteruit, zodat Jack het ook kon zien. In het kistje lagen een paar voorwerpen, ingepakt in stof. Ik pakte er willekeurig eentje uit en begon het langzaam uit te rollen. Naarmate de reep stof verder loskwam en de inhoud steeds dichterbij kwam, daalde er een gevoel van rust op me neer.

Een klein hoekje goud glansde me tegemoet. Ik liet alle voorzichtigheid varen en trok het laatste stukje stof niet bepaald behoedzaam weg. Het gouden voorwerp viel in mijn hand.

Het was een oorhanger, ongeveer acht centimeter lang, met bungelende uiteinden van gedreven goud. Het was prachtig – en het was precies wat we zochten. Ik keek Jack aan. 'Laten we ze allemaal eens bekijken.' Ik gaf hem een rolletje stof dat net iets groter was dan het vorige, en pakte er zelf ook nog een. De oorhanger die ik al had uitgepakt, legde ik op het deksel van het zwarte kistje.

Zwijgend werkten we door. We namen steeds even de tijd om de sieraden te bekijken voordat we verder gingen met het volgende voorwerp. Het grootste pakketje bewaarde ik voor het laatst. Van de foto's die ik in het FBI-dossier had gezien, dacht ik te weten wat erin zou zitten en hoe het eruit zou zien. Het was een voorwerp met een geheel eigen betekenis. Even sloot ik mijn ogen; toen pakte ik het uit.

Het was het diadeem. De glanzende hoofdtooi, gesmeed voor het hoofd van een koningin, was het belangrijkste stuk uit de goudschat van Helena van Troje. Het kostte me geen moeite om me Helena, de mythische koningin van Sparta, voor te stellen met de zware gouden band om haar hoofd en de lange gouden ketenen bungelend langs haar gezicht. Ik verlangde er hevig naar het diadeem zelf op te zetten, te proberen hoe dat gewicht voelde op mijn eigen hoofd. Zou het lijken alsof het gewicht van meerdere naties, van een hele samenleving, op mij drukte? Of zou het niet zwaarder zijn dan het goud waarvan het gemaakt was? Kon het gewicht van het goud van Helena worden uitgedrukt in grammen, of werd het gemeten in eeuwen en lotsbestemmingen?

Ik legde het diadeem bij de andere schatten die we hadden uitgepakt. Het waren in totaal elf voorwerpen; de twee die al in bezit van de FBI waren, niet meegerekend. Ik leunde achterover en bekeek het resultaat. We hadden ons doel bereikt. Toen we aan deze zoektocht begonnen, wist ik niet welke prijs we ervoor zouden moeten betalen. De jacht op het goud had aan twee mensen het leven gekost. Ik vroeg me af hoeveel levens er door de eeuwen heen nog meer voor opgeofferd waren.

Ik schudde de sombere gedachten van me af en keek Jack aan. 'Het is ons gelukt.'

'Nou en of. Je bent een geweldige privédetective, Allie. Je maakt je legendarische reputatie meer dan waar.'

Zijn lof maakte me verlegen. Nu was het einde van onze weg in zicht, en opeens was ik er nog lang niet klaar voor. Ik pakte een reep stof en begon een van de stukken weer in te pakken. Dit goud, dit kleine kistje vol schatten, had de dromen en verlangens geherbergd van onvoorstelbaar veel mensen. Ook van mij. Nu ik de voorwerpen met eigen ogen had gezien, vroeg ik me af of het wel verstandig was om ze aan de FBI over te dragen.

Ik had weliswaar een contract waarin stond dat de FBI mij informatie over David zou geven, maar kon ik daar wel op vertrouwen? Wat waren een paar vodjes papier waard? Het ging niet over zomaar een organisatie – dit was de FBI. Die konden doen wat ze maar wilden. Zodra ik hun het goud gaf, was ik aan hen overgeleverd.

Al deze gedachten tolden door mijn hoofd, terwijl ik het goud inpakte. Jack hielp me niet; hij zat op zijn hurken naar mij te kijken. Ik had het gevoel dat hij wist wat ik dacht.

'Misschien kan ik dit maar beter bij me houden totdat de FBI die informatie voor mij heeft gevonden. Dan kunnen we eerlijk oversteken.' Mijn stem klonk hoog en gemaakt vrolijk.

Jack antwoordde niet, maar hoorde me zwijgend aan.

'Ik bedoel, ik heb eigenlijk geen garantie dat ik ook daadwerkelijk zal krijgen wat me beloofd is toen we hieraan begonnen. Waarschijnlijk is het zakelijk gezien dus verstandiger om dit in mijn bezit te houden totdat ik krijg wat ik hebben wil.'

Jack boog zich naar mij toe, legde zijn beide handen op mijn schouders en wachtte totdat ik tot bedaren was gekomen. 'Allie... De FBI is zomaar een bedrijf, een verzameling naamloze mensen die jou iets hebben beloofd. Maar ik ben niet naamloos. Ik ben geen bedrijf. Ik ben Jack O'Connor en *ik* heb jou iets beloofd. Jij krijgt jouw informatie. Daar zorg ik voor.'

Ik keek naar hem, naar zijn gewoonlijk zo ontspannen en zorgeloos gezicht. Nu was er geen spoor van een glimlach te zien. Nu was er alleen maar Jack die mij vroeg hem te vertrouwen. Volledig. Met alles wat mij dierbaar was. Even vroeg ik me af of hij wel besefte hoeveel hij van me vroeg, maar ik las het antwoord in zijn ogen. Hij begreep precies wat hij van me vroeg. En hij wachtte op mijn keuze.

Een paar tellen lang hield ik zijn blik vast; toen wendde ik mijn ogen af. Ik sloot het deksel van het zwarte kistje en klapte de sloten dicht. Met het kistje onder mijn arm stond ik op. Jack ging ook staan.

Ik keek hem weer aan. 'Het was me een waar genoegen met u samen te werken, meneer O'Connor.'

'Het genoegen was geheel wederzijds, miss Fortune.'

Ik nam het kistje en overhandigde het aan hem. 'Allie. Alsjeblieft, Allie.'

Hoofdstuk 41

Sinds het verhaal over het teruggevonden goud breeduit in alle kranten had gestaan, was mijn telefoon niet opgehouden met rinkelen. Op de een of andere manier had de pers ook lucht gekregen van mijn bijnaam, 'de koningin der detectives', en nu was ik een beetje beroemd. Mijn moeder kon natuurlijk wel door de grond zakken. Het idee dat haar eigen dochter betrokken was bij zulke verachtelijke zaken deed haar verbleken van ontzetting. Mijn vader zei er geen woord over, maar aangezien hij elke dag de krant spelde, kon hij het niet over het hoofd hebben gezien.

Al die publiciteit was voor mij eerder een hinder dan een hulp, aangezien ik al meer zaken had dan ik aankon. Wanneer een journalist me belde, zei ik dat ik geen commentaar had; en uiteindelijk, na meer dan drie weken, begon de opwinding te luwen.

Ik zat in mijn pasgeverfde, succes uitstralende kantoor mijn administratie af te handelen en de stapels op mijn bureau op te ruimen, toen hij binnenkwam. Ik had hem niet meer gezien sinds ik hem die avond dat we het goud vonden, had nagekeken toen hij wegreed.

'Jack.' Mijn adem stokte bij het zien van de grote lichtbruine envelop in zijn hand.

'Ik ben gekomen om mijn belofte in te lossen.' Hij glimlachte niet; hij leek te begrijpen dat een verlammende angst zich van mij meester had gemaakt.

'Heb je gekeken?' Meer kon ik niet uitbrengen.

Hij schudde zijn hoofd. 'Dat is niet aan mij. Dit nieuws is voor jou bestemd. Jij moet de eerste zijn die het leest.' Hij liet me niet de gemakkelijke weg kiezen.

'Je hebt de envelop bezorgd. Ik denk dat je taak er nu op zit.' Ik dwong mezelf te glimlachen, maar het deed pijn aan mijn wangen. 'Tot ziens dan maar.' Ik stuurde hem op een botte manier weg; dat beseften we allebei.

Jack drukte zijn hoed rechter op zijn hoofd. 'Ik moest maar eens gaan. Tot ziens, Fortune.'

Ik knikte, er niet om gevend dat hij mij de rug al had toegekeerd.

Hij had de envelop midden op mijn bureau neergelegd, boven op de dossiers waaraan ik had zitten werken. Ik stak een bevende hand uit om hem op te pakken, maar durfde hem niet aan te raken. Ik trok mijn hand terug en kon er alleen maar naar staren.

De zon was al lang ondergegaan; ik had de lamp niet aangedaan. Ik was zelfs niet uit mijn stoel geweest sinds Jack me de envelop had gebracht die mijn leven zou veranderen. Ik zat daar maar achter mijn bureau, te bang om hem te openen. De schaduwen werden langer, de duisternis viel in, en alleen mijn bureaulamp zorgde ervoor dat ik niet in het volslagen donker kwam te zitten.

Ik haalde diep adem, stak mijn hand weer uit, maar kon mezelf er niet toe zetten de envelop naar me toe te halen. Ik steunde met mijn hoofd in mijn handen en probeerde mezelf ervan te overtuigen dat het tijd was de inhoud te bekijken.

Een onverwacht geklop op de deur deed mijn hart een slag overslaan. Ik kwam snel overeind. 'Wie is daar?'

Het grote silhouet aan de andere kant van de nieuwe matglazen ruit gaf geen antwoord. De deurklink rammelde en de deur zwaaide open. Aangezien mijn bureaulamp de enige verlichting in de kamer was, kon ik het gezicht van de man niet zien. Hij liep naar mijn bureau. 'Ik zie dat je hem nog niet hebt opengemaakt.'

Ik slaakte een zucht van verlichting. 'Jack.'

'Mag ik je een poosje gezelschap komen houden?'

Ik knikte, ging weer zitten en keek de kamer rond. Ik herinnerde me de nacht dat ik Mary Gordon had ontmoet. In het holst van de nacht was ik naar mijn kantoor gegaan om een andere envelop te openen, om een foto van een dode man te bekijken. Toen had de envelop geen bekend gezicht bevat, maar misschien zou dit nu de nacht zijn dat er een einde kwam aan mijn zoektocht en ik het onomstotelijke bewijs onder ogen kreeg dat David Rubeneski niet meer leefde.

Misschien.

Maar in tegenstelling tot die nacht, zou ik ditmaal niet alleen zijn.

Jack zat tegenover mij geduldig te wachten. Tegen zijn gewoonte in bewoog hij helemaal niet. Hij zei geen woord, probeerde me niet te adviseren. Hij was er gewoon. Hij had begrepen dat ik iemand nodig had, en hij was gekomen.

Ik haalde diep adem. 'Ik denk dat ik er nu klaar voor ben.' Ik stak mijn hand uit, verrast dat die maar een heel klein beetje beefde. Ik pakte de envelop en verbaasde me erover dat hij zo licht was. Terwijl ik hem openscheurde, bad ik in stilte om kracht, om wijsheid – en vooral ook dat ik nu eindelijk de waarheid zou weten.

Ik voelde in de envelop en haalde de inhoud eruit. Eén vel papier. Bij het licht van de bureaulamp begon ik te lezen. Het was een personeelsdossier. Bovenaan, in een hoek, stond het wapen van de CIA, de inlichtingendienst, afgebeeld. Grote delen van de tekst waren onleesbaar gemaakt, maar mijn oog viel direct op de enige regels die ertoe deden.

David Rubeneski gestationeerd 1942 – heden.
Officiële status: vermist. Werkelijke status: undercover.

Al die tijd had ik gelijk gehad.

Jack boog zich naar mij toe. 'Wat staat erin?'

Ik haalde diep adem en sprak de woorden die ik al zo veel jaren had willen zeggen. 'Er staat dat hij nog leeft.'

Woord van dank

Dit boek – of welk boek dan ook – had ik niet kunnen schrijven zonder de hulp, steun en bemoediging van mijn geweldige echtgenoot Keith en mijn altijd geduldige kinderen Isaiah, Laura en Julia. Heel hartelijk dank voor al die keren dat ik het wassen, schoonmaken en koken aan jullie mocht overlaten om aan mijn verhaal te werken. Maar nog veel meer dank voor al die keren dat jullie me van achter het toetsenbord vandaan sleepten om Triviant te spelen, lange wandelingen te maken, of zelfs om iets onzinnigs te bekijken op YouTube. Jullie zorgen ervoor dat ik niet helemáál gek word.

Ik had de moeilijke jaren van schrijven niet kunnen volhouden zonder de steun en de bemoediging van mijn familie. Dankjewel mam en Blaine, pa en Sam, en Rowland en Wilma (de beste schoonouders die er zijn).

Oneindig veel dank aan mijn agent, Steve Laube – ik ken weinig mannen die zo rechtdoorzee zijn als hij. Dat ik *het* telefoontje van jou kreeg, heeft me ervan weerhouden mijn geld te steken in genoeg panty's voor een mensenleven, en in de schoolbanken terug te keren. Aangezien dat het ergste zou zijn wat me had kunnen overkomen, ben ik je dankbaar. Ik ben je ook erkentelijk voor het feit dat jij mijn neiging geobsedeerd te raken voor lief neemt, zonder de telefoon erop te gooien.

Dank aan mijn geweldige meelezer Ronie Kendig: jij bent een grote zegen voor mij. Zonder jou zou dit boek er niet zijn geweest. Met jou ziet alles er altijd zonnig uit.

Dank aan nog een geweldige meelezer, Sara Goff. Haar oog voor schoonheid en eenvoud van taal heeft mijn schrijfstijl veranderd. Dank je wel.

Dank aan ACFW, de allerbeste en meest bemoedigende, professionele en gezellige schrijverskring op deze planeet.

Dank aan het fantastische personeel van de bibliotheek van Claresholm. Ik heb de helft van dit boek in 'mijn kantoor' daar geschreven. Het is een geweldige plek om te vertoeven.

Dank aan mijn plaatselijke kring van schrijvers in Claresholm. We zijn weliswaar niet groot, maar we zijn wel klein. Bedankt dat jullie me door de jaren heen hebben laten afreageren en dat jullie me geestelijk gezond hebben gehouden.

Dank aan Sheila Gray, die regelmatig langskwam om Julia een dag bezig te houden, met mij over boeken te praten en in het algemeen mij te helpen waarmee ze maar kon. Dank je wel.

Dank aan de Fringirlz (Shelly Dixon en Wendy Thompson) voor bemoediging, koffie en groepstherapie. Nog vele jaren in The View! Ook al zijn jullie zelf geen schrijvers, toch lijken jullie het echt goed te snappen.

Heel veel dank aan Andy McGuire, omdat hij het met me aandurfde, en aan Cheryl Dunlop voor haar geweldige redigeerwerk.

En boven alles dank ik God, die mij een gave schonk en me niet toestond op te geven.